« Nous sommes Draxis. »

DRAXIS

Santé DRAXIS Inc. est une société de spécialités pharmaceutiques participant au développement, à la production, à la mise en marché et à la distribution de produits radiopharmaceutiques thérapeutiques et diagnostiques par l'entremise de DRAXIMAGE et à la fourniture de services de fabrication en sous-traitance de produits injectables liquides et lyophilisés et d'autres produits stériles par l'entremise de DRAXIS Pharma. Santé DRAXIS compte plus de 500 employés.

VOICI UN APERÇU DE NOS POSTES :

- Analyste de laboratoires
- Spécialiste, assurance qualité
- Technicien en robotique
- Chimiste
- Chercheur
- Ingénieur de procédés
- Ingénieur de projets

- Technologue en instrumentation
- Mécanicien
- Opérateur, milieu stérile
- Chef de produits
- Chef de projets
- Chef de comptes commerciaux

Vous pouvez nous faire parvenir votre curriculum vitae à : **cv@draxis.com**

Pour plus d'informations concernant DRAXIS et ses divisions, n'hésitez pas à consulter le **www.draxis.com**

Santé DRAXIS inc.
16751, route Transcanadienne
Kirkland (Québec) H9H 4J4
Téléphone : 514.630.7000
Télécopieur : 514.694.1355

DRAXIS
Notre succès, c'est vous.

Table des matières

100 carrières de la santé et des services sociaux

Côtoyer chaque jour la maladie et la détresse humaine tout en restant serein n'est pas donné à tout le monde. Avez-vous les qualités et les aptitudes nécessaires?

Dossier spécial

Peu connue du grand public, l'industrie biopharmaceutique offre pourtant des emplois très stimulants à tout un éventail de professionnels de la santé, comme les infirmières, les techniciens de laboratoire, les biostatisticiens et les microbiologistes.

Découvrez le quotidien de professionnels de la santé et des services sociaux au moyen de leurs témoignages : leurs tâches, leur motivation, leurs conseils et leur parcours.

▶ En bref

▶ Cherchez et trouvez

▶ Pêle-mêle

Centre de santé et de services sociaux de Bordeaux–Cartierville–Saint-Laurent

Ici, l'impératif premier est la personne

Le CSSS de Bordeaux–Cartierville–Saint-Laurent compte deux points de service CLSC et cinq centres d'hébergement. Il est issu de la fusion du Manoir Cartierville, du CLSC-CHSLD Saint-Laurent et du CHSLD-CLSC Nord-de-l'Île.

Nous disposons d'un budget de 97 millions de dollars et regroupons plus de 2 300 employés. Nous offrons des services de première ligne à une population de 124 655 personnes et des services d'hébergement permanent à une clientèle en perte d'autonomie totalisant 1000 lits.

Ce qui nous distingue… Universalité et polyvalence.

Le caractère multiethnique de la population du territoire est important. Près de la moitié des personnes que nous servons sont d'origine étrangère et, selon le recensement de 2001, au moins 32 langues différentes sont parlées dans les maisons du territoire.

Outre les services de santé et de services sociaux prévus dans la mission d'un CSSS, nous exerçons des mandats à portée régionale. Aussi, offrons-nous une programmation en déficience intellectuelle, en soins palliatifs, en hébergement temporaire, en hôpital de jour et en centre de jour pour les personnes atteintes de surdité et surdi-cécité. Par ailleurs, dans le cadre d'une vocation suprarégionale, nous dispensons des services adaptés en communication à des personnes atteintes d'une déficience auditive ou auditive et visuelle.

Ce que nous offrons…

Selon nous, il est essentiel de préserver un climat de travail où règne le respect d'autrui et où chacun voit ses efforts récompensés. En outre, nous exerçons une mission complémentaire d'enseignement et de recherche par le biais, entre autres, de nos affiliations avec l'Université de Montréal et avec l'Institut national de recherche scientifique qui contribue au rehaussement des pratiques et à l'amélioration de la qualité des services. Cette mission d'enseignement s'inscrit dans notre culture d'amélioration de la qualité de nos services et de valorisation de notre personnel. Nos valeurs de gestion sont : l'intégrité, le respect, l'épanouissement et l'engagement.

Perspectives de carrière…

Voulez-vous exercer votre métier ou votre profession dans un milieu de travail À LA HAUTEUR DE VOTRE ENGAGEMENT?

Nous sommes toujours à la recherche de personnes de talent pour qui l'impératif premier est la personne.

Faites-nous parvenir votre curriculum vitæ!

CSSS de Bordeaux–Cartierville–
Saint-Laurent
11 844, ave Bois-de-Boulogne
Montréal (Québec) H3M 2X7
Télécopieur : (514) 334-5881
Courriel : s.lamoureux@ssss.gouv.qc.ca

VIVONS PLEINEMENT NOS PASSIONS
DANS UN MILIEU DE VIE
AUTHENTIQUE

avenirensante.com

Le site de référence sur les carrières du réseau de la santé et des services sociaux

Que tu aspires à des études secondaires, collégiales ou universitaires, des opportunités de carrières dans des milieux diversifiés s'offrent à toi...

soins de santé | services sociaux | technologie | Recherche | Enseignement | Gestion

Quarante-cinq titres d'emploi

Les établissements d'enseignement et leurs programmes de formation

Des témoignages vidéo

Des références utiles

Des liens vers les sites d'Emploi-Québec et de Santé Montréal

Tu es de ceux et celles qui ont à cœur de soulager et de soigner les gens ? Le réseau de la santé et des services sociaux offre des perspectives d'emplois de qualité et des conditions de travail avantageuses. Renseigne-toi sur avenirensante.com

Index

Des professions et des témoignages
> Par niveau de formation

Formation professionnelle

Formation collégiale

Index

Index

Des professions et des témoignages (suite)
> Par niveau de formation

Études médicales

Index

Des professions et des témoignages
> Par milieu de travail

Index

Des professions et des témoignages (suite)

> Par milieu de travail

Index

Des professions et des témoignages (suite)
❯ Par milieu de travail

TECHNOLOGUES en RADIOLOGIE

PROFESSION D'AVENIR

- ➠ **Radiodiagnostic**
- ➠ **Médecine nucléaire**
- ➠ **Radio-oncologie**

Ordre des
Technologues en
Radiologie du
Québec

Je veux

Jean-Philippe Côté
souhaite que ses compétences en biochimie contribuent à aider les autres, en faisant avancer la médecine ou même des enquêtes judiciaires.

Découvrir

L'Université de Sherbrooke offre un cadre d'études exceptionnel en biochimie pour combler vos désirs de dépassement.

- Cheminements spécialisés en génétique médicale, génomique-protéomique et synthèse organique

- Programme coopératif de stages rémunérés (3 stages, placement 100 %)

- Admissibilité à l'Ordre des chimistes du Québec

- Travaux pratiques en laboratoire : plus de 20 crédits sur 90

- Nouveaux pavillons d'enseignement, laboratoires et équipement

- Formation orientée vers le domaine biomédical

Avec la formation polyvalente offerte à l'Université de Sherbrooke, les portes s'ouvrent dans plusieurs secteurs :

- centres de recherche (privé, universitaire)
- industrie pharmaceutique
- agroalimentaire et environnement
- biotechnologie et génétique médicale
- laboratoires de biochimie clinique

Programme offert conjointement par la Faculté des sciences et la Faculté de médecine et des sciences de la santé.

Renseignements
(819) 821-8000 poste 2030 (tél. sciences)
(819) 820-6868 poste 1-2563 (tél. médecine)
bac-biochimie@USherbrooke.ca

UNIVERSITÉ DE
SHERBROOKE

www.USherbrooke.ca/bac_biochimie

L'audace porte fruit

Comment interpréter l'information

100 carrières de la santé et des services sociaux

Les Éditions Jobboom, division de Canoë et chef de file dans la création de contenus portant sur l'emploi, la carrière et la formation, sont fières de présenter ce guide d'exploration des carrières de la santé et des services sociaux.

100 carrières de la santé et des services sociaux se veut d'abord un outil permettant de faire un premier survol des possibilités de carrière dans le domaine, une sorte de «bougie d'allumage» pour tous ceux qui s'intéressent à ce secteur d'activité offrant d'excellentes perspectives d'emploi.

Nous tenons à remercier de leur précieuse collaboration les nombreuses personnes jointes au cours de cette recherche, plus précisément les responsables des services de placement dans les centres de formation professionnelle, les cégeps et les universités, les personnes-ressources du ministère de la Santé et des Services sociaux du Québec et de plusieurs associations et ordres professionnels – un merci particulier à la Fédération des médecins résidents du Québec (FMRQ) qui nous a recommandé plusieurs médecins spécialistes –, de même que les nombreux professionnels de la santé et des services sociaux qui ont bien voulu nous accorder de leur temps. Tous nous ont permis d'enrichir nos recherches, notre réflexion et l'information que nous publions dans ce guide.

Attention **Le contenu de ce guide n'entend pas couvrir TOUTES les professions pratiquées dans le réseau de la santé et des services sociaux, celles-ci étant fort nombreuses et diversifiées. L'ouvrage vise plutôt à illustrer la plupart des professions liées aux principaux programmes d'études relatifs à ce secteur d'activité offerts dans le réseau public de l'éducation et à fournir quelques pistes sur les cheminements scolaires et professionnels qui mènent à ces postes (voir les encadrés «Mon parcours» dans les témoignages).**

▶ Notre démarche de recherche et de rédaction

L'équipe des Éditions Jobboom a établi la liste des principaux programmes d'études liés à la santé et aux services sociaux offerts dans le réseau public de l'éducation aux trois niveaux d'enseignement (formation professionnelle, collégiale et universitaire). Les professions illustrées dans ce guide sont celles qui sont généralement pratiquées par les diplômés de ces programmes. Pour compléter notre sélection, nous avons aussi jugé pertinent d'ajouter quelques professions périphériques au domaine de la santé et des services sociaux.

Nous avons ensuite fait appel aux services de placement dans les centres de formation professionnelle, les cégeps et les universités, de même qu'à plusieurs associations et ordres professionnels pour obtenir des coordonnées de diplômés ou de professionnels en emploi dans le domaine de la santé et des services sociaux.

Les recommandations reçues ont parfois été abondantes et nous avons dû faire un choix parmi l'ensemble. Nos critères de sélection ont été les suivants : diversité des milieux de travail représentés; ratio équilibré d'hommes et de femmes; représentativité de l'ensemble des régions du Québec. Nous avons aussi tenté de privilégier des professionnels récemment diplômés qui cumulent quelques années d'expérience sur le marché du travail (entre trois et cinq ans). Cependant, certains professionnels présentés possèdent une plus longue expérience, notamment ceux qui ont poursuivi des études universitaires de deuxième cycle.

▶ À propos de l'information contenue dans les témoignages

Ces brefs portraits permettent au lecteur de se familiariser avec le rôle des professionnels de la santé et des services sociaux, de découvrir leurs motivations à œuvrer dans ce domaine et les principales étapes de leur cheminement scolaire et professionnel.

Ces contenus reflètent l'opinion et l'expérience du professionnel interviewé et ne représentent pas nécessairement toutes les facettes d'une même profession. En ce sens, la rubrique «Des milieux de travail potentiels» démontre bien qu'il est possible d'œuvrer dans d'autres milieux que celui illustré dans le témoignage. Les tâches et les responsabilités des professionnels peuvent alors varier.

• Répertoire des principales formations (page 176)

Ce répertoire regroupe les principales formations liées à la santé et aux services sociaux offertes aux niveaux professionnel, collégial et universitaire au Québec et permettant de pratiquer les professions illustrées dans ce guide. L'information était à jour en juin 2005. L'offre des programmes peut avoir été modifiée depuis. Contactez les établissements qui vous intéressent pour vérifier l'offre de leurs programmes.

• Répertoire des principales associations et des ordres professionnels (page 186)

Ce répertoire regroupe les principales associations et les ordres professionnels québécois liés aux professions illustrées dans ce guide. Pour constituer cette liste, nous nous sommes basés sur les ordres et associations répertoriés dans le site avenirensante.com produit par le ministère de la Santé et des Services sociaux du Québec. Nous l'avons ensuite étoffée grâce à notre propre recherche. Notez que nous avons cherché à répertorier les grandes associations provinciales et que nous n'avons pas nécessairement inclus les associations régionales ou canadiennes. Ce répertoire contient aussi les coordonnées de quelques organismes clés du domaine de la santé et des services sociaux (ministère, etc.). L'information était à jour en juin 2005. ■

→ COMMENT VA LA **SANTÉ?**

État **d'urgence**

Les professionnels de la santé ont besoin de renforts! Gouvernement et employeurs font des pieds et des mains pour attirer des candidats. **Page 24**

Le grand **remue-ménage**

Le milieu de la santé se réorganise pour s'adapter au vieillissement de sa clientèle et de sa main-d'œuvre. Bienvenue à l'ère des équipes multidisciplinaires et des infirmières praticiennes de première ligne. **Page 28**

Médecine **tout-terrain**

Pour les jeunes médecins, la pratique en région n'est pas toujours le premier choix. Mais l'essayer, c'est l'adopter, disent certains. **Page 34**

→ TROUVER SA PLACE

Infiltrez le **réseau!**

Centres hospitaliers, centres de santé et de services sociaux, centres jeunesse ou de réadaptation, cliniques privées ou laboratoires médicaux... Tour de piste des milieux de travail dans le domaine de la santé. **Page 38**

Ai-je le **profil?**

Œuvrer dans le domaine de la santé ne signifie pas uniquement dispenser des soins médicaux. On peut aussi se consacrer à la relation d'aide, à la gestion ou à la recherche. Avez-vous les qualités ou aptitudes requises pour travailler dans l'un de ces secteurs? **Page 44**

→ BIOPHARMACEUTIQUE

Recrutement à **forte dose**

Les techniciens de laboratoire et les pharmaciens ne sont que la pointe de l'iceberg dans l'industrie pharmaceutique. Découvrez la diversité des occasions d'emploi dans le domaine du médicament. **Page 48**

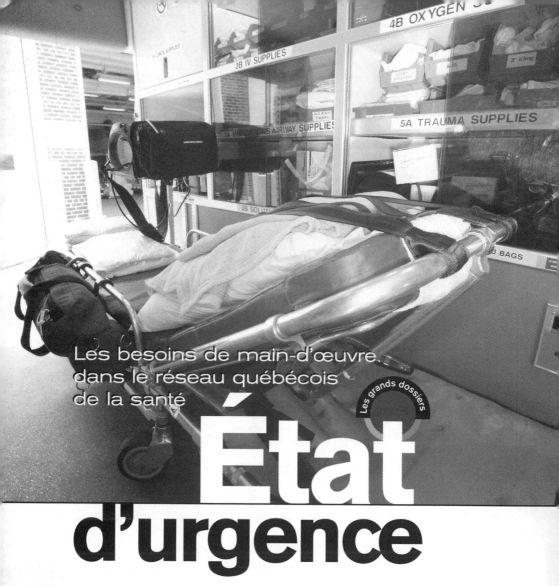

Les besoins de main-d'œuvre
dans le réseau québécois
de la santé

Les grands dossiers

État
d'urgence

Urgences fermées faute de médecins, interventions chirurgicales reportées en raison d'un manque d'anesthésistes ou d'infirmières, la pénurie de main-d'œuvre dans le réseau de la santé et des services sociaux québécois est lourde de conséquences. Dans les coulisses, gestionnaires et employés de l'État travaillent à rectifier le tir, mais ils avouent craindre que le pire soit à venir.

Par Guylaine Boucher

Il ne se passe pratiquement pas une journée sans que le réseau de la santé et des services sociaux fasse les manchettes. Manque de fonds, de ressources matérielles, de personnel, la liste des problèmes ne cesse, en apparence, de s'allonger. Directeur de la planification et du développement de la main-d'œuvre au ministère de la Santé et des Services sociaux (MSSS), Robert Tremblay confirme qu'en dépit des efforts déployés, l'état de la disponibilité des ressources humaines demeure préoccupant. «Si on compare la situation d'il y a deux ans avec celle d'aujourd'hui, les choses n'ont pas vraiment changé. Malgré les efforts qui ont été faits, les pénuries existent toujours. En fait, selon nos prévisions, si on prend en considération l'âge moyen des travailleurs en poste, elles risquent même de s'accentuer.»

Un bref coup d'œil aux prévisions effectuées par le ministère suffit en effet pour mesurer l'ampleur du manque à gagner qui se dessine à l'horizon. Entre 2005 et 2010, ce sont environ 7 000 travailleurs par année qui devront être remplacés, tant du côté des gestionnaires que du personnel soignant[1]. Or, souligne Robert Tremblay, «en raison de notre situation démographique et du fait que nous avons très peu de jeunes, la relève potentielle est aussi moins imposante. Il faut savoir convaincre les jeunes qui ont le bon profil de se diriger vers les sciences de la santé. C'est un beau défi.» Le ministère a d'ailleurs entrepris différentes initiatives en ce sens. La plus concrète est sans contredit le site Internet **avenirensante.com**, où les jeunes peuvent se renseigner sur les professions du domaine et sur les différents programmes de formation existants.

Des professions à risque

Les domaines les plus touchés par le manque de personnel sont les mêmes que depuis le début des années 2000 : soins infirmiers, pharmacie, physiothérapie et ergothérapie. Ce sont aussi ceux qui inquiètent le plus pour l'avenir, au dire du directeur de la planification et du développement de la main-d'œuvre.

En mars 2004, l'âge moyen des infirmières travaillant dans le réseau de la santé et des services sociaux était de 42,2 ans. Un bon nombre d'entre elles devraient par conséquent prendre leur retraite au cours des prochaines années[2]. En 2009-2010, le ministère estime que le manque à gagner en soins infirmiers s'élèvera à 4 465 professionnels. Cinq ans plus tard, soit en 2014-2015, on parle même de 10 436 travailleurs manquants[3].

À l'Ordre des infirmières et infirmiers du Québec, la responsable de la direction de l'exploitation des données corporatives, Marie Valois, considère que les pénuries anticipées dans le réseau toucheront particulièrement les infirmières qui ont une formation universitaire, soit celles occupant des postes d'encadrement et de soutien clinique (infirmière-chef, infirmière clinicienne, directrice des soins infirmiers, etc.) ainsi que les infirmières soignantes en secteur spécialisé : soins intensifs, soins palliatifs, pédiatrie, etc.

▶

▶ Sur le terrain, la directrice des soins infirmiers à l'Hôpital Maisonneuve-Rosemont, Louise Potvin, confirme qu'elle fait déjà face au problème. «En soins réguliers, les choses vont un peu mieux parce qu'on commence à ressentir les effets de l'augmentation du taux de diplomation collégiale. En services spécialisés par contre, pour fonctionner de manière idéale, nous aurions besoin de 80 à 100 infirmières de plus. Comme nous ne les avons pas, celles qui sont en poste doivent faire des heures supplémentaires. Elles assument également une charge de travail beaucoup plus lourde que la normale. Plus rarement, il arrive aussi que nous devions reporter des interventions parce que nous n'avons pas de personnel disponible pour aller en bloc opératoire, par exemple.»

En pharmacie, le manque de main-d'œuvre occasionne aussi des ruptures de service dans certains établissements. «Au printemps 2005, en raison d'un manque de personnel, plus d'un département de pharmacie sur cinq (22 %) a vu son effectif ou les heures d'ouverture de la pharmacie diminuer», affirme la présidente de l'Association des pharmaciens des établissements de santé du Québec (APES), Francine Lussier-Labelle.

> **Plus de la moitié des établissements de santé de la province comptent au moins un poste de pharmacien vacant.**

Une situation qui, explique-t-elle, a pu retarder la validation des ordonnances (détection des contre-indications, des interactions médicamenteuses, etc.) et même la distribution des médicaments[4].

À la fin de 2004, le MSSS estimait la pénurie à 110 pharmaciens en établissement. Les projections faites pour la fin de 2005 parlaient d'un manque à gagner de 156 pharmaciens[5]. Un sondage effectué par l'APES a quant à lui permis d'établir que plus de la moitié des établissements de santé de la province comptent au moins un poste de pharmacien vacant. L'écart entre les conditions de travail en établissement et celles offertes aux professionnels qui choisissent de pratiquer en pharmacie privée expliquerait en grande partie l'accélération de la pénurie. L'APES estime en effet que le salaire consenti aux pharmaciens en établissement, pourtant titulaires d'une maîtrise, est de 30 à 40 % inférieur à celui attribué aux pharmaciens d'officine.

Il faut savoir que, contrairement aux pharmaciens œuvrant dans le secteur privé, les pharmaciens en poste dans les établissements ne sont que très rarement en contact avec la clientèle ou les patients. L'essentiel de leur travail se fait de concert avec les autres professionnels, comme les médecins et les infirmières. Ce sont eux qui préparent les médicaments administrés aux personnes hospitalisées et qui conseillent le personnel sur les interactions ou les risques que présentent certaines thérapies médicamenteuses.

Globalement, pour répondre aux besoins existants tant en établissement qu'en pharmacie privée, le MSSS estime qu'il faudrait pouvoir compter sur environ 580 professionnels de plus en 2006[6].

La situation est sensiblement la même en réadaptation physique. Dans les établissements de santé publics, les physiothérapeutes et les ergothérapeutes ne parviennent tout simplement pas à répondre à la demande. «À certains endroits, des postes ont été annoncés pendant des mois et on a cessé de chercher parce qu'il n'y avait pas de candidats, explique le président-directeur général de l'Ordre professionnel de la physiothérapie du Québec, Paul Castonguay. On parle en fait de 150 à 200 professionnels manquants dans la province. Pour ceux qui sont en place, la pression est très grande.»

Contrer la tendance

Pour amoindrir l'impact des départs à la retraite et de l'accroissement de la demande de services, diverses mesures ont été mises en place, notamment par le MSSS. L'organisation du travail, entre autres, a été revue (voir *Le grand remue-ménage*, p. 28).

Autre initiative, l'instauration des programmes de formation cumulée DEC-bac a permis d'accélérer la délivrance de diplômes universitaires à des infirmières, particulièrement recherchées pour assumer des responsabilités en lien avec les soins spécialisés.

C'est aussi du côté de la formation que l'on a décidé d'agir pour contrer la pénurie de main-d'œuvre en pharmacie. Depuis l'été 2004, le MSSS propose en effet de nouveaux programmes de bourses aux étudiants du baccalauréat en pharmacie désireux de poursuivre des études de maîtrise leur permettant de pratiquer en établissement. En échange de l'engagement à travailler dans le réseau à la fin de leurs études, les étudiants peuvent bénéficier d'une aide financière supplémentaire de 5 000 $ par année. La mesure vaut aussi pour les étudiants du programme de maîtrise en pharmacie d'hôpital : 70 bourses de 30 000 $ leur sont destinées. Cette aide financière substantielle s'accompagne du remboursement des droits de scolarité jusqu'à 50 $ par unité réussie, pour un maximum de 3 000 $. En contrepartie, les étudiants boursiers doivent s'engager par écrit à travailler deux ans en établissement de santé.

Quant au manque à gagner en matière de réadaptation physique, la principale mesure adoptée jusqu'à présent concerne l'augmentation du nombre d'étudiants admis aux programmes de physiothérapie et d'ergothérapie dans les universités québécoises. L'effort est cependant insuffisant. À l'Ordre professionnel de la physiothérapie, Paul Castonguay estime que l'ouverture, en 2007, d'un programme de physiothérapie à l'Université de Sherbrooke devrait aider.

Par-delà les initiatives prises pour chaque profession, Robert Tremblay confirme que des efforts importants ont également été faits pour améliorer les conditions de travail générales dans le réseau de la santé et des services sociaux. «Nous avons compris qu'il nous fallait devenir de bons employeurs. Nous avons ajusté nos modes de gestion. Nous offrons maintenant des postes réguliers et à temps complet le plus possible [aux employés qui le désirent]. Nous tentons de limiter le travail effectué en heures supplémentaires. Les nouveaux employés bénéficient aussi de plus de soutien et d'encadrement. En soins infirmiers, par exemple, ils sont jumelés à des gens d'expérience qui sauront les accompagner. Si nous voulons de la main-d'œuvre de qualité, nous n'avons plus le choix : nous devons être concurrentiels.» ■ 06/05

1. Entrevue avec Robert Tremblay, MSSS, juin 2005.
2. Ordre des infirmières et infirmiers du Québec. *Planification de la main-d'œuvre, Portrait de l'effectif des infirmières en 2004*, consulté dans le site Internet de l'Ordre en juin 2005.
3. Direction générale du personnel réseau et ministériel, ministère de la Santé et des Services sociaux. *Projection de la main-d'œuvre infirmière de 2004-2005 à 2019-2020*, mars 2005, p. 29.
4. Association des pharmaciens des établissements de santé du Québec. *Communiqué – Les services sont de plus en plus perturbés dans les établissements de santé, Évolution de la pénurie de pharmaciens dans les établissements de santé 2004 2010*, juin 2005.
5. Ministère de la Santé et des Services sociaux. *Planification des besoins de main-d'œuvre en pharmacie, mise à jour des projections*, mai 2005.
6. *Idem.*

Les grands dossiers

Le grand remue-ménage

En 2002, confronté à des pénuries de main-d'œuvre persistantes, le gouvernement du Québec adoptait une loi permettant aux établissements de santé de revoir la répartition des responsabilités entre divers professionnels du réseau. Son objectif avoué? Utiliser au mieux l'expertise disponible. Depuis, professionnels et gestionnaires sont témoins d'importantes transformations.

Par Guylaine Boucher

«**Certains établissements travaillent à former des infirmières auxiliaires afin qu'elles puissent participer aux interventions, que ce soit pour préparer la salle ou pour passer les instruments aux médecins durant l'opération.**»

– Sylvie Hains, MSSS

«**L**es gens n'y pensent pas, mais l'évolution technologique qu'a connue la médecine fait en sorte que de plus en plus d'individus survivent à des maladies ou à des accidents graves. Même le taux de survie des enfants prématurés augmente. C'est en soi une bonne nouvelle, sauf que les gens qui survivent ont aussi très souvent des séquelles graves, voire des handicaps. Résultat, ils sont plus nombreux à avoir besoin de soins et augmentent la pression sur le réseau», explique Paul Castonguay, président-directeur général de l'Ordre professionnel de la physiothérapie du Québec.

Par ailleurs, le vieillissement de la population force les professionnels de la santé à traiter des patients de plus en plus fragiles et de moins en moins autonomes. «On ne traite pas un patient de 85 ans, en perte d'autonomie, comme quelqu'un de 35 ans qui vit temporairement un problème de santé, explique Sylvie Hains, directrice-conseil en soins infirmiers au ministère de la Santé et des Services sociaux (MSSS). En soins infirmiers, cela veut dire qu'il faut souvent travailler avec d'autres professionnels [psychologues, ergothérapeutes, etc.] parce que les problèmes dont souffre la personne sont plus nombreux et complexes [arthrite, Alzheimer, troubles respiratoires, etc.]. On ne peut plus travailler en vase clos.»

Pour Raymond Paquin, directeur des ressources humaines à l'Association québécoise des établissements de santé et de services sociaux (AQESS), le manque de personnel représente un défi supplémentaire pour le réseau. «On atteint en ce moment un plateau démographique qui fait en sorte que l'on a de moins en moins de jeunes et, par conséquent, de moins en moins d'étudiants et de futurs professionnels. Si l'on souhaite continuer à offrir les mêmes services, il faut donc apprendre à travailler différemment. Nous n'avons pas d'autre choix.»

Répartir les tâches

Sur le terrain, on a déjà commencé à s'adapter à cette situation, la plupart du temps en réorganisant le travail. Par exemple, à l'urgence de l'Institut de cardiologie de Montréal, depuis 2004, certaines infirmières, devenues infirmières traitantes après avoir reçu une formation à l'interne, remplacent les médecins lorsqu'il s'agit d'effectuer le relevé des ordonnances (vérification et remise des ordonnances aux patients avant qu'ils quittent l'hôpital). «La mesure a permis d'accélérer le travail en favorisant une meilleure communication entre le médecin et l'infirmière», explique à ce sujet Danielle Perreault, infirmière en chef pour l'urgence, avant d'ajouter que l'établissement a ainsi pratiquement réglé son problème de débordement.

Plusieurs des solutions mises de l'avant ou en voie de l'être concernent d'ailleurs la profession infirmière, particulièrement touchée par la pénurie. «Par le passé, alors que nous étions en contexte de surplus de main-d'œuvre, nous avions pris l'habitude de laisser les infirmières effectuer certaines tâches de bureau, comme la gestion de dossiers, explique Robert Tremblay, directeur de la planification et du développement de la main d'œuvre au MSSS. En ce moment, elles ne peuvent plus ▶

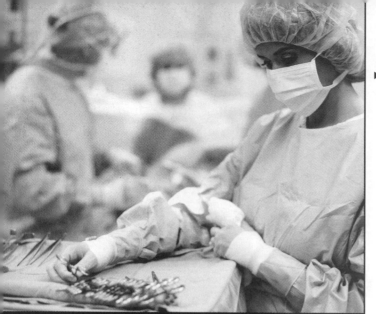

assumer ce genre de responsabilité. Nous avons donc augmenté le nombre de commis pour faire le travail. Ça donne plus de temps aux infirmières, qui peuvent ainsi se consacrer à ce qui correspond à leur formation, c'est-à-dire donner des soins.» Cette mesure a mené à la création de plusieurs centaines d'emplois dans le réseau public de la santé, notamment pour des titulaires d'un diplôme d'études professionnelles en secrétariat, en secrétariat médical ou encore d'un diplôme d'études collégiales en techniques de bureautique. Entre 2000 et 2004, le nombre d'employés de bureau a augmenté d'environ 3 %[1].

Dotées d'une formation universitaire de deuxième cycle, les infirmières praticiennes pourront notamment prescrire des médicaments et des examens diagnostiques.

Sylvie Hains est témoin chaque jour des changements qui surviennent çà et là dans la province. À titre d'exemple, souligne-t-elle, «pour faire face au problème du vieillissement de la main-d'œuvre infirmière dans les blocs opératoires, certains établissements travaillent à former des infirmières auxiliaires afin qu'elles puissent participer aux interventions, que ce soit pour préparer la salle ou pour passer les instruments aux médecins durant l'opération».

À l'Hôpital Maisonneuve-Rosemont, la directrice des soins infirmiers, Louise Potvin, confirme aussi travailler à l'élargissement des responsabilités des infirmières effectuant le triage à l'urgence. «Une fois les changements introduits, précise-t-elle, les infirmières pourront initier des mesures diagnostiques et thérapeutiques, c'est-à-dire qu'elles pourront, par exemple en cas de fracture apparente, diriger immédiatement un patient en radiographie. Il aura déjà son rapport ou ses résultats d'examen en main lorsqu'il verra le médecin, ce qui devrait accélérer beaucoup le traitement.»

L'idée se rapproche de l'introduction, prévue pour 2006, des infirmières praticiennes de première ligne dans les cliniques médicales et les centres de santé et de services sociaux. Cette nouvelle catégorie de professionnelles permettra en effet de revoir le partage des responsabilités incombant généralement aux médecins. Dotées d'une formation universitaire de deuxième cycle (diplôme complémentaire d'infirmière praticienne), ces infirmières pourront notamment prescrire des médicaments et des examens diagnostiques, par exemple en radiographie ou en inhalothérapie, de manière à augmenter l'accès aux services médicaux sans rendez-vous.

D'autres groupes professionnels vivent aussi des transformations, notamment les physiothérapeutes. «Beaucoup d'établissements prennent actuellement la décision d'augmenter le nombre de techniciens en réadaptation physique à leur service pour aider et même remplacer les physiothérapeutes dans certains cas, explique Paul Castonguay. Ce modèle d'organisation du travail existe déjà aux États-Unis. Il permet aux physiothérapeutes de se concentrer sur l'encadrement, le suivi et l'évaluation des patients, pendant que les techniciens les accompagnent quotidiennement, en leur faisant faire leurs exercices, par exemple.»

> «Beaucoup d'établissements prennent actuellement la décision d'augmenter le nombre de techniciens en réadaptation physique à leur service pour aider et même remplacer les physiothérapeutes dans certains cas.»
>
> – Paul Castonguay, Ordre professionnel de la physiothérapie du Québec

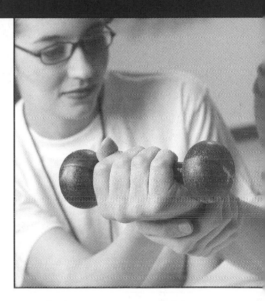

Des changements à gérer

Autant de remue-ménage n'est pas sans nécessiter une bonne dose de planification et de gestion. «Les gestionnaires d'aujourd'hui doivent être créatifs et ne pas hésiter à remettre en question la manière dont la prestation des soins est orchestrée, souligne Robert Tremblay. Ils doivent savoir faire accepter le changement et mobiliser le personnel.» Conseiller au Centre de référence des directeurs généraux et des cadres, Ahmed Benhadji confirme : «Les gestionnaires doivent compter sur un bon sens des communications s'ils veulent réussir. Il leur faut aussi être à l'écoute et savoir reconnaître les besoins de formation qui émergent avec les changements.» ▶

De l'aide pour se réorganiser

Réorganiser les tâches et les façons de faire peut nécessiter des mois de travail et de préparation. Pour aider les établissements engagés dans ce processus, le ministère de la Santé et des Services sociaux a mis sur pied le Programme national en organisation des soins et du travail. La mesure consiste à attribuer une aide financière aux établissements engagés dans un projet de réorganisation du travail découlant de la loi 90 (ou loi modifiant le Code des professions et d'autres dispositions législatives dans le domaine de la santé). L'enveloppe disponible s'élève à cinq millions de dollars. Depuis le lancement du programme en 2003, 17 projets ont été acceptés.

«Les gens qui intègrent actuellement les milieux de travail ont des valeurs très différentes de leurs prédécesseurs. Plusieurs ne veulent pas travailler à temps plein et choisissent un poste à statut occasionnel pour avoir plus de liberté.»

– Raymond Paquin, AQESS

▶ Régulièrement en contact avec les directions générales d'établissements, Raymond Paquin considère qu'à cette problématique s'ajoute l'arrivée progressive des jeunes travailleurs, combinée à la fusion administrative de différentes catégories d'établissements – centres locaux de services communautaires, centres d'hébergement et de soins de longue durée et certains centres hospitaliers (voir texte *Infiltrez le réseau*, p. 38). «Non seulement les nouveaux établissements créés sont-ils plus gros [jusqu'à 4 000 employés dans certains cas], mais aussi les gens qui intègrent actuellement les milieux de travail ont des valeurs très différentes de leurs prédécesseurs. Plusieurs ne veulent pas travailler à temps plein et choisissent un poste à statut occasionnel pour avoir plus de liberté. La forte proportion de jeunes femmes qui commencent leur carrière devrait aussi faire diminuer le nombre d'heures travaillées, notamment parce qu'elles prendront des congés de maternité.» En conséquence, les gestionnaires devront trouver des moyens d'intéresser le plus de gens possible au milieu de la santé et développer le sentiment d'appartenance de ceux qui se joignent au réseau.

Optimiste malgré tout, Sylvie Hains considère que l'élargissement des responsabilités et le changement de statut des établissements aideront à attirer et retenir de jeunes professionnels compétents. «Grâce à la fusion des établissements, les gens pourront avoir accès à une très grande diversité de milieux de pratique, que ce soit les soins à domicile, les soins de longue durée ou les urgences, sans même devoir changer d'employeur. Si on ajoute à cela le fait que beaucoup d'établissements font maintenant des efforts importants pour les soutenir et les intégrer lorsqu'ils arrivent sur le marché du travail, on a tout ce qu'il faut pour que ça fonctionne.» ■ 06/05

1. Ministère de la Santé et des Services sociaux. *Portrait statistique de la main-d'œuvre du réseau de la santé et des services sociaux*, avril 2002 et avril 2005.

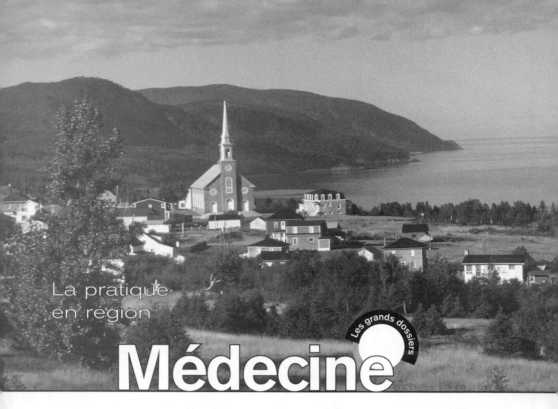

La pratique
en région

Les grands dossiers

Médecine
tout-terrain

Lorsqu'un patient décède, faute de soins, à l'urgence d'un
hôpital en région, les médias ne manquent pas de souligner que
les médecins se font trop rares en dehors des grands centres.
À Québec, les représentants du ministère de la Santé et des
Services sociaux jurent pourtant que la situation s'améliore.
Chose certaine, l'opération séduction suit son cours...

Par Guylaine Boucher

Daniel Poirier est directeur de la main-d'œuvre médicale au ministère de la Santé et
des Services sociaux (MSSS). Depuis quelques années déjà, il guette les signes
vitaux de l'organisation des services médicaux au Québec. Selon les derniers diagnostics
faits par son équipe, environ 650 médecins de famille de plus seraient nécessaires, ainsi que
de 400 à 500 spécialistes[1]. L'équipe estime également que la demande est particulièrement
importante en matière de services médicaux spécialisés de base : psychiatrie, anesthésie,
radiologie diagnostique, pédiatrie et médecine interne.

Explicite quant aux champs de pratique les plus demandés, Daniel Poirier se fait cependant prudent quand vient le temps de nommer les régions les plus touchées. «Il y a des besoins dans toutes les régions, mais la situation est plus fragile dans celles dites éloignées comme le Bas-Saint-Laurent, la Gaspésie et les Îles-de-la-Madeleine, la Côte-Nord et l'Abitibi-Témiscamingue ainsi que dans les régions intermédiaires comme le Saguenay–Lac-Saint-Jean. En fait, dans beaucoup d'établissements un peu partout au Québec, les équipes en place sont minimales et il suffit d'une absence imprévue pour que les choses basculent et que l'on soit en rupture de service.»

Pour parer aux situations problématiques, le ministère compte sur une équipe de vigie qui analyse quotidiennement les besoins de main-d'œuvre dans tout le territoire. En cas de manque de personnel, un médecin de dépannage est immédiatement dépêché sur place.

Bonne nouvelle toutefois, insiste le directeur de la main-d'œuvre, les plans de réorganisation de l'effectif médical (la planification de la main-d'œuvre en fonction des besoins estimés) ont contribué à améliorer la répartition des médecins. «Certaines régions traditionnellement dépourvues vont aujourd'hui un peu mieux.» C'est le cas notamment à Shawinigan, où l'urgence a déjà été fermée faute de médecin.

Attirer et retenir

Par-delà les mesures de suivi et d'intervention, le ministère a aussi mis de l'avant de nombreux incitatifs pour convaincre les médecins de sortir des grands centres. À titre d'exemple, en échange d'un engagement à pratiquer en région, des bourses d'études en médecine sont offertes aux étudiants. Les conditions d'admission aux programmes d'études ont aussi été légèrement modifiées pour favoriser les candidats natifs des régions éloignées ou en difficulté de recrutement. Des stages et de la formation en milieu non universitaire, dont à Rouyn-Noranda, font aussi partie des programmes. Le tout s'ajoute à une rémunération bonifiée ►

Le ministère, de concert avec les facultés de médecine de l'Université de Montréal et de l'Université de Sherbrooke, a entrepris d'offrir la formation médicale complète, directement dans les régions en manque de médecins.

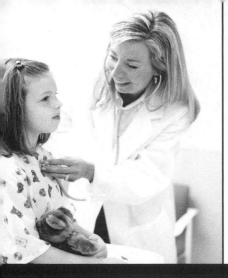

> (jusqu'à 40 % dans certains cas), à des primes d'éloignement et à des primes à l'installation. «Ce que nous voulons, explique Daniel Poirier, c'est avoir une stratégie d'ensemble qui favorise l'installation et la rétention.»

Plus récemment, le ministère, de concert avec les facultés de médecine de l'Université de Montréal et de l'Université de Sherbrooke, a aussi entrepris d'offrir la formation médicale complète, directement dans les régions en manque de médecins. L'expérience a débuté en 2004 à Trois-Rivières et devrait s'étendre au Centre de santé et de services sociaux (CSSS) de Chicoutimi dès 2006. L'idée n'est pas entièrement nouvelle. Depuis 1988, les médecins résidents de l'Université de Sherbrooke qui se destinent à la médecine de famille peuvent, s'ils le désirent, effectuer deux années de formation à l'Unité de médecine de famille du Centre hospitalier de la Sagamie (Saguenay–Lac-Saint-Jean) et ainsi apprivoiser la pratique en région. Professeur agrégé au Département de médecine de famille de l'Université de Sherbrooke et médecin de famille rattaché au CSSS de Chicoutimi, Martin Fortin considère qu'il s'agit là de l'une des meilleures façons de convaincre les jeunes qui débutent. «Quand, pendant deux ans, tu vis dans une région, que tu t'y fais des amis, que tu apprends à connaître les gens avec qui tu pourrais travailler comme médecin, tu as envie de rester parce que tes repères professionnels sont là. Selon moi, ça vaut bien plus que n'importe quelle bonification de salaire.»

«Il m'arrive de soigner tous les membres d'une même famille, de la grand-mère au petit-fils. Ça aide à avoir un portrait d'ensemble.»

– Martin Fortin, Université de Sherbrooke et CSSS de Chicoutimi

Une étude sur les mesures d'attraction et de rétention des médecins en région éloignée, rédigées par des chercheurs du Groupe de recherche interdisciplinaire en santé (GRIS), abonde dans ce sens. «Plusieurs études ont montré que le fait de provenir de milieux rural ou éloigné et d'avoir une formation qui prépare bien les futurs médecins pour le type de pratique qu'on y trouve sont les facteurs les plus déterminants dans la prise de décision de s'y installer[2].»

Médecins de famille +

Selon le directeur de l'enseignement universitaire au CSSS de Chicoutimi, Mauril Gaudreau, ce raisonnement se vérifie sur le terrain. «Soixante pour cent des étudiants qui ont été formés à Chicoutimi ont fait le choix d'y poursuivre leur pratique. Parmi les 40 % restants, 35 % pratiquent dans une autre région éloignée ou intermédiaire. Quand on réalise les défis professionnels auxquels la pratique en région donne droit, on ne veut plus aller pratiquer ailleurs.»

Boursier du ministère, forcé d'aller pratiquer un an en région, Martin Fortin sait de quoi il en retourne. «J'ai commencé ma pratique aux Escoumins [Côte-Nord], et rapidement j'ai aimé la latitude que me donnait le travail en région. Je pouvais faire plus de choses que si

 Pour en savoir davantage sur le manque de médecins en région et les mesures visant à le contrer, consultez le site **www.msss.gouv.qc.ca/sujets/organisation/medecine/medregion.html**.

j'avais été médecin à Québec ou à Montréal, par exemple. En l'absence de spécialistes, j'assumais des responsabilités comme poser des diagnostics pointus. Je suis resté en région et je ne l'ai jamais regretté. J'ai un rapport plus humain et personnalisé avec mes patients. Il m'arrive de soigner tous les membres d'une même famille, de la grand-mère au petit-fils. Ça aide à avoir un portrait d'ensemble. Ça me donne l'impression de pouvoir mieux faire mon travail.»

Les médecins de famille pratiquant en région consacrent effectivement plus de temps aux activités ayant cours en centre hospitalier que ceux installés en milieu urbain. Si un de leurs patients est hospitalisé, par exemple, explique Mauril Gaudreau, «c'est souvent eux qui vont faire le suivi en collaboration avec un ou deux médecins spécialistes. Ils sont les chefs d'orchestre.» Ce genre de participation n'est pas vraiment possible en milieu urbain, où les centres hospitaliers sont la chasse gardée des médecins spécialistes.

Conscients de cette réalité, beaucoup d'étudiants en médecine craignent de ne pas avoir tout le bagage nécessaire pour pratiquer en région, selon la directrice adjointe à la main-d'œuvre médicale au MSSS, Lise Caron. C'est à tout le moins ce qui ressort d'une étude effectuée par le ministère auprès d'eux. «La majorité des étudiants en médecine craignent d'aller pratiquer en région parce qu'ils considèrent qu'ils ne sont pas assez bien préparés. Ils redoutent la diversité de cas auxquels ils seront exposés et le fait de ne pas toujours pouvoir se référer à un spécialiste.»

Pour Daniel Poirier, dès l'automne 2005, la mise en place des réseaux universitaires intégrés de santé, qui permettront de jumeler chaque centre hospitalier ou CSSS du Québec avec un établissement universitaire, devrait résoudre le problème. «Quand un besoin de consultation se fera sentir, les médecins sauront où téléphoner puisque des ententes claires lieront les établissements et qu'il y aura des obligations de service.» Selon lui, cela devrait aider tous les praticiens en région, tant les médecins de famille que les spécialistes, qui doivent aussi pouvoir compter sur l'avis d'autres collègues. «Peu à peu, les choses s'organisent. Il y a de l'espoir», conclut le directeur. ■ 06/05

1. Entrevue avec Daniel Poirier, MSSS, juin 2005.
2. FOURNIER, Marc André, André Pierre CONTANDRIOPOULOS, Charles-Patrick DIENE et Louise-Hélène TROTTIER. *Mesures d'attraction et de rétention des médecins en région éloignée : politiques adoptées dans les provinces canadiennes et dans certains pays et leçons à tirer pour le Québec*, Groupe de recherche interdisciplinaire en santé, Université de Montréal, juin 2004.

Les infirmières désertent les villes

Si la pénurie de médecins se fait plutôt sentir en région, c'est en milieu urbain que le manque d'infirmières est le plus important. La situation est particulièrement préoccupante à Gatineau et à Montréal. À Gatineau, le fait que beaucoup de diplômées en soins infirmiers choisissent d'aller pratiquer dans les établissements ontariens, reconnus pour leurs meilleures conditions de travail, contribue à exacerber le manque de main-d'œuvre. Les établissements montréalais, en revanche, seraient désertés au profit de ceux de la Montérégie et de Laval, où les jeunes professionnels préfèrent s'installer quand vient le temps d'élever leur famille.

Source : Robert Tremblay, MSSS, juin 2005.

Infiltrez
le réseau!

Pour quiconque s'intéresse au secteur de la santé et des services sociaux, le Québec offre des milieux de travail diversifiés : secteurs public ou privé, ou encore organismes sans but lucratif, il suffit d'y regarder de plus près!

Par Guylaine Boucher

→ **Le secteur public**

Au Québec, c'est le secteur public qui présente la plus grande variété d'emplois en santé et services sociaux. En 2004, il regroupait à lui seul environ 250 000 employés, répartis entre 322 établissements[1]. On y recense quatre catégories d'établissements : les centres de santé et de services sociaux (CSSS), les centres hospitaliers, les centres jeunesse et les centres de réadaptation[2].

Depuis juin 2004, le réseau de la santé et des services sociaux peut compter sur la présence de 95 CSSS. Ces nouvelles entités sont nées de la fusion administrative des CLSC, des CHSLD et de certains centres hospitaliers de taille modeste.

Depuis juin 2004, le réseau de la santé et des services sociaux peut compter sur la présence de 95 **CSSS**[3]. Ces nouvelles entités sont nées de la fusion administrative des centres locaux de services communautaires (CLSC), des centres d'hébergement et de soins de longue durée (CHSLD) et de certains centres hospitaliers de taille modeste.

Accessibles à l'ensemble de la population, les services assurés par les CSSS sont les mêmes qu'avant la fusion. Le volet CLSC dispense toujours des soins médicaux de base, de même que certains services à caractère social : consultation psychologique, accompagnement parental, etc. C'est aussi aux CLSC qu'incombe la responsabilité des soins à domicile et du service de consultation téléphonique Info-Santé.

Le volet CHSLD englobe quant à lui les services médicaux, psychologiques et d'hébergement aux adultes qui, pour des raisons de santé physique ou mentale, ne peuvent plus habiter chez eux. Les patients y séjournent pour des périodes allant de quelques semaines à quelques années. La majorité de la clientèle des CHSLD est âgée de plus de 65 ans, mais un adulte, souffrant par exemple du sida et requérant des soins continus, pourrait aussi avoir recours à leurs services.

Finalement, le volet hospitalier assure les soins médicaux d'urgence : points de suture, radiographies, etc. Il inclut aussi les interventions chirurgicales mineures, le traitement d'une appendicite par exemple, ainsi que les hospitalisations de courte durée en cas de problème de santé grave, mais temporaire, telle une pneumonie.

Pour mener à bien leurs trois missions, les CSSS ont recours à un vaste éventail de professionnels. Les soins médicaux de base, de longue durée et l'intervention d'urgence exigent l'emploi de beaucoup de personnel médical : médecins et infirmières principalement. L'hébergement et l'hospitalisation commandent aussi le recours à des pharmaciens, des ergothérapeutes, des physiothérapeutes ou des techniciens en réadaptation physique, des infirmières auxiliaires et des préposés aux bénéficiaires, par exemple. En raison de leur vocation sociale, les CSSS comptent par ailleurs dans leurs rangs bon nombre de travailleurs sociaux. ▶

La quasi-totalité des métiers liés à la santé peuvent mener à un emploi dans un centre hospitalier.

de psychologues, de techniciens en travail social ou d'aides domestiques. Plus rarement, le volet CHSLD fait aussi appel à des récréologues et à des techniciens en loisirs.

Les **centres hospitaliers** qui n'ont pas été fusionnés avec les CSSS offrent, pour la plupart, des soins médicaux spécialisés comme la transplantation d'organes ou la cardiologie et traitent des maladies liées à la santé mentale, telles que la schizophrénie, la dépression ou encore l'anorexie. On y trouve notamment les médecins spécialistes, comme les neurochirurgiens et les cardiologues, un fort contingent d'infirmières et d'infirmières auxiliaires ainsi que d'autres professionnels de la santé, comme les perfusionnistes et les techniciens en radiologie, entre autres. En fait, la quasi-totalité des métiers liés à la santé peuvent mener à un emploi dans un centre hospitalier. La majorité des centres hospitaliers actuels ont aussi une vocation universitaire, c'est-à-dire qu'ils participent à la formation des futurs médecins.

Lorsqu'une situation d'abus ou de mauvais traitement nécessite le retrait d'un enfant de sa famille, ce sont les **centres jeunesse** qui interviennent. Ces derniers gèrent donc un imposant réseau de familles d'accueil. Ils agissent également auprès des personnes condamnées en vertu de la Loi sur les jeunes contrevenants. La médiation familiale, l'adoption et la recherche d'antécédents biologiques (lorsqu'un enfant adopté souhaite retrouver ses parents biologiques) sont aussi de leur ressort.

Venant en aide aux enfants de 0 à 18 ans ainsi qu'à leur entourage, les centres jeunesse emploient principalement des spécialistes de la relation d'aide, tels que les travailleurs sociaux, les psychologues, les criminologues, les techniciens en travail social, en éducation spécialisée et en délinquance. D'autres professionnels peuvent aussi être mis à contribution. C'est le cas des médecins omnipraticiens, des pédopsychiatres et des avocats qui voient à la bonne application de la Loi sur les jeunes contrevenants. Une grande partie de leur travail se fait directement sur le terrain, auprès des familles.

Les **centres de réadaptation** se divisent en trois grands groupes : les centres de réadaptation en déficience physique (CRDP), les centres de réadaptation en déficience intellectuelle

Jobboom remercie particulièrement la Fédération des médecins résidents du Québec pour sa collaboration à la recherche des témoignages de médecins résidents présentés dans ce guide.

La Fédération des médecins résidents du Québec

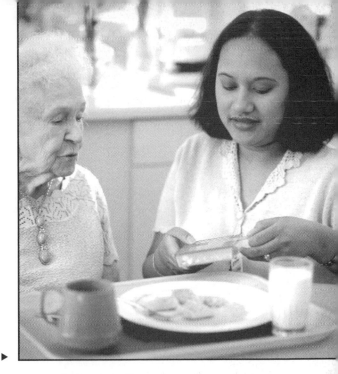

(CRDI) et les centres de réadaptation pour personnes alcooliques et autres toxicomanes (CRPAT). Le Québec en compte une vingtaine dans chaque catégorie.

En déficience physique, c'est dans un CRDP qu'une personne récemment handicapée apprendra, par exemple, à marcher avec sa nouvelle prothèse ou à se mouvoir de son fauteuil roulant à son lit.

Les CRDI offrent pour leur part des services d'intégration, que ce soit en garderie, à l'école, au travail ou dans les loisirs. Les enfants peuvent aussi y bénéficier de stimulation précoce.

Quant aux CRPAT, ils proposent des services d'hébergement, de désintoxi-cation, de consultation psychologique et d'intervention sociale. ▶

▶ Parce qu'on y travaille sur tous les aspects de la personne, les centres de réadaptation emploient tant du personnel médical que des professionnels de la relation d'aide. En réadaptation physique, ergothérapeutes, physiothérapeutes, techniciens en réadaptation physique et prothésistes côtoient donc les travailleurs sociaux, psychologues et techniciens en éducation spécialisée. Les centres de réadaptation pour personnes alcooliques et autres toxicomanes emploient pour leur part à la fois des professionnels des relations d'aide, des médecins et des infirmières. Seuls les centres de réadaptation en déficience intellectuelle comptent presque exclusivement des spécialistes de la relation d'aide.

➔ Le secteur privé

Environ 1 500 cliniques médicales privées[4] sont en activité au Québec. Elles offrent des services allant de la simple consultation médicale aux examens plus pointus, tels que les mammographies ou les échographies. La province compte aussi une trentaine de laboratoires médicaux privés, qui effectuent des analyses sanguines, par exemple[5].

En 2005, l'Association des résidences et CHSLD privés du Québec comptait pour sa part 478 résidences membres[6]. Il s'agit surtout d'établissements conçus pour les personnes âgées autonomes ou en légère perte d'autonomie qui offrent des services d'hébergement, mais aussi certains services médicaux de base.

Il est difficile de connaître le nombre d'emplois générés par le secteur privé. En revanche, on sait que les CHSLD privés embauchent plus de 10 000 employés[7], notamment des infirmières, des infirmières auxiliaires et des préposés aux bénéficiaires.

➔ Les organismes sans but lucratif

Au cours des dernières années, plus d'une centaine d'entreprises d'économie sociale spécialisées en aide domestique ont vu le jour. Elles proposent notamment des services de préparation des repas, de soins corporels, d'accompagnement et d'aide aux achats. Le ministère du Développement économique, de l'Innovation et de l'Exportation estime que ces entreprises emploient plus de 5 500 travailleurs, surtout des gens ayant une formation en assistance familiale et sociale aux personnes à domicile[8]. Enfin, on dénombre au Québec plus de 4 000 organismes communautaires œuvrant en parallèle dans le secteur de la santé et des services sociaux[9]. Ils peuvent, entre autres, offrir du répit aux parents d'un enfant handicapé ou encore permettre à des familles d'avoir accès à une alimentation de qualité par l'entremise des cuisines collectives. ■ 06/05

1., 2., 3., 4. et 9. Site Internet, Portrait de l'organisation, ministère de la Santé et des Services sociaux, consulté le 7 juin 2005.

5. Entrevue, Laboratoire de santé publique du Québec.

6. Entrevue, Association des résidences et CHSLD privés du Québec.

7. Site Internet, Association des établissements privés conventionnés.

8. CHAGNON, Jocelyne. *Portrait 2003 des entreprises en aide domestique*, 2004. (Disponible en ligne dans le site Internet du ministère du Développement économique, de l'Innovation et de l'Exportation : www.mdeie.gouv.qc.ca)

Pour tout trouver sur le Web

Rechercher

www.toile.com   réseau **canoë**

Ai-je le profil?

C'est bien connu, les emplois ne manquent pas en santé. Par-delà les taux de placement intéressants, certaines qualités et aptitudes sont cependant nécessaires pour faire le travail. Côtoyer chaque jour la maladie et la détresse humaine tout en restant serein n'est effectivement pas donné à tout le monde… Portrait-robot des travailleurs de la santé.

Par Guylaine Boucher

À 51 ans, Lise Danis fait figure de vétéran dans le réseau de la santé et des services sociaux. Infirmière auxiliaire, elle travaille en centre hospitalier depuis plus de 30 ans. «J'ai vécu la stabilité des années 1970, l'abondance des ressources humaines dans les années 1980 et le manque de personnel des années 1990. La pratique est plus difficile aujourd'hui qu'auparavant parce qu'on doit prendre en charge un nombre plus élevé de patients, mais je ne voudrais pas changer de métier pour autant. J'ai choisi de devenir infirmière auxiliaire parce que je voulais aider les gens. Quand je rentre chez moi après le travail et que je peux me dire que j'ai fait du bien à six, sept ou dix personnes dans ma journée, je suis comblée.»

> **«Peu importe le poste qu'ils occupent, ceux qui œuvrent en soins de santé aiment généralement être près des gens et avoir le sentiment de pouvoir les aider. Ils ont aussi souvent un grand intérêt pour les sciences et tout ce qui concerne le corps ou le comportement humain.»**
>
> **– Martine Lemonde, conseillère d'orientation**

De l'avis de Martine Lemonde, conseillère d'orientation au sein de la firme Brisson Legris et Associés, l'histoire de Lise Danis illustre bien le profil type des travailleurs de la santé. «Peu importe le poste qu'ils occupent, ceux qui œuvrent en soins de santé aiment généralement être près des gens et avoir le sentiment de pouvoir les aider. Ils ont aussi souvent un grand intérêt pour les sciences et tout ce qui concerne le corps ou le comportement humain. Ils cherchent à comprendre des phénomènes complexes et à savoir pourquoi ils surviennent. Ce sont également, en général, des gens curieux.»

Relation d'aide : un petit côté «sauveur»

Évidemment, selon les fonctions occupées dans le réseau de la santé et des services sociaux, certaines qualités particulières sont nécessaires. Ainsi, les personnes qui travaillent en relation d'aide, que ce soit à titre de psychologue, de travailleur social ou d'intervenant communautaire, doivent faire preuve de calme, d'empathie, de rigueur et d'un excellent sens de l'écoute.

La capacité de prendre du recul par rapport aux difficultés vécues par les patients est aussi essentielle, selon Michelle Arcand, psychologue et auteure de plusieurs livres sur le travail en relation d'aide. «Les personnes qui optent pour ce type de profession ont toutes un petit côté "sauveur". Elles sont, la plupart du temps, très responsables et généreuses. Par contre, si elles souhaitent pouvoir faire ce travail longtemps, elles doivent apprendre à se ménager un peu, à mettre de la distance entre elles et leurs clients.»

Personnel soignant : en première ligne

Les qualités humaines considérées comme essentielles pour les professionnels des services sociaux sont aussi de rigueur pour le personnel soignant. Préposés aux bénéficiaires, infirmières, infirmières auxiliaires, médecins, tous doivent faire preuve d'écoute et de beaucoup de patience. «Quand nous devons prendre soin de douze personnes à la fois et que l'une d'entre elles refuse un traitement, on doit garder son calme, expliquer pourquoi les soins sont nécessaires, que cela ne fera pas mal, etc. Rassurer les gens fait partie de notre tâche. Si on est impatient et nerveux, cela ne marchera pas», explique Lise Danis. ▶

Êtes-vous fait
pour le secteur de la santé?

1. Je m'intéresse à la santé, mais je me sens plus à l'aise de travailler avec des données, des faits et des chiffres que d'être directement en contact avec des patients.
Oui ■   Non ■

2. J'ai une bonne dextérité manuelle.
Oui ■   Non ■

3. Le fonctionnement du corps humain me fascine.
Oui ■   Non ■

4. Je m'intéresse aux politiques gouvernementales et à la gestion des organisations publiques.
Oui ■   Non ■

5. Je suis rigoureux, précis et méthodique.
Oui ■   Non ■

6. Je suis doté d'un bon sens de l'observation, d'une grande capacité d'analyse et de sens critique.
Oui ■   Non ■

7. Je peux vivre au quotidien en ayant à prendre des décisions et en ayant à poser des gestes qui ont des implications de vie ou de mort.
Oui ■   Non ■

8. Je m'intéresse davantage au fonctionnement psychologique qu'à la mécanique du corps humain.
Oui ■   Non ■

9. J'aime communiquer avec les gens.
Oui ■   Non ■

10. Je préfère réaliser des tâches que je connais bien que de constamment me retrouver face à des situations inconnues.
Oui ■   Non ■

11. J'ai une excellente capacité d'écoute.
Oui ■   Non ■

12. Je suis capable d'accomplir des tâches selon des directives déjà établies.
Oui ■   Non ■

13. J'aime travailler avec mes mains et manipuler des instruments.
Oui ■   Non ■

14. J'ai du plaisir à planifier des activités, diriger, contrôler et organiser les tâches.
Oui ■   Non ■

15. Je préfère travailler avec de l'équipement de bureau que des instruments médicaux.
Oui ■   Non ■

Trouvez le ou les secteurs de la santé correspondant aux énoncés ci-dessus en consultant le tableau qui suit. Si vous avez répondu «oui» à la majorité des énoncés rattachés à un secteur, vous y découvrirez peut-être une carrière qui vous convient!

Attention : il est fort probable que les énoncés auxquels vous aurez répondu «oui» soient liés aux professions de plus d'un secteur. N'hésitez pas à explorer les carrières de la santé qui correspondent à chacun d'eux.

Secteur	Énoncés correspondants
Soins	2-3-4-6-7-8-13
Emploi technique ou de soutien	2-3-4-6-10-12-13
Relation d'aide	4-7-9-11-15
Recherche	1-2-6-7-13
Gestion	1-5-10-14-15

QUELQUES PROFESSIONS EN LIEN AVEC CHACUN DES SECTEURS :

Soins : acupuncteur, chiropraticien, ergothérapeute, kinésiologue, infirmière, omnipraticien, orthophoniste, pédiatre, physiothérapeute, sage-femme, technicien en réadaptation physique, etc.

Emploi technique ou de soutien : archiviste médical, assistant technique en pharmacie, auxiliaire familial et social, préposé aux bénéficiaires, secrétaire médical, technicien en électrophysiologie médicale, technicien en inhalothérapie, technologue en médecine nucléaire, technologue en radio-oncologie, etc.

Relation d'aide : psychologue, technicien en éducation spécialisée, technicien en travail social, travailleur social, etc.

Recherche : anatomiste, biologiste médical, généticien, immunologue, microbiologiste, pharmacologue, neurophysiologiste, virologiste, etc.

Gestion : chef des services financiers, contrôleur général, directeur administratif, directeur de la planification des services sociaux, directeur des soins infirmiers, directeur général d'un centre hospitalier, infirmière-chef, etc.

Brisson Legris & Associés

> La rigueur et l'esprit d'analyse sont indissociables du métier de chercheur.

▶ Parce qu'il lui faut manipuler beaucoup d'appareils de précision, faire des injections, etc., le personnel en charge des soins doit aussi, selon Martine Lemonde, «pouvoir compter sur une excellente dextérité manuelle». Une bonne résistance physique n'est pas non plus à négliger, compte tenu des longues heures de travail.

Souvent employés d'organismes offrant des services 24 heures sur 24, il est possible que les professionnels des services sociaux et des soins de santé connaissent des horaires de travail irréguliers. En situation de crise, quand par exemple un enfant victime de mauvais traitement est signalé à la Direction de la protection de la jeunesse et qu'il doit être sorti de son environnement rapidement, leur journée se termine seulement lorsque le problème est résolu et que l'on a trouvé une famille pour accueillir l'enfant.

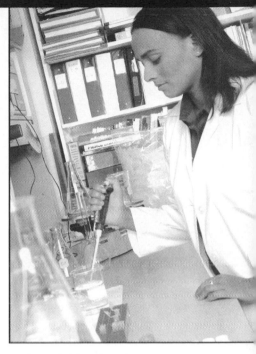

→ Gestion : prévoir l'imprévisible

Bien que les gestionnaires du réseau de la santé et des services sociaux aient en principe des horaires plus réguliers, dans la réalité, il arrive souvent que l'horaire déborde de son cadre établi en raison d'une charge de travail toujours plus grande et des imprévus, notamment lorsqu'il manque de personnel.

Le travail des gestionnaires étant davantage axé sur les tâches administratives, le profil «aidant» est moins nécessaire dans leur cas. «La capacité de s'adapter, la créativité et le sens de l'initiative sont des aptitudes sur lesquelles on insiste beaucoup désormais lors de l'embauche de gestionnaires. Dans un contexte de pénurie de ressources, il faut savoir faire preuve d'imagination», explique Nicole Brodeur, présidente-directrice générale du Centre de référence des directeurs généraux et des cadres. Au ministère de la Santé et des Services sociaux, la Direction générale des politiques de main-d'œuvre insiste aussi sur le leadership, le sens de la communication et la capacité de planification. Rien de plus normal, si l'on considère que ce sont généralement le directeur général d'un établissement et ses gestionnaires qui travailleront à développer des nouveaux services, à les organiser et à mobiliser le personnel nécessaire, même dans les périodes plus difficiles.

→ Recherche médicale : patience et curiosité

Parce qu'ils ne sont ni intervenants ni gestionnaires, les chercheurs en santé sont souvent considérés comme du personnel à part. Pourtant, les qualités et aptitudes indispensables à leurs tâches ne sont pas très éloignées de celles exigées pour le personnel de la santé en général. La patience est, là encore, primordiale. Développer de nouveaux médicaments, déchiffrer un gène ou analyser différentes substances peut en effet prendre beaucoup de temps et nécessiter de nombreux essais avant de parvenir au résultat recherché. Pour les mêmes raisons, la persévérance est essentielle, tout comme la curiosité. Enfin, la rigueur et l'esprit d'analyse sont indissociables du métier de chercheur. ■ 00/05

Industrie biopharmaceutique

Recrutement à forte dose

Les grands dossiers

Mobilité professionnelle, défis intellectuels, formation en entreprise... les avantages à travailler dans l'industrie biopharmaceutique ne manquent pas. Sans compter qu'au Québec, plusieurs centaines de postes seront à pourvoir dans ce domaine au cours des prochaines années. Mais où sont les jeunes scientifiques qui pourraient en profiter?

par Jean-Sébastien Marsan

« L'intérêt que présente l'industrie biopharmaceutique pour les diplômés en sciences, c'est la variété de postes offerts. En 20 ans, j'ai touché à la vente, au marketing, aux relations publiques et aux relations gouvernementales», raconte Sylvain Clermont, directeur des communications de sanofi-aventis, à Laval, et ex-employé de Merck Frosst et de Bristol-Myers Squibb.

Le nombre d'emplois disponibles est, lui aussi, assez intéressant. Bon an mal an, les entreprises du secteur embauchent environ 2 000 personnes, explique Christian Lortie, de Montréal International. Un rythme qui devrait se maintenir pour les prochaines années, prévoit l'organisme.

En juin 2005, le centre de recherche clinique Algorithme Pharma, établi dans la région de Montréal, comptait 350 salariés. «Dans les trois années qui viennent, on va engager 300 autres employés, affirme Nancy Arvanitakis, gestionnaire marketing. Nous recrutons surtout pour les tests cliniques : il nous faut des infirmières et des infirmières auxiliaires pour s'occuper des gens qui participent à nos études sur des médicaments, mais aussi des techniciens de laboratoire et des chimistes analystes pour l'analyse des échantillons d'urine et de sang.»

Or, le Canada ne forme pas assez de professionnels pour répondre aux besoins du milieu biopharmaceutique. Selon les plus récentes données de Pharmabio Développement, 40 % des entreprises québécoises recrutent ailleurs dans le monde, surtout pour trouver du personnel de recherche clinique[1].

Pourquoi manque-t-on d'étudiants qui se destinent à cet univers? C'est peut-être parce qu'ils craignent les sciences.

Pourquoi manque-t-on d'étudiants qui se destinent à cet univers? C'est peut-être parce qu'ils craignent les sciences. Une enquête du Conseil des ministres de l'Éducation du Canada a révélé, à la mi-juin 2005, que le tiers des Canadiens âgés de 16 ans ne réussit pas à comprendre des concepts scientifiques élémentaires; plusieurs sont incapables, par exemple, de comparer et de classifier des substances à partir de leurs propriétés chimiques. Mais c'est sans doute aussi parce que l'industrie biopharmaceutique est un secteur d'emploi mal connu. Voici un aperçu des carrières qu'offre ce domaine.

Où travailler?

L'industrie biopharmaceutique, qui s'appuie sur la recherche scientifique fondamentale surtout réalisée par les universités et les gouvernements, se divise en trois grandes catégories de milieux de travail. ▶

▶ Premièrement, les entreprises de biotechnologies, ou biotechs, effectuent de la recherche-développement (RD), surtout en biologie moléculaire et en génie génétique. C'est la médecine de l'avenir! Des chercheurs tentent d'identifier des gènes responsables d'une maladie, de reproduire chimiquement certaines protéines ou de remplacer des tissus endommagés à l'aide de «biomatériaux» conçus à partir de cellules souches, par exemple.

Deuxièmement, les centres de recherche préclinique et clinique s'assurent que les médicaments sont assez sécuritaires pour être commercialisés. Pour recevoir l'approbation des autorités de réglementation canadiennes, il faut tester les nouveaux produits d'après un protocole de recherche qui décrit notamment les objectifs de l'étude et les méthodes pour évaluer leur efficacité et leurs effets secondaires.

Ces deux types d'organisations ont besoin d'une variété impressionnante de professionnels :

- des biochimistes, des bioinformaticiens, des biologistes, des **biostatisticiens**, des chimistes, des pharmacologues, des toxicologues, et parfois des chercheurs en **thérapie cellulaire** ou en **nanotechnologie**, sont responsables des recherches;
- des animaliers, des techniciens en santé animale et des vétérinaires s'occupent des animaux de laboratoire;
- des infirmiers et des médecins prodiguent des soins aux volontaires humains;
- des associés et des assistants de recherche clinique, ainsi que des techniciens de laboratoire et des contrôleurs qualité aident les scientifiques dans leurs travaux;
- enfin, des rédacteurs-réviseurs scientifiques et des spécialistes des affaires réglementaires documentent toutes les étapes de production et s'assurent que les procédés sont conformes aux lois et aux règlements en vigueur au Canada. ▶

Un allié pour l'industrie...
et les futurs travailleurs

Pharmabio Développement, le Comité sectoriel de main-d'œuvre de l'industrie des produits pharmaceutiques et biotechnologiques, agit comme un baromètre dans son secteur. Mandaté par Emploi-Québec, cet organisme sans but lucratif recueille de l'information auprès des employeurs, puis rend compte de leurs besoins. Cela permet, entre autres, de dresser un portrait du marché du travail pour les élèves, les entreprises et les institutions d'enseignement.

Afin de guider les futurs professionnels, le site Internet de Pharmabio Développement présente les témoignages de 27 travailleurs du domaine biopharmaceutique. Ces fiches décrivent leurs tâches et leurs motivations, et renseignent sur la formation initiale exigée par les employeurs pour les divers postes ouverts aux titulaires d'un diplôme d'études collégiales, d'un baccalauréat, d'une maîtrise ou d'un doctorat.

Pour plus de renseignements : www.pharmabio.qc.ca.

▶ Troisième catégorie, les compagnies pharmaceutiques produisent et distribuent de nouveaux médicaments, dits d'origine. Après l'expiration de leurs brevets d'exclusivité commerciale (de 20 ans au Canada), les médicaments d'origine peuvent être copiés par d'autres entreprises. Ces copies sont appelées «médicaments génériques».

Les compagnies pharmaceutiques engagent les mêmes professionnels que les entreprises de biotechnologies et les centres de recherche, mais aussi :

- des microbiologistes qui s'assurent, par exemple, que les médicaments sont exempts de bactéries;

- des analystes, des techniciens et des inspecteurs qui vérifient la qualité des médicaments non seulement pendant la production, mais également lorsqu'ils sont sur les tablettes des pharmacies;

- des ingénieurs qui participent à l'élaboration de procédés de fabrication de médicaments;

- des acheteurs, des analystes de marché et des agents de brevet qui planifient la commercialisation d'un médicament, vérifient s'il est déjà la propriété d'une autre entreprise, obtiennent des brevets et s'assurent que tout est conforme à la réglementation en vigueur.

Techniciens demandés

Tous les professionnels de la recherche clinique et de la RD sont très convoités. Mais quelle est la grande vedette du milieu biopharmaceutique? Le technicien de ▶

pharma science

CRÉER LA DIFFÉRENCE

Ténacité Flexibilité
Innovation
Rapidité

NOUS NE CESSONS DE GRANDIR...
ET D'EMBAUCHER !

Fondée en 1983, Pharmascience est aujourd'hui l'une des entreprises
les plus dynamiques de l'industrie pharmaceutique canadienne.

Nous cherchons des personnes dynamiques et qualifiées qui se
spécialisent dans les domaines ci-dessous afin de combler des postes
actuellement disponibles ou de bâtir une banque de candidatures
pour des postes qui deviendront éventuellement disponibles.

- CONTRÔLE ET ASSURANCE DE LA QUALITÉ
- RECHERCHE & DÉVELOPPEMENT
- BIOPHARMACEUTIQUE
- FABRICATION PHARMACEUTIQUE
- AFFAIRES RÉGLEMENTAIRES
- VENTES & MARKETING
- FINANCE & COMPTABILITÉ
- DÉVELOPPEMENT DES AFFAIRES

Si l'idée de travailler au sein d'une entreprise en pleine croissance
vous plaît, n'hésitez pas à nous envoyer votre curriculum vitæ.

Visitez notre site Web pour obtenir plus de détails :
www.pharmascience.com

CRÉEZ LA DIFFÉRENCE ET JOIGNEZ-VOUS
À L'ÉQUIPE DE PHARMASCIENCE.

Veuillez poser votre candidature directement sur notre site Web.
Nous acceptons également les curriculum vitæ par courriel à
rh@pharmascience.com, par télécopieur au (514) 340-7264
et par la poste au 6111, avenue Royalmount, bureau 100,
Montréal (Québec) H4P 2T4.

Pharmascience favorise l'équité en matière d'emploi
pour les femmes, les membres des minorités visibles,
les personnes handicapées et les autochtones.

Les techniciens de laboratoire n'ont pas tous le profil recherché. La plupart des CV mentionnent un diplôme d'études collégiales en techniques de laboratoire, mais sans la spécialisation en chimie analytique si importante dans le domaine biopharmaceutique.

▶ laboratoire, explique Karine Giasson, coordonnatrice des communications chez Pharmabio

Développement. «Ce poste clé est le plus demandé partout, et les entreprises éprouvent beaucoup de difficultés de recrutement.»

Attention : les techniciens de laboratoire n'ont pas tous le profil recherché. Céline Ducharme, directrice des ressources humaines chez Labopharm, à Laval, dit recevoir «des tonnes de CV». La plupart mentionnent un diplôme d'études collégiales en techniques de laboratoire, mais sans la spécialisation en chimie analytique si importante dans le domaine biopharmaceutique, précise Mme Ducharme. «Dans une petite entreprise comme Labopharm [85 employés au Canada], il faut que les employés soient rapidement autonomes, affirme-t-elle. Le Collège de Valleyfield, par exemple, offre un DEC en chimie analytique avec une alternance travail-études. Cette formation est tentante pour nous, car autrement, il faut repartir de zéro avec les sortants des cégeps.» Il est à noter que le Cégep de Jonquière, le Collège de Shawinigan et le Collège Ahuntsic offrent aussi le même programme, sur le principe de l'alternance travail-études.

Les qualités requises

Dans le milieu pharmaceutique, les procédures et la réglementation à respecter sont toujours très strictes. «Un fabricant de médicaments ne peut pas faire d'erreurs dans ses recherches et dans sa production, indique Diane Poupart, chargée de projets chez Pharmabio Développement. Ce genre de domaine demande beaucoup de rigueur.» On imagine bien la précision exigée des divers intervenants, tant sur le plan de la recherche qu'en ce qui a trait à la production, pour s'assurer que les pilules qui seront vendues contiennent la bonne quantité d'ingrédients actifs. Quelques milligrammes de moins, et le médicament sera inefficace. Quelques milligrammes de trop, et les effets secondaires risquent de se multiplier.

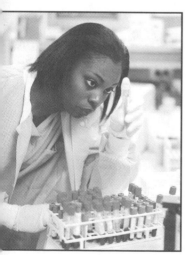

«Les recherches cliniques demandent aussi de la persévérance, car elles ne fonctionnent pas toujours du premier coup. Et il faut être méticuleux, puisqu'un petit détail peut faire toute la différence», illustre Nancy Arvanitakis. Et comme c'est souvent le cas en sciences, l'intégrité professionnelle, l'esprit d'analyse et la curiosité sont aussi des préalables, ajoute Céline Ducharme.

De plus, il faut comprendre que le domaine biopharmaceutique, fort compétitif, est soumis à d'importantes contraintes de rendement financier. La culture d'entreprise est donc très productiviste, et les gens du milieu doivent accorder une grande importance au respect du secret industriel.

Des travailleurs choyés

«Cette industrie de haut savoir est très stimulante intellectuellement, peu importe le poste», souligne Sylvain Clermont, de sanofi-aventis. Comme les connaissances scientifiques se renouvellent sans cesse, la formation continue est courante. En 2003, les entreprises ont dépensé en moyenne 6 % de leur masse salariale en formation professionnelle, selon Pharmabio Développement.

▶

LA FORCE DE LA CHAÎNE EST DANS SES MAILLONS

Vous êtes essentiel à l'avenir!

Intégrez la chaîne :
optez pour une carrière
vivante en pharmaceutique
ou en biotechnologie!

Cette publicité a été rendue possible grâce à la participation financière de :

Emploi
Québec

Pharma**bio**
Développement

Comité sectoriel de main-d'œuvre
des industries des produits
pharmaceutiques et biotechnologiques

www.pharmabio.qc.ca

Percée

Plus que la médecine, une façon de penser

Le peuple canadien se définit souvent par sa façon d'envisager les soins de santé. Chez AstraZeneca, nous sommes fiers de jouer un rôle prépondérant dans l'avancement d'un système qui puisse garantir à tous les patients et médecins du pays un accès rapide aux traitements les plus innovateurs et les plus efficaces qui soient offerts.

C'est pourquoi, en plus de réaliser des percées dans le domaine des traitements, les Canadiens se doivent de changer leur façon d'envisager les soins de santé. Pourquoi restreindre le débat à la question de la «viabilité» de notre système actuel? Comment pouvons-nous prôner l'excellence dans chaque aspect des soins de santé? En posant des questions qui suscitent la réflexion comme celles-ci, nous faisons plus qu'encourager les gens à discuter des problèmes sous-jacents réels… Nous faisons tout en notre pouvoir pour permettre au système de soins de santé de continuer à aller de l'avant. **Tel est l'engagement d'AstraZeneca envers le système de soins de santé.**

www.astrazeneca.ca

Le logo d'AstraZeneca est une marque de commerce du groupe AstraZeneca.

AstraZeneca

des idées au service de la vie

> «Montréal est un cas unique en Amérique du Nord. Un professionnel peut passer du secteur public au privé et inversement, et il peut faire carrière dans tous les types d'organisations.»
>
> – Perry Niro, BIOQuébec

▶ En outre, les salariés jouissent d'une certaine mobilité professionnelle. «Par exemple, quelqu'un qui a fait des études universitaires en sciences peut devenir, au fil de son cheminement professionnel, représentant des ventes ou spécialiste des affaires réglementaires», note Diane Poupart, du Comité sectoriel.

«Montréal est un cas unique en Amérique du Nord», affirme Perry Niro, directeur général de BIOQuébec, un regroupement de biotechs. «Un professionnel peut passer du secteur public au privé et inversement, et il peut faire carrière dans tous les types d'organisations.» C'est que contrairement à Toronto, par exemple, Montréal abrite des entreprises qui œuvrent dans toutes les phases du cycle de développement des médicaments.

Il ne faut pas oublier l'arène internationale. «On m'a offert à deux reprises de travailler à l'étranger, mais je ne pouvais pas pour des raisons familiales», confie Sylvain Clermont, dont l'employeur est présent dans 100 pays. «J'ai l'intention de travailler à l'étranger dans cinq ans, quand mon fils sera assez âgé. L'Europe sera mon premier choix.» ■ 06/05

1. Pharmabio Développement. *La main-d'œuvre dans l'industrie des produits pharmaceutiques et biotechnologiques au Québec*, 2004 (données de 2003).

Les mots en caractères **gras** sont définis dans le glossaire (p. 169 à 174).

Quelques indicateurs

→ Montréal attire la majorité des activités de recherche fondamentale et clinique au Canada. En 2004, la métropole s'est hissée au quatrième rang en Amérique du Nord pour la densité des emplois dans le secteur pharmaceutique[1].

→ Plusieurs entreprises prennent de l'expansion. En 2004, ce fut notamment le cas de Pharmetics (qui a embauché 125 personnes, ce qui l'a fait passer de 200 employés en 2003 à 325 en 2004), Neurochem (90 employés en 2003, puis 160 en 2004) et Algorithme Pharma (200 employés en 2003, puis 300 en 2004)[2].

→ Les compagnies pharmaceutiques emploient environ 13 800 personnes, les centres de recherche clinique environ 4 100 et les biotechs plus de 3 700[3].

→ Le tiers des entreprises pharmaceutiques ont plus de 200 employés. En comparaison, 88 % des entreprises de biotechnologies emploient moins de 50 personnes[4].

→ La main-d'œuvre est encore jeune : les 35 ans et moins constituent 43 % de l'effectif de l'industrie[5].

1. et 2. Montréal International. Mise à jour statistique 2004 du profil de la grappe des sciences de la vie.
3., 4. et 5. Pharmabio Développement, *La main-d'œuvre dans l'industrie des produits pharmaceutiques et biotechnologiques au Québec*, 2004 (données de 2003).

→ De bonnes pistes

L'industrie biopharmaceutique fait appel à une grande variété de professionnels pour réaliser des travaux complexes, comme la création de nouveaux médicaments ou de traitements contre le cancer. Voici quelques-uns des programmes techniques et universitaires qui mènent à des carrières dans ce secteur.

▶ Au collégial

Techniques de laboratoire, option Chimie analytique ou Biotechnologies

Les compagnies pharmaceutiques embauchent des techniciens de laboratoire spécialisés en chimie analytique pour assurer le contrôle de la qualité des produits, entre autres. L'option *Biotechnologies* mène notamment à des postes dans les entreprises qui utilisent des matières vivantes – des cellules animales ou des microorganismes, par exemple – pour mettre au point des traitements contre diverses maladies. Comme les techniciens doivent suivre des protocoles stricts, il leur faut de la minutie, de la dextérité et un très grand sens de l'organisation.

Techniques de procédés chimiques

Ce programme forme des travailleurs aptes à faire fonctionner des machines dans les usines de traitements chimiques. Ils peuvent donc participer à la fabrication des ingrédients actifs des médicaments. Ce métier exige minutie et précision, puisque la moindre fausse manœuvre peut avoir des conséquences sur la qualité des produits. Il faut aussi être un habile communicateur, car le travail s'effectue en équipe.

▶ À l'université

Baccalauréat ou diplôme de deuxième cycle en bio-informatique

Les bio-informaticiens sont à la fois des scientifiques et des experts en informatique. À l'aide de logiciels sophistiqués, ils trouvent un sens aux multiples données que génèrent les recherches sur l'ADN, par exemple. Sans l'intervention des bio-informaticiens, qui organisent et analysent l'information, les chercheurs auraient plus de difficulté à en tirer des conclusions. Les bacheliers en biologie, en biochimie, en informatique, en mathématiques, en génie logiciel ou en génie informatique peuvent accéder au programme de diplôme d'études supérieures spécialisées.

Baccalauréat en chimie pharmaceutique

Les chimistes pharmaceutiques fabriquent les molécules actives des médicaments de demain. Ils les testent pour vérifier si elles sont efficaces et sécuritaires, et peuvent les modifier pour en réduire les effets secondaires. Leur travail s'effectue souvent sous pression, en raison de la concurrence entre les compagnies pharmaceutiques. Attention : les bacheliers ont moins de possibilités d'avancement que les titulaires d'une maîtrise.

Baccalauréat en biotechnologie

Les biotechnologues utilisent des organismes vivants pour mettre au point de nouveaux produits comme des antibiotiques ou des vaccins. Ils font des expériences, interprètent les résultats, effectuent des analyses et contrôlent la qualité des produits. Attention : les bacheliers ont moins de possibilités d'avancement que les diplômés qui se sont spécialisés en effectuant des études de maîtrise en biologie moléculaire ou en génétique, ou un doctorat en sciences.

Des
professions
et des
témoignages

Œuvrer dans le domaine de la santé et des services sociaux permet d'évoluer dans des milieux de travail variés, auprès d'une clientèle diversifiée. Cliniques privées, laboratoires médicaux, centres hospitaliers, centres d'hébergement et de soins de longue durée, CLSC, etc., sont autant d'avenues à explorer, selon ses goûts et ses aspirations.

En ce qui concerne la formation requise, là encore, les possibilités sont nombreuses : diplôme d'études profession-nelles (DEP), diplôme d'études collégiales (DEC), bacca-lauréat ou doctorat en médecine suivi d'études spécialisées pour devenir médecin spécialiste.

Quelle que soit la voie qu'ils ont choisie, les professionnels de la santé estiment qu'il s'agit d'un milieu de travail stimulant offrant des carrières où les défis ne manquent pas.

Au fil des pages qui suivent, découvrez les témoignages de 100 d'entre eux. Ils nous parlent de leurs tâches quotidiennes et de leur motivation au travail. Ils livrent aussi des conseils à la relève et partagent avec elle les principales étapes de leur parcours scolaire et professionnel.

Page 62 à 126 ➔

Assistante dentaire
❯ en clinique privée

mon travail

Assistante dentaire au Centre dentaire Michel Perrier à Granby, Josée Davignon est en quelque sorte le bras droit du dentiste. Toujours à ses côtés, elle tente d'anticiper ses gestes et lui passe les instruments, tout en veillant au bien-être du patient. Elle explique aussi à ce dernier les plans de traitement prévus : orthodontie, traitement de canal, couronne, etc., «traduisant» pour le client les termes techniques employés par le dentiste.

Entre deux rendez-vous, Josée ne chôme pas, car elle doit désinfecter les salles opératoires et stériliser les instruments.

Des milieux de travail potentiels

❯ Cabinets de dentistes privés

❯ Cabinets de denturologistes privés

❯ Centres hospitaliers

❯ Cliniques dentaires (privées et publiques)

❯ Fabricants de produits dentaires

❯ Laboratoires dentaires

ma motivation

«Au quotidien, ce que j'aime le plus, c'est le contact avec le patient, souligne Josée. Prenons l'exemple de quelqu'un qui nous arrive avec une bouche partiellement édentée ou gâtée. On lui fait des implants et des couronnes et il voit l'aspect de ses dents s'améliorer au fil des rendez-vous. C'est valorisant pour lui, mais ça l'est aussi pour nous!»

Quatre dentistes et trois hygiénistes travaillent au Centre dentaire Michel Perrier. C'est un défi pour Josée, qui doit s'adapter aux différentes personnalités. «Il est important d'être polyvalent et de se plier au style de chacun. Mais ça permet aussi d'éviter de tomber dans la routine.»

Les cliniques dentaires utilisent généralement de l'équipement extrêmement sophistiqué. «Dans notre domaine, la technologie évolue sans cesse. On est continuellement en formation, ce qui est très motivant. En plus d'assister à des cours, je dois aussi rester à jour, fouiller dans les livres ou appeler le fabricant pour m'assurer que j'utilise l'appareil comme il faut. C'est un défi quotidien.»

mon conseil

La première règle de l'assistante dentaire, c'est évidemment d'avoir le sourire. «Il y a tant de gens qui craignent les visites chez le dentiste... Faire preuve d'entregent et sourire, ça les rassure et ça brise les barrières.» Il est également nécessaire d'être rapide, souligne Josée. «Après avoir reconduit le patient à la porte, il faut libérer et désinfecter la salle rapidement. Les pauses, on ne connaît pas! Même les heures de lunch peuvent être escamotées s'il y a des retards dans l'horaire.» 05/03

mon parcours

C'est la mère d'une amie, elle-même assistante dentaire, qui a transmis à Josée la piqûre du métier. «J'allais souvent à son cabinet et j'aimais beaucoup l'ambiance qui y régnait. Avant de choisir ma formation, j'ai passé trois mois en milieu de travail avec elle pour être certaine de ne pas me tromper.» Josée terminait alors une formation en sciences humaines au cégep. Qu'importe : son diplôme d'études collégiales (DEC) en poche, elle s'est inscrite au Centre 24-Juin de Sherbrooke, où elle a obtenu son diplôme d'études professionnelles (DEP) en assistance dentaire. Elle a obtenu son poste au Centre dentaire Michel Perrier à la fin de ses études.

Les mots en caractères **gras** sont définis dans le glossaire (p. 169 à 174).

Assistante technique en pharmacie
> en pharmacie

mon travail

Sylvie Champagne est assistante technique à la Pharmacie Jean Coutu à Charny. «J'accueille les clients et je prends leur ordonnance pour l'entrer ensuite dans l'ordinateur et mettre leur dossier à jour.»

Elle prépare aussi les médicaments : elle peut notamment compter les comprimés, préparer des antibiotiques liquides ou des mélanges de crèmes. «Quand j'ai terminé, tout ce que le pharmacien a à faire est de vérifier mon travail, de s'assurer que les doses sont exactes et de donner les conseils au client.»

En examinant le dossier du patient, elle vérifiera qu'il n'y a pas d'interaction entre l'ordonnance et d'autres médicaments qu'il pourrait déjà prendre. Le cas échéant, elle en avisera le pharmacien. «Même si je ne prodigue pas de conseils, mon travail comporte une grande part de responsabilités», dit-elle.

ma motivation

Il y a quelques années, Sylvie travaillait dans une pharmacie d'hôpital et traitait uniquement avec des infirmières et des médecins. «Aujourd'hui, j'apprécie beaucoup de travailler directement avec les clients. J'ai l'impression de pouvoir contribuer à alléger leurs souffrances.»

Pour elle, chaque patient est un nouveau défi. «Il arrive que certains soient mécontents, qu'ils se plaignent du coût des médicaments. Mais à l'inverse, d'autres sont satisfaits et nous remercient. C'est grâce à eux qu'on aime notre travail.»

Une pharmacie de la taille de celle où travaille Sylvie prépare entre 400 et 500 ordonnances par jour. «Ça roule vite, et il faut une bonne entente dans l'équipe pour travailler efficacement.»

mon conseil

Attentif, méticuleux, ordonné : si vous n'avez pas ces qualités, ne songez pas à faire ce métier, affirme Sylvie Champagne. «Il faut avoir une méthode de travail et être précis. Ça se comprend, on travaille avec des médicaments. Les erreurs peuvent avoir de lourdes conséquences.»

La formation n'est pas obligatoire pour occuper un poste d'assistant technique en pharmacie, mais Sylvie la recommande vivement. «Le salaire est meilleur si vous êtes formé, mais surtout, vous aurez appris la composition de certains médicaments et les rudiments du fonctionnement des assurances-médicaments.» 05/03

Des milieux de travail potentiels

> Centres d'hébergement et de soins de longue durée
> Centres hospitaliers
> Pharmacies communautaires
> Pharmacies d'établissements de santé

mon parcours

Sylvie a obtenu en 1998 son diplôme d'études professionnelles (DEP) en assistance technique en pharmacie au Centre de formation professionnelle du Fierbourg. Peu de temps après, elle décrochait un poste dans une pharmacie. «Je n'ai pas arrêté de travailler depuis. J'ai œuvré pour diverses bannières de pharmacies, puis dans une pharmacie d'hôpital, et enfin chez Jean Coutu.»

Les mots en caractères **gras** sont définis dans le glossaire (p. 169 à 174).

Auxiliaire familiale et sociale
> en centre local de services communautaires

mon travail

Les courses, la lessive, la popote : pour le commun des mortels, ce sont là des corvées, mais pour certaines personnes, il s'agit carrément de tâches insurmontables. Christine Arseneault, du Centre local de services communautaires (CLSC) du Grand Chicoutimi, a pour rôle de leur faciliter la vie.

«J'aide des personnes et des familles en difficulté qui ont besoin de soutien dans diverses tâches du quotidien», explique-t-elle. Sa clientèle est surtout constituée de gens malades, âgés, handicapés (physiquement ou intellectuellement) ou ayant des problèmes d'ordre social.

«Je vais les visiter, voir comment ils vont. Selon les besoins, je prépare leur nourriture, je fais leur entretien ménager, je les aide à faire leur toilette ou je les accompagne chez le médecin ou à la banque. Mais surtout, je les écoute et leur apporte du soutien!»

Des milieux de travail potentiels

> Centres locaux de services communautaires (CLSC)

> Domicile des bénéficiaires dans le cadre des services offerts par les CLSC

> Organismes privés ou publics offrant des services de maintien à domicile

ma motivation

«Quand je suis dans une résidence, avec du mobilier non adapté aux besoins particuliers des personnes que j'aide [sauf pour le bain], je suis seule pour trouver les solutions, raconte Christine. C'est quand j'arrive sur place que je sais ce qui m'attend. Car, contrairement au milieu hospitalier où tout est standardisé, il n'y a pas deux cuisines pareilles, pas deux où on range la farine au même endroit. Toute ma débrouillardise est sollicitée, et ça, j'aime ça!

«J'ai même eu à aider une personne à organiser son déménagement, poursuit-elle. Ça veut dire l'aider à visiter des logements, à établir le budget, à préparer des boîtes, etc. Mais ce que je fais, je le fais toujours avec les personnes, jamais à leur place.»

Au bout du compte, c'est l'aspect humain qui tient le plus à cœur à Christine. «Quand je vais préparer à manger pour quelqu'un, je peux y passer deux ou trois heures. En plus de lui rendre service, je l'écoute, je lui tiens compagnie. C'est particulièrement gratifiant comme travail.»

mon conseil

«Bien qu'on ne soigne pas, il faut avoir une connaissance de base des maladies les plus courantes, comme le diabète ou l'emphysème, affirme Christine. C'est essentiel pour savoir ce que l'on doit observer chez ceux qu'on va visiter et pour avoir le bon réflexe.» Par exemple, une personne qui éprouve de la difficulté à respirer peut souffrir de simples allergies, mais aussi de problèmes plus sérieux. «Si je sais qu'elle fait de l'emphysème, j'ai conscience que ça peut être très grave et que je dois réagir.» Ce travail exige beaucoup de patience, de débrouillardise, de jugement et d'équilibre psychologique. «Il faut vraiment aimer aider les autres, les respecter, et être discret en tout temps.» 06/03

mon parcours

Christine était technicienne dans un laboratoire dentaire quand elle a commencé à éprouver des ennuis de santé à cause des produits chimiques. À 40 ans, elle a donc quitté son emploi et réorienté sa carrière. C'est à L'Oasis de Chicoutimi qu'elle a obtenu un diplôme d'études professionnelles (DEP) en assistance familiale et sociale aux personnes à domicile.

Les mots en caractères **gras** sont définis dans le glossaire (p. 169 à 174).

Infirmière auxiliaire
❯ en milieu hospitalier

mon travail

Vous souvenez-vous de la dernière grippe qui vous a cloué au lit? Rien que marcher vers la salle de bains vous semblait plus épuisant qu'un trek en montagne. Imaginez alors ce que ressentent les personnes hospitalisées. Dans leur situation, savoir que quelqu'un est là pour veiller sur elles est pour le moins reposant. «Dès qu'on entre dans leurs chambres, les patients sont contents de nous voir», clame Julie Inkel, infirmière auxiliaire à l'Hôpital Charles-LeMoyne, de Longueuil. Nous ne faisons pas seulement partie de l'équipe de santé, nous sommes aussi des confidents, des oreilles attentives.» Lors de chaque visite, Julie mesure la tension artérielle du patient, prend sa température et son pouls, change ses pansements, l'aide à s'habiller ou à se laver, en plus de s'assurer qu'il prend ses médicaments. Elle surveille également tout changement dans sa condition pour informer les autres membres de l'équipe, comme les infirmières et les médecins.

Des milieux de travail potentiels

❯ Centres d'hébergement et de soins de longue durée

❯ Centres hospitaliers

❯ Centres psychiatriques

❯ Cliniques médicales

❯ Centres locaux de services communautaires (CLSC)

❯ Domicile des bénéficiaires dans le cadre des services offerts par les CLSC

ma motivation

«Nous avons un contact privilégié avec les patients; parce que nous sommes moins intimidants pour eux qu'un médecin, ils se confient davantage à nous. En fin de traitement, certains nous offrent des cadeaux, des cartes de remerciement.»

Selon ses observations, les gens croient à tort que les infirmiers auxiliaires travaillent uniquement dans les centres d'hébergement de soins de longue durée. «Ce métier nous permet de toucher à toutes sortes de domaines et de clientèles, ce qui est très stimulant. Les tâches varient selon qu'on travaille, par exemple, en chirurgie ou en orthopédie.

«Présentement, je suis affectée en psychiatrie, et ma description de tâches inclut davantage de relation d'aide. C'est très valorisant. Lorsque je travaillais auprès des nouvelles mamans, c'était différent. Je donnais davantage de conseils, par exemple sur l'allaitement.»

mon conseil

Bien réagir aux situations d'urgence et gérer efficacement son stress est primordial, selon Julie. Car à toute heure, un patient peut voir sa condition physique se détériorer très rapidement. «Personnellement, je pratique divers sports pour garder la forme. C'est bon pour contrer le stress, mais aussi pour affronter les longues journées debout.» 04/03

mon parcours

Après son diplôme d'études professionnelles (DEP) en santé, assistance et soins infirmiers au Centre de formation professionnelle Pierre-Dupuy (rebaptisé École des métiers des Faubourgs de Montréal), Julie a fait ses premières armes à la Résidence De Longueuil, un centre d'accueil privé. Par la suite, elle a été embauchée à l'Hôpital Charles-LeMoyne, où elle a d'abord travaillé auprès des femmes enceintes, des nouvelles mamans, des poupons et des jeunes enfants. Puis, elle a fait partie de l'**équipe volante** affectée à l'ensemble des unités de soins de l'Hôpital, jusqu'à ce que l'unité de psychiatrie la prenne sous son aile.

Les mots en caractères **gras** sont définis dans le glossaire (p. 169 à 174).

Préposée aux bénéficiaires
❯ en centre d'hébergement et de soins de longue durée

mon travail

Cynthia Legault est préposée aux bénéficiaires au Centre d'hébergement et de soins de longue durée (CHSLD) Les Eskers, à Amos. Elle prodigue à ses patients, des personnes âgées en perte d'autonomie, tous les soins dont ils ont besoin en matière de confort, d'hygiène, d'alimentation ou de déplacement.

«Je m'occupe d'abord de leur toilette et leur donne un bain ou une douche. Ensuite je les habille et les fais manger. Puisqu'il s'agit de personnes à la mobilité réduite, je dois moi-même les changer de position pendant que j'effectue ces tâches. Je suis aussi chargée de donner certains traitements, appliquer des onguents par exemple.»

Cynthia ne voit pas uniquement au bien-être physique des bénéficiaires. «Ils veulent aussi parler, se confier, avoir de la compagnie. Ce n'est pas toujours facile de trouver le temps pour s'acquitter de toutes ces tâches...»

Des milieux de travail potentiels

❯ Centres hospitaliers
❯ Centres d'hébergement et de soins de longue durée
❯ Centres de réadaptation
❯ Centres psychiatriques

ma motivation

Cynthia apprécie la compagnie des personnes âgées. «J'aime les aider, leur rendre service et voir leurs visages s'éclairer d'un sourire. C'est valorisant de sentir qu'un petit geste, une attention ou de l'écoute de notre part peut leur apporter un peu de joie.»

Elle avoue toutefois qu'il n'est pas toujours facile de côtoyer quotidiennement la souffrance. «J'ai fini par me forger une carapace. Cela me permet de garder une certaine distance émotionnelle.»

En évoluant avec des personnes en perte d'autonomie, Cynthia a dû aussi relever un défi personnel : apprendre la patience. «On aimerait parfois aller plus vite, mais il faut respecter le rythme de chacun. J'ai dû m'adapter à cette réalité et mettre un frein à mes élans!»

mon conseil

«Il n'est pas toujours facile de travailler dans un milieu où les gens souffrent physiquement et quelquefois moralement. Plusieurs bénéficiaires se sentent seuls, isolés. Le préposé doit apprendre à garder son optimisme.»

Selon Cynthia, avant d'opter pour ce métier, on devrait s'informer sur le milieu de travail dans lequel on devra évoluer. Elle estime en effet que ce dernier ne conviendra pas nécessairement aux personnes trop sensibles.

Il faut aussi être à l'aise au sein d'une équipe de travail, car plusieurs intervenants œuvrent auprès des bénéficiaires : médecins, infirmières, etc.

«Mais cela ne doit pas nous empêcher de donner notre opinion au sujet de l'état de santé des patients. Nous les connaissons bien et sommes proches d'eux.»
09/03

mon parcours

Après avoir décroché son diplôme d'études professionnelles (DEP) en assistance aux bénéficiaires en établissement de santé au Centre de formation Harricana à Amos, Cynthia n'a mis que deux jours à dénicher son emploi. «J'avais réalisé mon stage au CHSLD Les Eskers, et dès que j'ai obtenu mon diplôme, on m'a offert un poste. Je n'ai même pas eu à envoyer des curriculum vitæ ou à chercher un travail.»

Les mots en caractères **gras** sont définis dans le glossaire (p. 169 à 174).

Postes à combler chez SFBC Anapharm :

- Infirmiers
- Techniciens de laboratoire
- Infirmiers auxiliaires
- Préposés soutien clinique
- Inspecteurs, contrôle qualité
- Coordonnateurs, projets cliniques
- Rédacteurs scientifiques
- Scientifiques de recherche
- Pharmacocinéticiens
- Gestionnaires de projets

SFBC Anapharm vous offre :

- Avantages sociaux concurrentiels
- Primes de soir, de nuit et de fin de semaine
- Formation rémunérée
- Travail d'équipe exceptionnel
- Milieu stimulant en plein essor
- Participation dans des projets de recherche innovateurs
- Environnement de travail sécuritaire, propice à stimuler l'efficacité et la réalisation du travail bien fait

PS : Les candidatures serviront à constituer une banque ainsi qu'à combler des postes disponibles.

Possibilités d'emploi
(postes réguliers à temps plein)
à Québec, Trois-Rivières,
Montréal et Toronto.

www.sfbci.com/carriere

Votre avenir chez SFBC Anapharm

Enfin, un emploi passionnant qui vous ouvrira une porte sur le monde...

SFBC Anapharm, membre de SFBC International, est une société offrant une gamme très étendue de services reliés à la recherche clinique. Nous avons effectué des essais cliniques portant sur de nombreux médicaments de pointe et nos clients comptent parmi les plus importantes entreprises pharmaceutiques et de biotechnologie au monde.

SFBC International est l'un des dix plus importants organismes de recherche contractuelle, comptant plus de 2 000 employés répartis sur 34 sites, dans 26 pays et 5 continents.

Vous aimez le secteur de la santé et avez envie d'une carrière différente ? Vous voyez grand et vous aimez le travail d'équipe ? Vous voulez faire partie d'une organisation d'envergure internationale ? Si oui, venez joindre les rangs d'une équipe qui a déjà fait ses preuves !

Possibilités d'emploi (postes réguliers à temps plein)
à Québec, Trois-Rivières, Montréal et Toronto

www.sfbci.com/carriere

Secrétaire médicale
❯ en centre local de services communautaires

mon travail

Danielle Vaillancourt est secrétaire médicale au Centre local de services communautaires (CLSC) du Marigot, à Laval. Elle travaille au Service de maintien à domicile et s'occupe d'une clientèle qui demande beaucoup d'encadrement, notamment des patients atteints du sida ou des personnes présentant des déficiences intellectuelles.

Elle passe une grande partie de ses journées au téléphone. «Je parle avec les patients et je résume ensuite leurs besoins aux médecins...» Il peut s'agir, par exemple, d'un renouvellement d'ordonnance ou d'une demande de consultation. Et à l'inverse, elle transmet aussi les demandes des médecins aux patients, entre autres lorsqu'il y a des résultats de tests à communiquer. «Mais, souvent, mon rôle consiste simplement à écouter et à réconforter un patient qui appelle parce qu'il s'inquiète de son état.

«C'est sûr que le travail est différent dans une clinique privée, où la prise de rendez-vous et la facturation prennent plus d'importance, poursuit-elle. Au Service de maintien à domicile, j'ai un contact serré avec la clientèle puisque je la côtoie régulièrement.»

ma motivation

Naturellement empathique, dotée d'une grande capacité d'écoute, Danielle se dit motivée par le fait de soulager les patients. «J'aime la relation d'aide. C'est d'ailleurs ce qui m'a attirée dans ce métier : j'aime être utile, apporter du réconfort. Mais il serait faux de dire que j'ai toujours le sourire. Quand les patients m'appellent, c'est souvent parce qu'ils ne vont pas bien. Mon défi est de contribuer à faire en sorte qu'ils se portent mieux.

«Côtoyer les médecins est tout aussi stimulant, ajoute la secrétaire médicale. Ils sont présents, accessibles; je peux parler avec eux. J'aime beaucoup ce contact.»

mon conseil

«La principale qualité d'une secrétaire médicale est la discrétion, affirme Danielle. On gère des données confidentielles et on sait plein de choses sur des gens. C'est très important de ne pas dévoiler ces renseignements.» Évidemment, ce travail exige beaucoup de patience et de capacité d'écoute. «Quand on parle au téléphone avec un patient en phase terminale ou avec un toxicomane, il faut savoir quoi dire, jusqu'où aller.»

Enfin, avoir une bonne attitude est essentiel. «Dans ce métier, le savoir-être est aussi important que le savoir-faire.» 09/03

Des milieux de travail potentiels

- ❯ Cabinets de chirurgiens privés
- ❯ Cabinets de dentistes privés
- ❯ Cabinets de médecins privés
- ❯ Centres hospitaliers
- ❯ Centres locaux de services communautaires (CLSC)

mon parcours

Danielle a étudié en sciences humaines au Cégep de Rosemont avant de se tourner vers le secrétariat. «Comme secrétaire, j'ai toujours travaillé dans le domaine de la santé, en assistance médicale internationale, puis dans une clinique privée.» C'est après s'être retrouvée sans emploi qu'elle s'est inscrite à une formation d'un an en secrétariat médical offerte par le Centre d'emploi de Saint-Eustache. Après un stage de quelques mois au CLSC de Saint-Eustache, elle a obtenu son emploi actuel.

Les mots en caractères **gras** sont définis dans le glossaire (p. 169 à 174).

Acupunctrice

> en clinique privée

formation collégiale

mon travail

Parmi les moyens d'intervention thérapeutique de la médecine traditionnelle chinoise, l'acupuncture est sans doute la plus connue. Pour les acupuncteurs, une maladie est un déséquilibre de l'énergie.

«Avec les aiguilles, on rétablit l'équilibre de la circulation énergétique», explique Nancy Deschênes, acupunctrice à la Clinique médicale Chemin Saint-Jean, à La Prairie.

La technique de base consiste à introduire des aiguilles métalliques très fines dans des points précis du corps, afin de diriger adéquatement l'énergie vitale. Il existe 365 points, situés sur les **méridiens**.

«Les chercheurs ont remarqué qu'à la suite d'un traitement, le corps sécrète plus d'endorphine, la circulation sanguine augmente localement et les muscles sont plus détendus, précise Nancy. Comme l'endorphine est une sorte de morphine naturelle, cela pourrait expliquer scientifiquement l'efficacité de l'acupuncture pour contrer la douleur, l'anxiété, etc.»

Des milieux de travail potentiels

> Cabinets privés

ma motivation

En acupuncture, on évalue les patients de façon globale. «Si quelqu'un vient me voir pour un mal de cou, je vais considérer la douleur mais aussi prendre en compte sa santé en général», note Nancy. Elle apprécie cette façon de faire qui lui paraît plus complète.

En outre, le fait de rencontrer les malades sur une longue période – en moyenne, un traitement peut durer de 6 à 10 semaines, à raison d'une fois par semaine – permet également d'établir un lien de confiance avec eux.

Nancy ne voit pas le jour où elle aura fini d'apprendre dans son domaine. «Il y a les enseignements chinois, mais les Vietnamiens, les Coréens et les Japonais ont eux aussi développé leurs propres techniques.»

mon conseil

Dans ce métier, avoir l'esprit ouvert est essentiel, estime Nancy. «L'acupuncture n'est pas une science exacte, il faut être capable d'accepter que l'on pratique une médecine qui n'est pas du tout précise. On a beaucoup de marge de manœuvre dans nos protocoles de traitement. Le résultat peut sembler mystérieux. On doit accepter des choses qui ne sont pas toujours compréhensibles pour nous, Occidentaux», souligne Nancy. 05/03

mon parcours

Après une formation collégiale en sciences humaines au Cégep Édouard-Montpetit, Nancy s'est inscrite à l'Université de Montréal. Elle y a fait deux années d'études, l'une en linguistique, l'autre en sociologie. Mais l'acupuncture a piqué sa curiosité, et c'est au Cégep de Rosemont qu'elle a par la suite obtenu son diplôme d'études collégiales (DEC) en acupuncture. Nancy est membre de l'Ordre des acupuncteurs du Québec. Elle a aussi fait une mineure en psychologie. En ajoutant ce diplôme à ses deux autres années universitaires, elle a ainsi pu décrocher un baccalauréat.

Les mots en caractères **gras** sont définis dans le glossaire (p. 169 à 174).

Archiviste médicale
> **en milieu hospitalier**

mon travail

Un patient entre à l'urgence. Un médecin établit un diagnostic et décide d'une intervention chirurgicale. Le patient est opéré, puis récupère, prend des médicaments et reçoit son congé. Toutes ces étapes produisent de la paperasse, constituant un dossier qui aboutit entre les mains de l'archiviste médicale.

«Chaque jour, les infirmières prennent des notes, les médecins rédigent des ordonnances, et tout se retrouve au dossier. Plus un séjour à l'hôpital se prolonge et plus le dossier s'épaissit», explique France Côté, archiviste médicale au Centre hospitalier Pierre-Le Gardeur de Repentigny.

Le travail de base de l'archiviste consiste à coder en chiffres : à chaque symptôme, maladie, médicament, etc., correspond un code qui sera inscrit au dossier. Elle est également chargée d'analyser les dossiers pour s'assurer qu'ils sont complets.

Les archivistes peuvent aussi gérer la divulgation d'informations, par exemple entre les hôpitaux où une personne a été traitée. «Je suis la gardienne de la confidentialité, précise France. Le patient doit donner son consentement avant que nous puissions fournir l'accès aux renseignements contenus dans son dossier.»

Des milieux de travail potentiels

> Bureaux de coroners

> Cabinets d'avocats spécialisés en droit médical

> Centres de recherche en épidémiologie

> Centres hospitaliers

> Centres locaux de services communautaires (CLSC)

> Compagnies pharmaceutiques

ma motivation

«J'ai toujours été attirée par la médecine et par ce qui touche à la gestion des documents, confie France. C'est sûr qu'il y a moins de papier de nos jours, car les dossiers sont de plus en plus numérisés. Mais cela demeure quand même intéressant de suivre l'évolution d'un patient.»

La codification et l'analyse des dossiers sont des tâches routinières. Pour briser cette monotonie, France participe aux travaux de deux comités de recherche médicale, sur la **bioéthique** et la **traumatologie**. Elle est d'ailleurs responsable du «registre de trauma», c'est-à-dire des statistiques sur les patients accidentés soignés à l'Hôpital Pierre-Le Gardeur. Elle apprécie beaucoup cet aspect de son travail, qui permet de varier ses tâches.

mon conseil

«Quand on commence dans le métier, on fait beaucoup de codification. C'est seulement avec les années qu'on nous confie davantage de responsabilités, comme la participation à des comités de recherche», remarque France. Ses camarades de classe ont parfois déchanté une fois sur le terrain, les tâches quotidiennes ne coïncidant pas avec l'idée qu'ils s'étaient fait de la profession. Il faut aussi savoir que les contacts avec les patients sont rares, sauf quand ils se déplacent eux-mêmes aux archives d'un hôpital pour obtenir une information sur leur dossier. 05/03

mon parcours

Âgée de 50 ans, France a longtemps œuvré dans le secteur de l'agriculture. Forcée d'interrompre ses études dans sa jeunesse, elle s'était promis de retourner sur les bancs de l'école, plus particulièrement dans le domaine de la santé. Entre 1995 et 1998, elle a suivi les cours du soir en archives médicales au Collège de l'Assomption, où elle a eu son diplôme d'études collégiales (DEC). Il lui a fallu ensuite quelques mois pour obtenir un poste à l'Hôpital Royal-Victoria à Montréal, puis à Pierre-Le Gardeur.

Les mots en caractères **gras** sont définis dans le glossaire (p. 169 à 174).

Audioprothésiste
> en clinique privée

mon travail

«Les gens arrivent à moi avec un problème d'audition et repartent avec un outil pour améliorer leur communication et leur qualité de vie», explique avec fierté Dominique Landry, audioprothésiste.

Quand Dominique reçoit un patient à sa clinique privée, elle prend d'abord connaissance de l'**audiogramme**, réalisé par l'**audiologiste**, et du certificat médical émis par l'**oto-rhino-laryngologiste (ORL)**. Puis elle discute avec le patient de ses difficultés auditives au quotidien et choisit le type d'**aide auditive** qui lui convient le mieux. Elle examine ensuite ses oreilles et prend leur empreinte au moyen d'une pâte en silicone. Les empreintes sont expédiées chez un manufacturier, qui fabriquera la prothèse requise.

Une fois l'appareil auditif reçu à la clinique, Dominique le prépare ou le programme (s'il s'agit d'un modèle à commande numérique) et l'ajuste aux oreilles du patient, auquel elle donnera enfin des instructions et des conseils pour bien utiliser la prothèse auditive. Si son travail s'effectue surtout auprès de personnes malentendantes, Dominique intervient aussi dans le domaine de la prévention, en procurant des protecteurs auditifs personnalisés à des travailleurs exposés au bruit.

Des milieux de travail potentiels

> Cliniques privées
> Fabricants de prothèses auditives

ma motivation

L'audioprothésiste apprécie particulièrement la relation d'aide qu'elle crée avec chaque patient. Pour déterminer quel appareil auditif répond le mieux aux besoins d'une personne, elle doit considérer non seulement la sévérité de sa surdité, mais aussi ses activités et sa dextérité (on ne recommande pas un appareil compliqué à manipuler à une personne ayant des problèmes de motricité fine). Le choix ainsi posé est déterminant pour le confort du patient et la qualité de son gain auditif.

Pour elle, l'un des plus grands plaisirs du métier est sa pratique avec les enfants. Son plus jeune patient n'avait que 18 mois. «Avec les enfants, bien choisir et ajuster l'appareil ne va pas de soi. Le jeune patient ne peut répondre aux questions. Et il faut aussi faire un travail de psychologie avec les parents, qui doivent faire un deuil face à la déficience auditive de leur enfant.»

mon conseil

La technologie évolue rapidement dans ce secteur. Par exemple, il existe maintenant des appareils auditifs programmables à commande numérique. Dominique estime donc qu'il est important de lire et de suivre des formations continues afin de bien connaître l'évolution des appareils auditifs ainsi que les différentes méthodes d'appareillage. Par ailleurs, le métier suppose que l'on aime le contact avec les aînés, qui constituent la plus grande partie de la clientèle. 06/03

mon parcours

Déjà, au secondaire, Dominique savait que le domaine de la santé l'intéressait. Au bout de deux ans en techniques d'inhalothérapie au Cégep de Rosemont, elle a décidé de bifurquer vers le programme d'audioprothèse avant de décrocher son diplôme d'études collégiales (DEC) dans cette discipline. Elle a exercé à Montréal dans une clinique privée à titre de salariée avant de retourner dans son Sept-Îles natal pour ouvrir son propre bureau.

Les mots en caractères **gras** sont définis dans le glossaire (p. 169 à 174).

Cytologiste
> **en milieu hospitalier**

mon travail

Pour dépister le cancer du col de l'utérus, le médecin prélève des cellules dans le col lors de l'examen gynécologique et les dépose sur une lame de verre en vue de l'analyse en laboratoire.

Cindy Chartrand, cytologiste au Centre hospitalier régional de Lanaudière, reçoit ces spécimens et procède aux examens des échantillons. «Les cliniques nous font parvenir des lames sur lesquelles ont été étalées des sécrétions. Par différentes techniques de coloration, nous préparons les spécimens qui devront être étudiés au microscope. Après analyse des prélèvements, toute anomalie est signalée aux pathologistes avec qui nous travaillons en étroite collaboration.»

La majorité des cytologistes travaillent au sein des centres hospitaliers. Les centres privés de dépistage du cancer, les centres de recherche et les universités embauchent également ces spécialistes.

Des milieux de travail potentiels

> Centres de recherche
> Centres hospitaliers
> Établissements d'enseignement
> Laboratoires privés

ma motivation

«J'adore regarder dans l'œil du microscope et utiliser mon discernement pour reconnaître les bonnes cellules et les mauvaises», explique Cindy. Dans le doute, elle consulte les ouvrages de référence et partage ensuite le résultat de ses recherches avec ses collègues cytologistes. «J'aurais pu être technicienne de laboratoire médical, mais le contact étroit et constant avec le public qu'exigent les prélèvements de sang et d'urine, combiné à un horaire de travail irrégulier ne me tentaient pas. Je préfère nettement travailler dans un laboratoire avec des machines et regarder dans les microscopes. L'horaire est aussi beaucoup plus régulier et me convient davantage.»

Et pour contrer le côté monotone des tâches, le personnel travaille en alternance. «Une semaine sur quatre, on est chargé de la coloration de spécimens. Durant les trois autres, on est au microscope.»

mon conseil

Ceux qui optent pour cette carrière doivent avoir un intérêt marqué pour la biologie, en particulier pour l'étude des cellules du corps humain. «Il faut maîtriser parfaitement la théorie pour être en mesure de porter un jugement approprié dans la pratique.» Cindy encourage les personnes ordonnées et minutieuses à opter pour ce métier. «Mais il est préférable d'avoir une nature patiente, car on doit rester longtemps assis au microscope à examiner des échantillons», souligne-t-elle. 05/03

mon parcours

Après son diplôme d'études collégiales (DEC) en technique d'analyses biomédicales au Collège de Saint-Jérôme, Cindy a obtenu une attestation d'études collégiales (AEC) au Collège de Rosemont en cytotechnologie. «On apprend d'abord la théorie sur le système génital féminin, puis on passe aux travaux pratiques pour apprendre à distinguer les cellules normales des cellules anormales.» À la fin de sa formation, Cindy a effectué un stage à l'Hôpital Notre-Dame et a ensuite rapidement décroché son emploi au Centre hospitalier régional de Lanaudière.

Les mots en caractères **gras** sont définis dans le glossaire (p. 169 à 174).

Denturologiste
» en clinique privée

mon travail

Josée Bouthillier est propriétaire de sa propre clinique de denturologie. Elle rencontre les clients et évalue leurs besoins en matière de prothèses dentaires. «Je procède à un examen buccal et je fais remplir un questionnaire médical pour savoir si la personne souffre de problèmes digestifs, de poids ou de maux de tête, par exemple. Ces troubles peuvent en effet être causés par une prothèse inadéquate.»

Des milieux de travail potentiels

» Cabinets d'autres professionnels de la santé

» Cabinets de denturologistes

» Cabinets de dentistes

Josée conseille alors au client la sorte de prothèse qui répondrait à ses besoins. Puis elle passe à l'étape de fabrication. «Je prends d'abord les empreintes de la gencive et j'en fais un moule. À partir de là, je fabrique la prothèse avec de l'acrylique, et j'y insère les fausses dents. Ensuite, je procède à la cuisson, ce qui permet aux dents de rester en place. Enfin le client essaie la prothèse, et on procède aux ajustements si nécessaire. Pour franchir toutes ces étapes, il faut compter environ cinq visites.»

ma motivation

Josée confie qu'elle a en elle un côté artistique qui est comblé par son métier. En effet, créer une prothèse dentaire relève aussi de l'art!

«Je ne connais pas la routine, car il n'y a pas deux bouches semblables. Chaque cas est unique. Il y a souvent des défis intéressants à relever, par exemple une personne qui a eu un accident et dont la dentition est très abîmée. Il n'est pas facile de créer une prothèse adaptée aux besoins de chacun. Il faut changer les règles de l'art et savoir s'adapter. C'est très stimulant.

«On doit aussi se plier aux demandes des clients et faire preuve de diplomatie», poursuit-elle. En effet, certains peuvent avoir des demandes difficiles à réaliser ou qui ne conviennent tout simplement pas à leur bouche. Il faut le leur faire comprendre sans froisser les susceptibilités.»

mon conseil

Josée estime que pour faire sa place au soleil dans ce métier, il faut être fonceur. «Au début, ce n'est pas facile de monter sa clientèle. Comme une prothèse dure au moins cinq ans et que la plupart des personnes étirent cette période jusqu'à dix ans, il faut avoir une bonne quantité de clients pour réussir à vivre convenablement.»

Josée précise également qu'il est très important de se tenir à jour. D'ailleurs, l'Ordre des denturologistes du Québec suggère à ses membres de suivre régulièrement de la formation continue. 07/03

mon parcours

Après avoir obtenu un diplôme d'études collégiales (DEC) en techniques de denturologie au Cégep Édouard-Montpetit, Josée a travaillé dans une clinique privée. Puis, désireuse d'avoir son propre cabinet, elle a contacté plusieurs denturologistes qui approchaient de l'âge de la retraite. «C'est ainsi que j'ai pu racheter une clinique et sa clientèle. C'est un très grand avantage, car je n'ai pas eu à monter toute une banque de clients. Quand on part de zéro, cela peut prendre au moins de quatre à cinq ans.»

Les mots en caractères **gras** sont définis dans le glossaire (p. 169 à 174).

Hygiéniste dentaire
› en clinique privée

formation collégiale

mon travail

Une visite chez le dentiste équivaut à une visite chez l'hygiéniste dentaire, car l'un ne va pas sans l'autre. «L'hygiéniste prend des radiographies des dents et procède au détartrage, communément appelé nettoyage des dents. Il y a aussi tout l'aspect de la prévention et de l'éducation, car on explique aux patients comment ils pourraient améliorer leur santé buccale», précise Martine Daneault, hygiéniste dentaire pratiquant à la Clinique dentaire BPST à Sainte-Foy.

Les dentistes délèguent aussi aux hygiénistes un certain nombre de tâches. Les fonctions de ces derniers varient donc d'un environnement de travail à l'autre. Pour sa part, Martine peut mesurer les poches parodontales, c'est-à-dire la perte d'os autour des dents. D'autres pourraient effectuer l'insertion des **obturations** (plombages) dans les dents ou encore réaliser des travaux en laboratoire, comme couler un modèle en plâtre.

ma motivation

L'hygiéniste a tout le loisir de s'entretenir avec le patient, d'apaiser ses craintes et d'établir avec lui une relation de confiance. «J'aime le contact avec la clientèle. On revoit les mêmes personnes régulièrement et on peut ainsi suivre des changements dans leur vie. Par exemple, une patiente qui était enceinte revient en nous racontant qu'elle a accouché d'un petit garçon et nous demande des conseils d'hygiène pour son poupon.

«En cabinet privé, plus le dentiste nous confie de tâches, plus c'est intéressant», souligne Martine. Son rêve : travailler dans un CLSC avec les enfants. «J'adore le contact avec les jeunes. Ce serait une évolution intéressante dans ma carrière, car un hygiéniste dentaire œuvrant en CLSC va dans les écoles et fait de la prévention, de l'éducation et du dépistage.»

mon conseil

Aux personnes intéressées, Martine recommande de réaliser un court stage d'observation en milieu de travail. «Pour avoir une idée plus juste de cette profession et voir comment ça se passe réellement, on peut demander à son dentiste ou à son hygiéniste de l'accompagner une demi-journée en clinique.»

Bien que Martine juge que sa formation a été d'une grande qualité, «la réalité du marché du travail réserve toujours des surprises... des bonnes et des moins bonnes. À ce chapitre, en clinique privée, on doit prendre ses vacances en même temps que le dentiste.» Par ailleurs, Martine estime que sa profession est très valorisante, car elle permet d'améliorer la santé buccodentaire des gens ainsi que leur santé globale. 08/03

mon parcours

Martine a obtenu un diplôme d'études collégiales (DEC) en techniques d'hygiène dentaire au Cégep de Saint-Hyacinthe. Par la suite, elle n'a pas eu de difficulté à dénicher un emploi dans cette clinique de Sainte-Foy.

Des milieux de travail potentiels

› Cabinets de dentistes
› Centres hospitaliers
› Centres locaux de services communautaires (CLSC)
› Cliniques d'orthodontie ou de parodontie

Les mots en caractères **gras** sont définis dans le glossaire (p. 169 à 174).

Infirmier
❯ en milieu hospitalier

mon travail

Infirmier du programme de **soins de longue durée** de l'Hôpital Notre-Dame de la Merci à Montréal, Daniel Desjardins distribue les médicaments aux patients, fait les pansements et, à l'occasion, administre les soins de base, par exemple les soins d'hygiène corporelle. Il voit aussi aux traitements spéciaux, comme la **dialyse**.

En tant que chef d'équipe et assistant chef d'unité, il planifie le travail d'un groupe d'employés composé de ses collègues infirmiers, de préposés aux bénéficiaires et de commis.

Cette équipe suit de près les patients dont elle est responsable. «Nous élaborons des plans de soins, explique Daniel. Par exemple, pour une personne qui a mal aux jambes, on peut en venir à la conclusion, après avoir étudié son cas, qu'il lui serait bénéfique de recevoir des soins d'un physiothérapeute ou d'un ergothérapeute.»

ma motivation

Daniel, qui aime le travail physique et le contact avec le public, se sent bien dans le milieu hospitalier. Toutefois, son poste aux soins de longue durée le confronte à une réalité particulière du métier. «Contrairement au personnel infirmier qui s'occupe d'une clientèle régulière, je ne peux pas vraiment espérer une guérison de mes patients. Mon objectif premier est donc de les soulager. Certains ont passé les 30 dernières années de leur vie à l'hôpital. C'est bien différent des gens qui y entrent pour subir une opération.»

Daniel apprécie également la confiance que les médecins lui accordent quand ils lui demandent son avis au sujet de certains patients. «J'ai l'impression de faire le lien entre les patients et ceux qui prennent les décisions quant aux traitements. C'est stimulant et valorisant.»

mon conseil

Daniel avoue qu'il a énormément appris sur le tas. «C'est un milieu qui bouge beaucoup. Il faut donc s'adapter rapidement. Par exemple, certains médicaments que j'administrais à mes débuts n'existent plus aujourd'hui, tandis que de nouveaux ont fait leur apparition sur le marché. La façon de faire les pansements a aussi changé.» La capacité de prendre des décisions tout seul est également à cultiver, mais cela ne s'apprend pas forcément sur les bancs de l'école. 08/03

mon parcours

Avant d'être infirmier, Daniel a été préposé aux bénéficiaires pendant sept ans à l'Hôpital de Gatineau. Après avoir étudié la sociologie à l'Université d'Ottawa et le travail social à l'Université du Québec à Hull, il a finalement décidé d'entreprendre un diplôme d'études collégiales (DEC) en soins infirmiers au Collège de l'Outaouais. «Mon expérience en tant que préposé aux bénéficiaires m'a apporté une belle base pour le travail que je fais aujourd'hui», conclut-il.

Les mots en caractères **gras** sont définis dans le glossaire (p. 169 à 174).

Inhalothérapeute

❯ en milieu hospitalier

mon travail

Quiconque éprouve de grandes difficultés à respirer remet sa vie entre les mains de l'inhalothérapeute, un spécialiste de l'aide respiratoire. Cette profession est largement mécanisée, puisque la respiration de certains patients – sous anesthésie, notamment – est entièrement contrôlée par des appareils.

Fannie Clément est inhalothérapeute au Centre hospitalier de l'Université Laval (CHUL). «L'inhalothérapie est présente partout dans l'hôpital : au bloc opératoire pour assister l'anesthésiologiste, pour toutes les opérations de surveillance du patient lorsqu'il est endormi, aux soins intensifs, à l'unité néonatale pour les grands prématurés, etc. C'est vraiment interdisciplinaire. On travaille avec les infirmières et les médecins.»

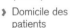

Des milieux de travail potentiels

❯ Centres d'hébergement et de soins de longue durée

❯ Centres hospitaliers

❯ Centres locaux de services communautaires (CLSC)

❯ Domicile des patients

ma motivation

Fannie apprécie particulièrement la polyvalence de cette profession. «L'inhalothérapeute peut travailler dans plusieurs services d'un hôpital, dans les laboratoires de diagnostic pulmonaire, les cliniques du sommeil, etc. On en trouve aussi dans les CLSC, dans le cadre du service à domicile des malades chroniques qui ne peuvent respirer par eux-mêmes.»

Un inhalothérapeute peut également faire partie d'une équipe de recherche médicale (avec des médecins, des spécialistes de la santé publique, etc.) ou encore faire de l'enseignement.

«Hormis la multidisciplinarité que permet mon métier, ce qui me motive le plus est le contact avec le patient, insiste Fannie. Quand une personne s'apprête à passer sur la table d'opération, elle se sent vulnérable, sa nervosité est palpable. Alors il faut savoir créer un contact avec elle, la rassurer et lui apporter un peu de réconfort.»

Sans oublier les situations d'urgence, par exemple lors d'un arrêt cardiorespiratoire, où la survie du patient est une question de minutes. Dans ces cas, il faut savoir garder son sang-froid et ne pas perdre ses moyens, malgré le stress.

mon conseil

Si l'on se destine au métier d'inhalothérapeute, il faut être à l'aise dans le milieu hospitalier, car c'est le principal employeur. De plus, il faut savoir travailler en équipe, car on est perpétuellement en contact avec d'autres professionnels de la santé. Enfin, l'autre enjeu majeur est de se tenir à jour. «La formation continue n'est pas obligatoire, mais dans les faits, dès qu'un nouveau modèle de respirateur entre à l'hôpital, on est tous formés pour apprendre à l'utiliser. Il y a toujours de nouvelles technologies, de nouvelles études scientifiques. Il faut suivre!» 05/03

mon parcours

Dès l'obtention de son diplôme d'études collégiales (DEC) en techniques d'inhalothérapie au Cégep de Sainte-Foy, Fannie a été engagée par le CHUL. Pendant les deux premières années de sa carrière, elle a également fait des remplacements à l'Hôpital Laval de Québec et à l'Hôtel-Dieu de Lévis.

Les mots en caractères **gras** sont définis dans le glossaire (p. 169 à 174).

Opticienne d'ordonnances
> **dans une lunetterie**

mon travail

Mélanie Bolduc, opticienne à la Lunetterie New Look à Saint-Jérôme, est responsable de toutes les étapes de la production de lunettes ou de lentilles cornéennes, à l'exception du travail de laboratoire.

Elle s'occupe de tout, depuis l'ordonnance de l'optométriste jusqu'à la livraison du produit. «Je reçois l'ordonnance, je guide le client dans son choix de monture, je prends les mesures de son visage et je commande les lunettes au laboratoire. Quand elles me sont retournées, je vérifie que l'ordonnance a bien été respectée, que la monture s'ajuste parfaitement au client et qu'il est à l'aise avec ses lunettes.»

En plus de la variété que lui offre son travail, Mélanie apprécie l'équipe qui l'entoure, composée d'autres opticiens, de conseillères pour le choix des montures et d'un optométriste.

ma motivation

C'est probablement le sens de l'esthétique et le souci du détail de Mélanie qui l'ont conduite vers ce métier. Mais ce qu'elle apprécie le plus, c'est de pouvoir satisfaire la clientèle : «Il y a des moments magiques; tout à coup, le client s'exclame qu'il voit bien et que ses lunettes sont enfin confortables. Là, j'ai le sentiment de l'avoir bien conseillé et je suis fière de moi.»

Mélanie affirme que son travail lui a apporté la confiance en elle-même et l'estime de soi. «Avant, j'étais très gênée. Mais au fur et à mesure que j'ai développé ma pratique du métier, j'ai acquis de l'aisance.»

Avec l'optométriste, elle doit aussi résoudre des problèmes particuliers, par exemple un client insatisfait de la vision que lui procure sa nouvelle paire de lunettes, pourtant conforme à l'ordonnance. «Il faut se creuser la tête pour trouver des solutions!»

mon conseil

Mélanie a appris à ne pas prendre toutes les responsabilités sur ses épaules, malgré la pression de la clientèle. Par exemple, si le laboratoire accuse un retard, ce n'est pas sa faute.

«Il faut être très patient et savoir garder son calme. Développer la capacité de deviner ce que veut le client et d'aller au-devant de ses attentes est également un atout appréciable.» En outre, la manipulation des verres et des lentilles exige de la précision et de la dextérité. 05/03

mon parcours

Après une année en sciences humaines et plusieurs visites de milieux de travail, Mélanie a opté pour la technique d'orthèses visuelles offerte au Collège Édouard-Montpetit. (Ce programme est aussi offert au Collège François-Xavier-Garneau depuis 2005.) Les excellentes perspectives d'emploi et l'accueil reçu au département quand elle a visité les lieux l'ont fortement motivée. Elle a obtenu un emploi dès la fin de ses études et a travaillé pour deux bureaux d'opticiens, dont Lunetterie New Look.

Les mots en caractères **gras** sont définis dans le glossaire (p. 169 à 174).

Orthésiste-prothésiste
❭ en laboratoire privé

mon travail

Lorsqu'on souffre de certains problèmes physiques, par exemple un membre amputé ou simplement les pieds plats, on consulte un spécialiste en **orthèses** et **prothèses** orthopédiques. Ce dernier fabrique alors un appareil adapté qui aidera à compenser le défaut.

Philippe Durocher, orthésiste-prothésiste dans un laboratoire privé, rencontre d'abord le client pour faire une évaluation. «Dans le cas de pieds plats, je commence par réaliser un examen biomécanique qui permet de vérifier l'alignement des membres grâce à des appareils de mesure. Puis, je réalise une empreinte du pied dans du plâtre ou de la mousse, qui me permettra de faire un moule sur lequel je fabriquerai l'orthèse.»

La deuxième partie du travail de Philippe consiste à préparer l'orthèse proprement dite. «Au laboratoire, nous avons un établi, un four et différents outils pour travailler les matériaux. Pour un pied plat, je dois faire un appareil qui créera une arche au pied afin d'améliorer la démarche de la personne.» Enfin, Philippe rencontre à nouveau le client pour qu'il essaye la prothèse et procède à des ajustements si nécessaire.

Des milieux de travail potentiels

❭ Centres de réadaptation
❭ Laboratoires d'orthèses et de prothèses privés

ma motivation

Philippe aime son métier, car deux de ses passions y sont réunies : le travail manuel et la relation d'aide. «C'est un peu comme faire de la sculpture ou de la poterie. Je dois concevoir et fabriquer de mes mains un objet qui soit à la fois utile, pratique, efficace, confortable et esthétique. De plus, j'éprouve une grande satisfaction lorsque la personne se sent à l'aise avec son appareil. Le bien-être du client, c'est capital pour moi.»

mon conseil

Il n'est pas toujours évident de porter un appareil correcteur. «Lorsque la personne est lourdement handicapée, par exemple quand il y a eu amputation d'un bras ou d'une jambe, le port de l'appareil peut être difficile à accepter. Il faut alors l'aider à s'y adapter.»

L'aisance dans les relations d'aide et l'empathie sont donc des attitudes indispensables pour l'orthésiste-prothésiste.

Ce travail demande aussi beaucoup de créativité. Chaque personne représentant un défi différent, on doit être ingénieux et inventif pour trouver des solutions adaptées aux besoins de chacun.

«Il est également nécessaire d'être habile de ses mains, car on manipule toutes sortes d'outils et de matériaux.» 05/03

mon parcours

Après le cégep, Philippe a étudié un an en administration à l'université. «J'étais insatisfait, je trouvais ça trop abstrait. L'un de mes amis étudiait en techniques d'orthèses et de prothèses orthopédiques, et cela m'a tout de suite intéressé.» Philippe a obtenu son diplôme d'études collégiales (DEC) dans ce domaine au Collège Montmorency. Par la suite, il a rapidement décroché son poste au laboratoire.

Les mots en caractères **gras** sont définis dans le glossaire (p. 169 à 174).

Technicien ambulancier
> en coopérative

mon travail

Quand il reçoit un appel d'urgence, Dominic Chaput passe en mode alerte. Déclenchant sirène et gyrophares, l'employé de la Coopérative des techniciens ambulanciers du Québec métropolitain (CTAQM) n'a qu'une chose en tête : intervenir à temps. «Lors d'un arrêt cardio-respiratoire, par exemple, il peut y avoir des dommages irréparables au cerveau dans les quatre à six minutes qui suivent, explique-t-il. Et si le cœur est en **fibrillation**, les chances de survie de la personne diminuent de 10 % chaque minute.» À son arrivée sur les lieux de l'incident, Dominic évalue l'état de la victime, détermine les moyens d'intervention appropriés, prodigue les soins d'urgence, jauge si une conduite à l'hôpital est nécessaire en plus d'interroger l'infortuné ou son entourage. Les renseignements qu'il recueille, comme la nature des symptômes, les antécédents médicaux et les circonstances de l'accident, seront utiles au personnel qui prendra le relais à l'hôpital.

Les techniciens ambulanciers sont autorisés à poser de plus en plus d'actes médicaux susceptibles de sauver des vies, précise-t-il. «À la fin de 2002, j'ai reçu une formation qui me permet d'administrer des médicaments contre les crises d'allergies graves, l'hypoglycémie, le diabète, les troubles cardiaques et les difficultés respiratoires comme l'asthme.»

Des milieux de travail potentiels

> Coopératives
> Entreprises privées offrant des services ambulanciers
> Urgences-santé (organisme sans but lucratif relevant du ministère de la Santé et des Services sociaux du Québec)

ma motivation

Attiré par les soins de santé – il a été patrouilleur de ski alpin pendant six ans –, Dominic a trouvé sa vocation dans cette profession qui bouge. Les situations inattendues le stimulent. «Lorsqu'on porte secours à un accidenté de la route, la voiture peut être dans un ravin, anéantie, dans une fâcheuse position. Il faut alors faire preuve de débrouillardise pour sortir la victime du pétrin. Tout ne s'apprend pas sur les bancs de l'école.»

Le technicien se réjouit en outre de l'élargissement du champ d'action de sa profession, en ce qui a trait aux actes médicaux. «Il y a un agréable vent de changement actuellement.»

mon conseil

Quelqu'un qui choisirait cette profession pour l'attrait du camion, des gyrophares et de la sirène ferait fausse route, selon Dominic. «On s'y habitue vite! Il faut opter pour ce métier parce qu'on aime les gens et leur prodiguer des soins. Il y a autant de soutien psychologique que de manipulations techniques.» Par ailleurs, Dominic prévient les futurs techniciens ambulanciers qu'au moment de postuler un emploi, ils auront probablement à démontrer leur savoir-faire dans le cadre de simulations. Autant s'y préparer, croit-il. «Au cégep, on se réunissait un petit groupe les week-ends. On imaginait toutes sortes de cas fictifs. En entrevue, les employeurs ont vu la différence.» 05/03

mon parcours

Dominic a obtenu une attestation d'études collégiales (AEC) en techniques ambulancières au Cégep de Sainte-Foy. Pour se perfectionner, il a aussi suivi un cours d'appoint en arythmie cardiaque donné par le même établissement. Son diplôme en poche, Dominic a été embauché par la CTAQM. Pendant deux ans, il a également été professeur en techniques ambulancières au Cégep de Sainte-Foy.

Les mots en caractères **gras** sont définis dans le glossaire (p. 169 à 174).

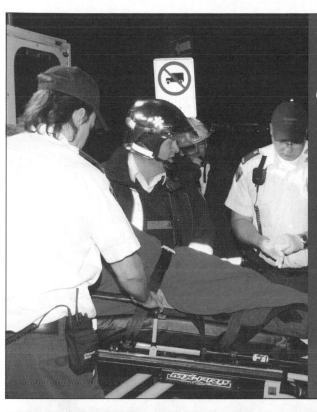

Urgences-santé Québec

+ Quelque
  800 paramédics
  au service de plus
  de 2 millions de
  citoyennes et
  citoyens des villes
  de Montréal et
  de Laval

+ Les paramédics
  d'Urgences-santé
  ont effectué plus de
  195 500 transports
  en 2004-2005

CONSULTEZ NOTRE RÉPERTOIRE
des principales associations et ordres
professionnels en santé à la PAGE 186.

Technicien de laboratoire

> dans un organisme public

mon travail

Samuel Caron est technicien de laboratoire à Héma-Québec, l'organisme responsable de fournir les produits sanguins aux hôpitaux québécois. Au quotidien, il analyse les dons de sang afin d'identifier les différents **groupes sanguins**.

«Contrairement à ce qu'on peut penser, il existe beaucoup plus de groupes sanguins que les traditionnels A, B et O. Dans mes analyses, je dois repérer les plus rares afin de répondre aux besoins des hôpitaux qui nous adressent des demandes particulières.» Ainsi, lorsque Samuel découvre un groupe sanguin exceptionnel, il congèle le sang, qui pourra servir à une transfusion jusqu'à dix ans plus tard.

«Ce genre de travail se fait surtout à Héma-Québec ou dans les laboratoires des banques de sang», précise Samuel. Un technicien de laboratoire peut aussi exercer, par exemple, dans un service de biochimie, pour mesurer le sucre ou le cholestérol dans le sang; ou encore dans un service de microbiologie, afin de détecter des microbes, des bactéries ou des virus dans différents types de prélèvements.

ma motivation

Pour Samuel, l'analyse en laboratoire est un travail stimulant qui permet d'apprendre continuellement. «Il y a toujours de nouvelles connaissances, de nouveaux tests à apprendre. C'est un milieu dynamique où les gens qui sont curieux intellectuellement trouvent constamment une source de motivation.»

Bien que son travail ait lieu loin des chambres d'hôpital, Samuel sait qu'il contribue à sauver des vies. «Il arrive, par exemple, que des médecins demandent des tests ou du sang de façon urgente. Parfois, je peux être appelé à décongeler du sang très vite alors qu'un patient avec un groupe sanguin particulièrement rare doit subir une transfusion. Ce n'est pas tout le monde qui apprécie ce genre de défi, mais moi, j'aime beaucoup travailler dans des situations stressantes.»

mon conseil

Samuel est catégorique : le technicien de laboratoire doit posséder une bonne méthodologie de travail pour être efficace en situation d'urgence. La discipline et la minutie sont aussi essentielles dans le métier. «Évidemment, la curiosité intellectuelle et scientifique est primordiale, car on doit aimer apprendre et aller toujours plus loin dans nos recherches.»

Samuel a d'ailleurs effectué un certificat en biotechnologie pour se perfectionner. «Ce certificat n'est pas obligatoire pour obtenir un poste de technicien de laboratoire, mais il apporte des connaissances qui ouvrent davantage d'horizons sur la recherche et le développement.» 06/03

mon parcours

Après avoir obtenu son diplôme d'études collégiales (DEC) en technologie d'analyses biomédicales au Collège de Shawinigan, Samuel a été engagé en disponibilité à l'hôpital où il avait fait son stage. Il est ensuite retourné aux études, à l'Université Laval, pour décrocher un certificat en biotechnologie. Puis, il a travaillé comme technicien dans un laboratoire privé de Québec avant de passer chez Héma-Québec.

Les mots en caractères **gras** sont définis dans le glossaire (p. 169 à 174).

Technicienne dentaire
> **en laboratoire privé**

mon travail

«J'ai toujours aimé aller chez le dentiste! raconte Julie Jacob. Je voulais devenir hygiéniste dentaire, mais la perspective de travailler dans la bouche des gens ne me plaisait guère... Pour moi, le travail de technicienne dentaire est donc vraiment idéal.» Employée au Laboratoire dentaire Julien & St-Jean, Julie fabrique et répare différents types de **prothèses dentaires**. Sa spécialité, c'est la conception et la confection de prothèses amovibles (que le patient peut enlever lui-même) en métal et en acrylique (partiels et dentiers).

Julie travaille à partir des empreintes des dents d'un patient et d'indications écrites, qui lui parviennent d'un dentiste ou encore d'un médecin, d'un prosthodontiste, d'un orthodontiste ou d'un denturologiste. Elle crée d'abord un modèle de la bouche, puis elle fabrique la prothèse par divers procédés (moulage, coulée, pressage, polissage, etc.). Ce travail d'orfèvre s'effectue sous un bon éclairage, en position assise, à l'aide de toute une panoplie d'outils manuels et électriques. La technicienne utilise également une grande variété de matériaux, comme la pierre artificielle, les cires dentaires, l'acrylique, la céramique, les résines composites, différents alliages de métaux et même l'or.

ma motivation

«Je sais que la personne pour qui je fais mon travail va retrouver le sourire, et ça, c'est ma plus belle motivation!» explique Julie. Mais pour parvenir à ce résultat, elle doit faire preuve de beaucoup de minutie. «Si je ne fais pas une prothèse parfaitement adaptée aux besoins du patient, elle peut engendrer plus de problèmes qu'elle n'en résout. Par exemple, une prothèse mal adaptée peut pousser sur les autres dents, les rendre mobiles ou plus vulnérables à la carie.

«L'art du technicien, c'est vraiment de trouver l'équilibre entre les aspects fonctionnel, esthétique et budgétaire, poursuit Julie. Il y a plusieurs sortes de matériaux et leurs prix varient selon leur qualité et leurs caractéristiques.» La technicienne se fait donc un devoir de bien connaître les différentes matières premières.

mon conseil

La fabrication de prothèses dentaires n'a pas lieu en vase clos, prévient Julie. «Ça prend une bonne communication entre le patient, le dentiste et le technicien dentaire, car c'est un travail d'équipe.» L'exercice du métier demande aussi un œil artistique. «Je m'efforce d'imiter la nature le plus possible, sinon ça paraît tout de suite que c'est du faux!» Comme le domaine évolue rapidement, il importe de maintenir ses connaissances à jour, ajoute-t-elle. «Il existe maintenant des logiciels qui permettent la modélisation de prothèses.» 06/03

Des milieux de travail potentiels

> Cabinets de dentistes privés

> Laboratoires de fabrication de prothèses

mon parcours

Julie a obtenu son diplôme d'études collégiales (DEC) en techniques dentaires du Collège Édouard-Montpetit, le seul à offrir cette formation au Québec. Elle a décroché son premier emploi en demandant à un propriétaire de laboratoire l'autorisation d'y faire ses travaux scolaires. C'est après avoir travaillé huit ans à temps partiel pour cet établissement qu'elle a obtenu son poste au Laboratoire dentaire Julien & St-Jean. Plus récemment, elle a fait un baccalauréat en enseignement en formation professionnelle à l'Université du Québec à Montréal, en vue de transmettre son savoir-faire.

Les mots en caractères **gras** sont définis dans le glossaire (p. 169 à 174).

Technicienne d'intervention en loisir
> **en résidence pour personnes âgées**

mon travail

Quand Marie-Eve Leblond est dans les parages, les résidants du Manoir St-Amand, à Québec, n'ont pas le temps de s'ennuyer. Son rôle? Divertir ce groupe d'aînés autonomes et semi-autonomes et, du coup, améliorer leur qualité de vie.

Concrètement, elle organise et dirige pour eux des activités de loisirs : cafés-causeries, jeux de devinettes, etc. Quand il y a des anniversaires à souligner, c'est elle qui y voit. Elle a même déjà fait venir des animaux de l'Institut de zoothérapie du Québec, le temps d'une journée. «L'idée m'est venue en voyant un résidant, habituellement marabout, sourire en flattant le chien d'un visiteur», raconte-t-elle. Au besoin, elle agit comme personne-ressource, par exemple pour aider à mettre sur pied un comité de résidants. Sa journée type commence peu après midi. En arrivant, elle salue les résidants un par un, dans la salle à manger. Ensuite, elle va cogner à la porte de ceux qui pourraient oublier le bingo qu'elle anime dès 14 h. Le reste de l'après-midi, elle planifie d'autres activités, par exemple une sortie aux quilles le lendemain.

Des milieux de travail potentiels

> Centres d'hébergement et de soins de longue durée

> Centres hospitaliers

> Centres locaux de services communautaires (CLSC)

ma motivation

«Mon travail, c'est d'établir des relations avec les gens, de leur faire sentir que je suis là pour eux. Quand je vois une personne âgée sourire durant une de mes activités, je sais que j'ai atteint mon but!» confie Marie-Eve.

Pour y parvenir, elle doit souvent faire preuve de patience. «Il peut arriver que des participants ne comprennent pas les consignes. Il faut donc que je répète et que je reformule pour me faire comprendre, pour que tous puissent tirer plus de satisfaction de l'activité.» Tout en prenant le temps d'être à l'écoute, Marie-Eve tient à rester elle-même; si un jour elle est triste, elle ne le cache pas. «Si on met un masque, les gens le sentent.» Elle attache aussi une grande importance à ce qu'elle appelle la congruence, qu'elle illustre ainsi : «Quand je demande aux autres de ne pas se couper la parole, je ne dois pas la leur couper! Être cohérent, c'est agir en lien avec ce que l'on dit et ce que l'on est. C'est aussi se connaître suffisamment pour savoir où sont nos limites et en tenir compte.»

mon conseil

Un diplômé en techniques d'intervention en loisir comme Marie-Eve peut travailler auprès de diverses clientèles (personnes handicapées, délinquants ou **mésadaptés socio-affectifs**, par exemple) et dans différents contextes (écoles, bases de plein air, municipalités, etc.). «Les tâches varient selon le milieu», indique Marie-Eve, qui conseille aux intéressés d'explorer les différentes possibilités, en variant les stages et les expériences de travail, pour déterminer ce qui leur convient le mieux. 07/03

mon parcours

Marie-Eve voulait être psychologue, mais elle a dû revoir son choix, faute d'avoir de bonnes notes au secondaire. Inscrite en techniques de tourisme au Cégep de Matane, elle a abandonné après un an. «Je n'y trouvais pas la satisfaction de faire du bien aux gens.» Elle s'est donc dirigée vers le programme *Techniques d'intervention en loisir*, au Cégep de Rivière-du-Loup. En cours de stage, lors d'une visite au Salon des aînés de sa région, elle a rencontré la directrice administrative du Manoir St-Amand, qui lui a offert un poste. Bingo!

I Les mots en caractères **gras** sont définis dans le glossaire (p. 169 à 174).

Technicienne en diététique
> en milieu hospitalier

mon travail

À l'Hôpital de Montréal pour enfants, les jeunes patients ne mangent pas tous la même chose. Selon sa maladie, chacun se voit prescrire par une diététicienne les aliments qui lui conviennent. La technicienne en diététique, elle, s'assure que ces directives sont respectées.

Car au quotidien, ce sont les patients qui font leur menu. Ils savent généralement ce qu'ils peuvent manger, mais une technicienne comme Marie-Claude Tranquille vérifie qu'ils font les bons choix. Chaque jour, elle révise donc une trentaine de menus afin d'ajuster les quantités et de varier les types d'aliments en fonction de l'état de chaque patient.

Son évaluation terminée, Marie-Claude rédige des rapports détaillés qui comprennent les instructions aux cuisiniers de l'hôpital. Elle y inclut non seulement les différents menus, mais aussi la quantité précise de chaque aliment ainsi que son mode de cuisson. «Tous ces détails peuvent avoir une incidence sur la santé des patients», souligne-t-elle.

ma motivation

Marie-Claude aime transmettre son savoir en expliquant aux patients ce qu'ils doivent manger et pourquoi. Mais comme ce sont des enfants, elle doit souvent les convaincre d'avaler des carottes plutôt que des frites, entre autres. Pour y arriver, elle use de tact et tente de les séduire en faisant valoir les bienfaits de tel ou tel aliment sur leur santé. Et quand un patient lui fait une «demande spéciale», parce qu'il a soudain une rage de chocolat par exemple, elle prend plaisir à essayer de le satisfaire, en vérifiant si X grammes de l'aliment convoité peuvent nuire à sa santé.

Par ailleurs, l'évolution des connaissances et des tendances en matière de nutrition la tient en haleine. «Il y a constamment des scientifiques qui découvrent qu'un aliment est meilleur qu'un autre. Je me tiens à jour en suivant chaque année une formation à la Société des technologues en nutrition du Québec et en lisant des articles spécialisés.»

mon conseil

Quand on est responsable de l'alimentation des patients, l'erreur n'est pas permise, soutient Marie-Claude. La minutie est donc une qualité particulièrement importante. Par ailleurs, la technicienne prévient qu'il faut faire preuve de persévérance pour exercer en milieu hospitalier. Avant de se voir offrir un poste stable et permanent, on doit travailler en disponibilité et selon des horaires variables, de jour comme de nuit. Mieux vaut accepter de rentrer le plus souvent possible, autrement, on risque de ne plus être rappelé. 06/03

mon parcours

Marie-Claude a obtenu un diplôme d'études collégiales (DEC) en techniques de diététique au Collège de Maisonneuve. Avant de travailler à l'Hôpital de Montréal pour enfants, elle a été en disponibilité comme technicienne en diététique dans deux centres d'accueil et dans un centre de réadaptation.

Les mots en caractères **gras** sont définis dans le glossaire (p. 169 à 174).

Technicienne en éducation spécialisée
> en centre local de services communautaires

mon travail

Quand l'infirmière du Centre local de services communautaires (CLSC) Sainte-Rose se doute qu'un patient vit des problèmes de pauvreté ou de drogue, par exemple, elle refile ses coordonnées à Lyne Desjardins, éducatrice spécialisée, qui prendra le temps d'appeler la personne en question pour lui offrir une relation d'aide.

«Une relation d'aide consiste à écouter l'autre, à tenter de comprendre son problème et ses besoins, puis à l'accompagner dans la recherche et l'atteinte de son objectif», explique Lyne. Par exemple, on peut avoir pour objectif d'apprendre à dire non à un conjoint joueur compulsif qui demande sans cesse de l'argent. «Il faut y aller très délicatement, car ces gens-là n'ont pas nécessairement appelé au CLSC en disant "j'ai besoin d'aide".» Lyne anime également des ateliers destinés aux parents, dont deux qui portent sur le développement moteur et affectif des petits de 1 à 24 mois et un autre axé sur l'acquisition des habiletés sociales des bambins de 2 à 4 ans.

ma motivation

Fascinée par le comportement humain, Lyne a découvert que chaque individu donne à ses actions un sens qui lui est propre, unique, «...donc il y a toujours quelque chose à apprendre. Cela me motive beaucoup.» Avec le temps, elle a appris qu'il valait mieux tenter de comprendre les autres que de les juger. «Quand je travaillais aux Centres jeunesse de Montréal, je côtoyais des gens qui, de père en fils, vivaient de l'aide sociale. Ils n'étaient pas heureux de cela, ni fiers d'eux-mêmes, mais ils n'avaient pas ce qu'il fallait pour s'en sortir, ne serait-ce qu'une capacité à s'exprimer suffisante pour rencontrer un employeur potentiel.»

Pour elle, le cheminement personnel est indissociable du travail de relation d'aide. «Comment être sensible à la souffrance et aux besoins des autres si on ne s'est jamais arrêté aux siens? Un des pièges du métier, si on n'a pas appris à se connaître soi-même, sera de vouloir régler les problèmes des autres, de se les approprier.»

mon conseil

Le métier exige de savoir gérer ses émotions, pour ne pas se laisser envahir par la détresse ou l'agressivité de ceux que l'on tente d'aider, mais demande aussi de la générosité. «Si une crise familiale éclate à 20 h 30, on ne peut pas s'en aller en disant "j'ai fini ma journée, désolée".»

Lyne conseille aux intéressés d'essayer différents milieux de travail pour déterminer ceux où ils se sentent le plus à l'aise : les techniques d'intervention varient beaucoup d'un employeur à l'autre. «Et il ne faut pas avoir peur de demander du soutien psychologique, à ses pairs ou à un psychologue, ajoute-t-elle, parce que ce travail peut être très insécurisant.» 07/03

mon parcours

Pendant ses études collégiales en éducation spécialisée au Cégep de Saint-Jérôme, Lyne a fait deux stages : l'un dans une école primaire et l'autre dans un centre de réadaptation pour adolescentes. Elle a ensuite travaillé sept ans au Centre Rosalie-Jetté, auprès de mères en difficulté, puis trois ans pour le compte de la Direction de la protection de la jeunesse (DPJ), avant d'obtenir un poste au CLSC.

Les mots en caractères **gras** sont définis dans le glossaire (p. 169 à 174).

Technicienne en électrophysiologie médicale
› en milieu hospitalier

mon travail

Josée Chaumont souhaitait œuvrer dans le domaine médical, mais elle ne voulait pas faire d'études universitaires. La lecture d'une monographie sur la technique en électrophysiologie médicale ayant piqué sa curiosité, elle demande à effectuer un stage d'observation d'une journée dans un hôpital et est séduite par ce qu'elle découvre.

Certains organes, comme le cerveau et le cœur, génèrent de l'activité électrique. Un médecin qui soupçonne son patient d'éprouver un problème lié à l'un de ces organes peut faire tester cette activité. C'est là qu'entre en scène le technicien en électrophysiologie médicale, un spécialiste formé pour administrer les tests qui permettront de savoir si l'activité électrique est normale.

«C'est difficile d'expliquer en quoi consiste mon travail, car ce n'est pas concret», confie Josée, technicienne en électrophysiologie médicale au Centre hospitalier universitaire de Sherbrooke. En résumé, elle pose sur le patient des fils reliés à des appareils qui permettront de mesurer l'activité électrique du cœur (électrocardiogramme) ou celle du cerveau (électroencéphalogramme).

ma motivation

Elle apprécie tout particulièrement la polyvalence qu'exige son métier. Selon les journées, Josée évolue en effet en cardiologie ou en neurologie, deux spécialités dont les tests sont complètement différents. «Un électrocardiogramme dure cinq minutes alors qu'un électroencéphalogramme peut exiger jusqu'à une heure et demie.» Elle a également suivi une formation complémentaire lui permettant de vérifier le fonctionnement des stimulateurs cardiaques, ce qui ajoute à la diversité de ses tâches.

Sa plus grande satisfaction? «C'est quand je détecte quelque chose – une anomalie dans l'activité électrique – qu'on ne voit pas souvent. Ça aiguise l'esprit, cela m'oblige à rester en alerte et à retourner dans mes livres pour chercher de quoi il s'agit.»

mon conseil

La lecture d'une monographie de la technique en électrophysiologie médicale peut se révéler aride. «Le mieux est de se rendre dans un hôpital pour voir concrètement en quoi consiste ce métier», conseille Josée. Avant d'opter pour ce choix de carrière, il faut également s'assurer que l'on peut faire preuve d'empathie tout en gardant une certaine distance émotionnelle, afin de ne pas trop se laisser toucher par ce que vivent les patients. «Il faut aussi avoir beaucoup de patience : nous ne sommes pas autorisés à divulguer les résultats des tests; ce sont les médecins qui s'en chargent. Mais il y a des malades qui insistent, et nous devons garder notre calme.» 05/03

Des milieux de travail potentiels

› Centres hospitaliers
› Cliniques médicales
› Fabricants d'appareils ou d'accessoires d'électrophysiologie médicale
› Laboratoires de recherche

mon parcours

Josée a obtenu un diplôme d'études collégiales (DEC) en techniques d'électrophysiologie médicale au Cégep Ahuntsic, le seul établissement à offrir cette formation au Québec. Dès la fin de sa première année d'études, elle a été employée comme préposée en électrophysiologie médicale dans un hôpital, ce qui lui a permis d'acquérir de l'expérience.

Les mots en caractères **gras** sont définis dans le glossaire (p. 169 à 174).

Technicien en génie biomédical
> **en milieu hospitalier**

mon travail

Brian Cyr est technicien en génie biomédical à l'Hôpital Saint-Luc, du Centre hospitalier universitaire de Montréal. Il entretient et répare les appareils des services d'**hémodialyse** et des différents laboratoires.

Il peut s'occuper, par exemple, des générateurs d'hémodialyse – machines qui nettoient le sang des personnes souffrant de maladies des reins – ou des **centrifugeuses** qui séparent les globules rouges du plasma.

Téléavertisseur à la ceinture, coffre d'outils à la main, Brian est constamment en disponibilité. Une fois devant la machine, il détermine quel est le problème, puis procède à la réparation, ce qui peut prendre quelques minutes ou quelques jours. Si la tâche se révèle trop complexe, Brian fait directement appel aux techniciens de l'entreprise ayant conçu l'appareil.

ma motivation

Passionné des machines, Brian a un réel plaisir à comprendre comment elles fonctionnent. «Je m'occupe d'une soixantaine d'appareils différents et il arrive que certains d'entre eux me soient totalement inconnus. C'est donc un défi de cerner leur principe de fonctionnement. Il arrive que je sois découragé devant l'ampleur du problème, mais lorsque je finis par trouver la solution, je trouve cela très valorisant», explique-t-il.

Pouvoir, à sa façon, contribuer à la guérison des patients est une autre source de motivation. «Certains malades ne pourraient vivre sans ces appareils. C'est le cas du générateur d'hémodialyse par exemple, qui assure la survie de personnes dont les reins fonctionnent à moins de 10 % de leur capacité.»

Sans compter que Brian est souvent considéré comme un «sauveur» lorsqu'un appareil tombe en panne. «Le personnel médical ainsi que les patients s'affolent un peu parce que cela interrompt le traitement. Mais une fois la machine remise en marche, les gens me remercient.»

mon conseil

Ce n'est que depuis septembre 1999 que le certificat *Technologies biomédicales : instrumentation électronique* est offert à l'École Polytechnique aux aspirants techniciens. Brian, qui a appris sur le tas, conseille fortement aux jeunes de s'inscrire à ce programme. «Cela leur permettra de mieux connaître le milieu biomédical et d'avoir une formation à la fine pointe de la technologie», conclut-il. 05/03

mon parcours

Brian est titulaire d'un diplôme d'études professionnelles en électromécanique de systèmes automatisés (DEP) du Centre de formation professionnelle Pierre-Dupuy, et d'un diplôme d'études collégiales (DEC) en électronique, option télécommunications, de l'Institut Teccart. Cette formation l'a amené à travailler chez Vidéotron comme technicien en installation, puis chez Nortel comme technicien en électronique et à l'Hôpital Saint-Luc comme technicien en génie biomédical.

Les mots en caractères **gras** sont définis dans le glossaire (p. 169 à 174).

Des milieux de travail potentiels

> Centres hospitaliers
> Fournisseurs d'équipements médicaux

Technicienne en travail social
> en organisme communautaire

formation collégiale

mon travail

Dominique Brisson est à la tête de L'Entretoise du Témiscamingue, un organisme communautaire qui reçoit une clientèle adulte avec des problèmes sévères de santé mentale (**schizophrénie**, **paranoïa**, **maniaco-dépression**, etc.). «Je coordonne la comptabilité, la gestion financière [qui comprend la préparation des demandes de subvention et la recherche de financement] et la gestion tout court [organisation d'activités, suivi des employés, etc.]. Je fais tout ça avec la collaboration d'une petite équipe de six personnes. Je consacre 60 % de ma journée à traiter les dossiers administratifs, et le reste aux interventions directes avec la clientèle», raconte Dominique.

Ces interventions sont très diversifiées, précise-t-elle. «Je peux accompagner une personne pour remplir sa demande d'aide sociale ou encore apprendre à quelqu'un à faire l'épicerie. On s'adapte aux besoins des gens, que ce soit pour de l'écoute, de l'information, des activités éducatives, etc.»

Des milieux de travail potentiels

> Centres jeunesse
> Centres locaux de services communautaires (CLSC)

ma motivation

«J'aime être avec les gens, déclare Dominique. Je me réserve des moments dans ma journée pour être avec l'équipe et la clientèle, pour échanger avec eux. Je ne pourrais pas les représenter et défendre leur point de vue [auprès des organismes qui subventionnent, par exemple] si je ne les connaissais pas.

«La clientèle de L'Entretoise est surtout constituée de gens ayant été hospitalisés pendant de très longues périodes. Plusieurs n'ont jamais appris à accomplir les tâches du quotidien dans un logement. Certains sont paralysés à la simple idée de passer un coup de téléphone. Leur redonner confiance est un défi quotidien pour moi!»

Elle et son équipe prennent donc le temps qu'il faut pour soutenir et guider les différents individus dans leur évolution. «Chaque personne a son propre rythme et peut prendre des semaines, des mois ou des années à progresser. Notre travail, c'est de les aider à réintégrer la société, de leur faire sentir qu'ils sont des citoyens et de les amener à devenir assez autonomes pour habiter en logement.»

mon conseil

«Dans un petit organisme communautaire, les employés se doivent d'être polyvalents», souligne la coordonnatrice. Selon elle, cumuler des expériences d'emploi ou d'engagement social variées favorise l'accès au marché du travail. C'est d'ailleurs ce qu'elle a fait. «J'ai monté un système d'urgence pour un centre d'aide à la famille, j'ai travaillé pour un service téléphonique de prévention du suicide, j'ai animé des groupes d'entraide. Ça m'a beaucoup aidée à me faire connaître.» 06/03

mon parcours

Dominique a obtenu son diplôme d'études collégiales (DEC) en techniques de travail social au Cégep de l'Abitibi-Témiscamingue. Elle a tenu à faire chacun de ses quatre stages avec des clientèles différentes (adolescents, personnes âgées, etc.), ce qui l'a amenée à confirmer son intérêt pour le domaine de la santé mentale.

Les mots en caractères **gras** sont définis dans le glossaire (p. 169 à 174).

Technologue en médecine nucléaire
> en milieu hospitalier

mon travail

Au service du Centre hospitalier de l'Université de Montréal (CHUM), au pavillon Notre-Dame, Marie-Claude Carrier prend des photos très spéciales appelées «scintigraphies». «En médecine nucléaire, les rayons "sortent" littéralement des patients grâce aux substances radioactives fixées sur l'organe ou le tissu à examiner. Les images sont captées par une caméra, puis visualisées sur un écran d'ordinateur et ensuite reproduites sur papier», explique-t-elle.

Les scintigraphies renseignent sur la forme des organes – au même titre que les radiographies –, mais aussi sur leur fonctionnement.

Tous les matins, Marie-Claude prépare donc les produits radioactifs qu'elle administrera aux patients, par injection, inhalation ou en comprimés. Puis, elle leur explique le déroulement de l'examen et vérifie le fonctionnement des caméras. La technologue doit aussi s'assurer de la bonne qualité des clichés avant de les montrer au radiologiste. Ce dernier les interprétera, puis transmettra son rapport au médecin traitant qui, lui, posera le diagnostic.

Des milieux de travail potentiels

> Centres hospitaliers

ma motivation

Marie-Claude ne connaît pas la routine. Bien sûr, les mêmes ordonnances de scintigraphie reviennent fréquemment; mais elle apprécie son milieu de travail qui lui permet de faire passer différents types d'examens, sans la limiter à une spécialité particulière (scintigraphie osseuse, cardiaque ou pulmonaire, par exemple).

Les bonnes nouvelles pour un patient font partie de ses plaisirs. «Quand je vois qu'un traitement contre le cancer a été efficace, alors j'éprouve une grande satisfaction, même si ce n'est pas moi qui lui annonce le résultat.» En fait, les relations humaines occupent une place importante dans la journée de travail de Marie-Claude. Car derrière la caméra se trouve un patient souvent anxieux, toujours inquiet. «Il faut savoir rassurer les gens et bien expliquer l'examen. Même si c'est un domaine technique, les relations humaines sont très importantes.»

mon conseil

Marie-Claude estime avoir acquis beaucoup de maturité et d'empathie depuis qu'elle occupe cet emploi. «Être en contact avec des malades, déplacer des patients souffrants, c'est parfois difficile. Mais sur le plan humain, ça apporte beaucoup.»

mon parcours

Marie-Claude a d'abord fait une année en sciences humaines au cégep. Puis, elle a travaillé dans le domaine de la restauration pendant deux ans. Elle a ensuite amorcé ses études collégiales en technologie de médecine nucléaire au Collège Ahuntsic, le seul à offrir ce programme au Québec. Immédiatement après son stage au CHUM, elle y a été engagée, son diplôme de technologue en médecine nucléaire en poche.

Elle ajoute que le travail en équipe avec les autres technologues fait partie du quotidien, et que le goût des sciences reste un préalable pour étudier dans ce domaine.
05/03

Les mots en caractères **gras** sont définis dans le glossaire (p. 169 à 174).

Technologue en radiodiagnostic
> **en milieu hospitalier**

mon travail

Pneumonie, fracture, accident de la route... Quel que soit le problème des patients qui se présentent le soir à l'urgence de l'Hôtel-Dieu de Montmagny, Véronique D'Auteuil voit à effectuer les radiographies nécessaires. Elle commence par consulter leur dossier pour s'enquérir de l'examen prescrit par le médecin. Elle installe ensuite le malade et procède à la radiographie demandée.

Véronique se rend parfois au bloc opératoire afin d'assister les chirurgiens dans leurs interventions. Ainsi, à l'aide d'un appareil de **fluoroscopie**, elle peut guider les mouvements d'un orthopédiste qui s'apprête à poser une vis sur l'os d'un patient, par exemple. Elle peut aussi se rendre directement au chevet de malades trop affaiblis pour se déplacer, et leur faire subir des examens à l'aide d'un appareil mobile.

Des milieux de travail potentiels

> Centres hospitaliers
> Centres locaux de services communautaires (CLSC)
> Cliniques privées

ma motivation

Véronique n'aimait pas les hôpitaux. C'est donc étonnant qu'elle ait choisi cette profession. «J'ai toujours été fascinée par l'anatomie et la biologie et j'aime le contact humain. C'est ce qui m'a finalement poussée dans cette voie. Mon emploi me permet d'explorer toutes ces facettes. J'adore aider les gens, participer à leur guérison et veiller à leur confort. Et même si le contact que j'ai avec les patients est assez bref, il est généralement très agréable.»

Véronique aime travailler en équipe dans un environnement qui évolue sans cesse. «Je suis toujours en contact avec les médecins et les infirmières. La guérison d'un patient résulte d'un travail d'équipe, et j'apprécie beaucoup cette dynamique. De plus, ma profession est loin d'être routinière. Chaque cas est unique et demande des examens qui diffèrent d'une fois à l'autre.»

mon conseil

Selon Véronique, la théorie apprise à l'école est plutôt rose face à la réalité de la profession. «En cours, on apprend l'abc du radiodiagnostic, sur des patients dits "normaux". Sur le terrain, c'est différent, car on peut traiter des individus qui saignent abondamment, dont les os sont déformés ou brisés, qui souffrent énormément. On doit s'adapter et trouver des façons de faire. Et c'est sans compter des horaires de travail irréguliers : on peut œuvrer le jour, le soir, la nuit, les fins de semaine et les jours fériés. Il est indispensable de se questionner sur les répercussions possibles de ce type d'horaire sur sa vie privée et familiale, avant d'opter pour cette voie. Je crois que suivre des stages en milieu de travail pendant ses études permet également de se faire une idée réaliste de la profession», précise Véronique. 05/03

mon parcours

Dès qu'elle a obtenu son diplôme d'études collégiales (DEC) en technologie de radiodiagnostic au Cégep de Rimouski, Véronique a décroché un emploi à l'Hôtel-Dieu de Montmagny. Elle a également suivi un programme en **scanographie** à l'Ordre des technologues en radiologie du Québec afin de se spécialiser dans ce domaine.

Les mots en caractères **gras** sont définis dans le glossaire (p. 169 à 174).

Technologue en radio-oncologie
> **en milieu hospitalier**

mon travail

Au département de radio-oncologie de l'Hôtel-Dieu de Québec, Mathieu Bergeron accompagne les personnes atteintes de cancer dans leur traitement de **radiothérapie**, un procédé thérapeutique de radiation locale. Tant du point de vue technologique qu'humain, il s'assure de mettre tout en œuvre pour les aider à guérir.

Il planifie d'abord le traitement qui sera réalisé à l'aide d'appareils d'imagerie médicale (radiographie et scanographie). Il détermine ensuite la quantité, la durée et l'emplacement du traitement. Puis, il installe le patient et prépare l'appareil selon les paramètres établis. Pendant le traitement, il quitte la salle pour ne pas s'exposer aux radiations et prend place dans une pièce adjacente d'où il fera fonctionner les appareils à distance. Il s'assure toutefois que le patient reste dans la même position, qu'il est à l'aise et que la machine fonctionne adéquatement. Finalement, Mathieu fait le suivi des différents effets secondaires causés par les traitements et envoie les patients à des médecins ou des diététistes afin de réduire au maximum ces inconvénients.

ma motivation

Comme un traitement de radiothérapie se déroule en moyenne cinq jours par semaine pendant quatre à cinq semaines, Mathieu a le temps de nouer des liens avec les patients. «Il y a une relation, un apprivoisement qui se crée au fur et à mesure des rencontres. Je deviens un confident, un accompagnateur, mais aussi un agent de motivation dans les mauvais jours. Pour moi, c'est un privilège d'être témoin de l'évolution d'un patient et de son cheminement face à la maladie. Ce sont aussi des gens qui nous donnent de grandes leçons de vie et nous ramènent à l'essentiel», raconte Mathieu.

Il se dit très stimulé par la diversité de son travail. «Je touche à l'anatomie, à la physique, à la biologie. C'est aussi très intéressant de voir l'évolution des appareils et des techniques de traitement. Il faut toujours rester à la fine pointe des progrès technologiques dans ce domaine.»

mon conseil

Face à la détresse des patients, Mathieu conseille de faire preuve d'empathie tout en conservant une attitude professionnelle. «C'est difficile, mais je ne peux me permettre de m'attrister. Même si je les traite comme je le ferais pour ma propre mère ou mon propre père, je dois conserver un certain recul afin d'agir adéquatement», relate Mathieu.

De plus, la guérison du patient ne dépend pas que des soins du technologue, mais d'une équipe multidisciplinaire composée de médecins, d'infirmières, de préposés aux bénéficiaires. «C'est un travail d'équipe. Il faut savoir collaborer avec nos collègues», ajoute Mathieu. 06/03

mon parcours

Après l'obtention d'un diplôme d'études collégiales (DEC) en technologie de radio-oncologie au Cégep de Sainte-Foy, Mathieu a immédiatement décroché un emploi à l'Hôtel-Dieu de Québec.

Les mots en caractères **gras** sont définis dans le glossaire (p. 169 à 174).

Thanatologue
> dans un salon funéraire

mon travail

Le thanatologue est le professionnel responsable de l'embaumement des défunts. Si sa tâche peut sembler très technique, elle requiert aussi une bonne dose de sens artistique puisqu'il doit faire en sorte que la personne exposée retrouve une apparence la plus naturelle possible. «Il faut parfois aller jusqu'à refaire des parties du visage à la cire, par exemple dans des cas d'accidents de la route ou de meurtres, remettre des cheveux quand quelqu'un a subi une opération à la tête, refaire une moustache, etc.», explique Nancy Lazure, thanatologue chez Alfred Dallaire.

Mais la tâche de Nancy ne s'arrête pas là, puisqu'elle doit également recevoir les familles en deuil, savoir les conseiller sur les arrangements funéraires possibles en tenant compte de leurs besoins et de leurs moyens financiers. Enfin, elle accueille les visiteurs lors de l'exposition et veille à ce que tout se déroule bien.

Des milieux de travail potentiels

> Cimetières
> Crématoriums
> Entreprises funéraires

ma motivation

C'est toute petite que Nancy a découvert son intérêt pour les personnes défuntes. «Mon école primaire était située en face d'un salon funéraire et j'étais fascinée par les corbillards que je voyais passer. J'étais peut-être la seule à l'être!»

Si c'est la profession de coroner qui l'intéressait initialement, car elle voulait effectuer des autopsies, les études universitaires requises pour l'exercer étaient trop longues à son goût. Elle a donc opté pour la thanatologie, qui demande une technique collégiale.

Nancy apprécie tout particulièrement de pouvoir faire une différence dans le souvenir que les proches d'un défunt garderont de lui. «Quand on me dit que la personne décédée a l'air naturel, qu'elle est belle, surtout quand il s'agit de quelqu'un que la maladie avait beaucoup changé et amaigri, je sais que j'ai fait un bon travail.»

mon conseil

Côtoyer des morts peut impressionner et déranger, de sorte que «beaucoup laissent tomber dès la deuxième année d'études, au moment où s'effectue le premier contact», avertit Nancy. Il pourrait donc être sage de tenter d'effectuer un stage d'observation dans une maison funéraire avant d'envisager d'embrasser la profession.

Il faut également s'assurer que le sang et les aiguilles ne nous font pas peur et que l'on possède une certaine force physique. «Même si nous avons des appareils à notre disposition pour nous aider, un corps c'est lourd à déplacer. De plus, on doit avoir la force psychologique nécessaire pour faire face à des personnes en deuil; certaines sont agressives, d'autres pleurent ou ont des fous rires. C'est loin d'être facile.» 05/03

mon parcours

Nancy a obtenu un diplôme d'études collégiales (DEC) en techniques de thanatologie du Collège de Rosemont, le seul établissement à donner le programme au Québec. Elle a eu la chance de se voir offrir un emploi dès la fin de son premier stage pratique pendant ses études, de sorte qu'elle a pu terminer sa dernière année de formation tout en travaillant à temps plein dans le domaine.

Les mots en caractères **gras** sont définis dans le glossaire (p. 169 à 174).

Thérapeute en réadaptation physique
> en clinique privée

mon travail

Arthrose lombaire, **tendinite**, **bursite** : voilà quelques exemples de cas que traite Julie Couture au Centre de physiatrie de Québec. En collaboration avec l'équipe de **physiatres**, de **physiothérapeutes** et d'autres thérapeutes en réadaptation physique, elle prodigue des soins qui concourent à améliorer ou à rétablir le bien-être physique des patients tout en soulageant leurs douleurs.

«C'est un travail très physique, explique Julie. Je suis à peu près toujours debout et en mouvement. J'effectue beaucoup de manipulations sur les patients, je les aide à se déplacer, je leur indique des exercices à faire et j'utilise des appareils [pour l'**électrothérapie** et l'application d'**ultrasons**, entre autres]. Je dois aussi remplir les dossiers, inscrire les notes destinées au médecin, changer les lits et faire le lavage quand je travaille en soirée.»

ma motivation

C'est à la suite d'un match de volley-ball, au cours duquel elle a subi une **luxation** de l'épaule, que Julie a choisi sa carrière. «J'ai suivi des traitements de physiothérapie; j'étais passionnée de voir que les personnes qui me soignaient savaient exactement quoi faire pour me soulager et me rétablir. Je voulais comprendre le fonctionnement du corps et apprendre comment le traiter.»

Aujourd'hui, elle apprécie la variété des responsabilités qu'on lui confie à la clinique, bien consciente que la tâche peut différer considérablement d'un employeur à un autre. «Je fais bien plus qu'appliquer des ultrasons toute la journée», affirme Julie en expliquant que, si elle doit observer l'opinion clinique du physiothérapeute ou du physiatre, elle a beaucoup de latitude quant au choix du traitement et aux ajustements à y apporter en fonction de la progression du patient.

Julie est heureuse lorsqu'elle réussit à soulager la douleur des patients. «J'aime le contact avec les gens. Quand ils arrivent ici, ils ont mal. Ma satisfaction, c'est de les voir repartir avec moins ou pas de douleur.»

mon conseil

«Auparavant, je croyais que tout le monde faisait religieusement ses exercices!» se rappelle Julie. L'expérience lui a appris que la réalité est tout autre et qu'il est important d'encourager les patients à être assidus. La patience et la capacité d'écoute sont des qualités essentielles chez les thérapeutes, ajoute-t-elle. De plus, le métier demande de l'endurance et de la force physiques puisque les manipulations peuvent se révéler exigeantes. Enfin, il faut se sentir à l'aise avec la proximité physique des patients puisque le toucher fait partie du quotidien. 06/03

mon parcours

Julie a d'abord terminé des études collégiales en sciences humaines avant de bifurquer vers le programme d'études collégiales en techniques de réadaptation physique, qu'elle a effectué au Cégep Marie-Victorin, puis au Cégep François-Xavier-Garneau. Une fois diplômée, elle a immédiatement été embauchée par le Centre de physiatrie de Québec.

Les mots en caractères **gras** sont définis dans le glossaire (p. 169 à 174).

Audiologiste
> en milieu scolaire

mon travail

Un enfant sourd et un enseignant qui ne comprend pas son handicap : voilà de bien pauvres conditions d'apprentissage. Heureusement, l'audiologiste en milieu scolaire peut remédier à la situation. «Mon travail est de favoriser par divers moyens la réussite des élèves aux prises avec une déficience auditive», explique Pascale Héon. Officiellement employée de la Commission scolaire des Chênes, à Drummondville, cette audiologiste exerce en fait dans cinq commissions scolaires de la région Mauricie–Centre-du-Québec.

Quand Pascale intervient auprès d'un élève, il a déjà été diagnostiqué par un confrère audiologiste et s'est vu prescrire un appareil auditif. «Je veille à ce que l'appareil du jeune fonctionne correctement. J'évalue aussi ses besoins, par exemple s'il ne faudrait pas recourir au **système MF**, placer l'élève à l'avant de la classe ou encore instaurer des mesures de soutien spéciales lors des examens [allouer plus de temps, faire intervenir un éducateur spécialisé, etc.].» Pascale a également pour rôle de sensibiliser l'enseignant aux problèmes de l'enfant et de solliciter son appui. «Comme le jeune utilise la lecture labiale [sur les lèvres], l'enseignant doit notamment penser à faire face à l'élève lorsqu'il parle.»

Des milieux de travail potentiels

> Centres de réadaptation

> Centres d'hébergement et de soins de longue durée

> Centres hospitaliers

> Centres locaux de services communautaires (CLSC)

> Établissements d'enseignement

ma motivation

«J'aime travailler avec les enfants», confie l'audiologiste, qui a toujours voulu travailler auprès des jeunes. «Dans le milieu scolaire, ça bouge beaucoup! poursuit-elle. Les élèves sont constamment en apprentissage et leurs besoins évoluent à l'intérieur d'une année. Comme nous entretenons avec eux une relation à long terme, nous pouvons développer de belles complicités.»

L'audiologiste se dit également stimulée par les échanges avec les spécialistes des domaines apparentés au sien : éducateurs spécialisés, orthopédagogues, orthophonistes, psychologues et interprètes en langage des sourds. «Certains intervenants me font part de trucs qui ont fonctionné et je puise dans ce bagage d'idées.»

mon conseil

La plupart des audiologistes exercent en milieu hospitalier et en centres de réadaptation. Pour percer dans le monde scolaire, selon Pascale, il faut savoir se vendre. «Le poste que j'occupe n'était pas offert à un audiologiste. Pour l'obtenir, j'ai dû démontrer à l'employeur en quoi je pouvais être utile concrètement.» Ainsi, Pascale a pris soin de faire valoir que, contrairement à d'autres professionnels, elle avait une compréhension poussée des déficiences auditives et de leurs conséquences pour les élèves, en plus de maîtriser les solutions d'appoint comme le système MF. 05/03

mon parcours

Pascale a fait un baccalauréat en orthophonie et audiologie* ainsi qu'une maîtrise en audiologie à l'Université de Montréal. Elle a ensuite rempli la fonction d'audiologiste clinique au Centre hospitalier Rouyn-Noranda, où elle effectuait des examens audiométriques pour diagnostiquer les déficiences auditives et ensuite élaborer des programmes de réadaptation. Elle a aussi exercé en cabinet privé avant d'obtenir un poste à la Commission scolaire des Chênes.

* Jusqu'en 1999, l'Université de Montréal offrait un bac qui couvrait les deux disciplines. À présent, l'audiologie et l'orthophonie font l'objet de deux bacs distincts.

Les mots en caractères **gras** sont définis dans le glossaire (p. 169 à 174).

Biochimiste clinique
› en milieu hospitalier

mon travail

Par définition, la biochimie est la science qui étudie la constitution chimique des êtres vivants et les réactions chimiques qui s'opèrent en eux. Lorsqu'on parle de biochimie clinique, on fait référence à la conduite des différents tests (analyses sanguines, analyses d'urine, etc.) qui permettent d'évaluer l'état de santé d'un patient. Ainsi, quand votre médecin veut connaître votre taux de cholestérol par exemple, il vous prescrit une prise de sang. Entre le moment où l'échantillon est prélevé et celui où vous apprenez le résultat intervient quelqu'un comme Marie-Josée Champagne.

Biochimiste clinique au Centre hospitalier Santa Cabrini, à Montréal, Marie-Josée supervise dix techniciens qui exécutent différents tests biochimiques en mélangeant des prélèvements avec des **réactifs**, à l'aide de robots. Son rôle? Assurer la bonne marche du laboratoire afin que les résultats soient rapidement communiqués aux bons médecins. «Si on obtient un résultat bizarre, c'est à moi de faire enquête pour découvrir que le patient a peut-être pris un médicament qui a interféré avec la technique d'analyse», précise-t-elle. Il lui revient également de déterminer les différents tests qui seront utilisés au laboratoire.

ma motivation

Curieuse, Marie-Josée aime la biochimie parce qu'elle lui permet d'approfondir sa connaissance du vivant sans avoir à donner de consultations dans un bureau. «J'adore poser des diagnostics en collaboration avec les médecins ou encore dénicher de nouveaux tests», dit-elle. Chaque jour, elle travaille à offrir un excellent service au moindre coût possible. «Si un médecin me demande un test qui est très cher, je l'interroge pour savoir ce qu'il veut analyser exactement; je peux parfois proposer un équivalent moins coûteux.» Gérer diverses tâches en même temps la stimule, bien que cela apporte son lot de stress. «Si je rédige un rapport d'analyse compliqué, qu'un technicien m'annonce la défaillance d'un robot et qu'un médecin attend mon appel, je dois d'abord m'occuper du robot, dit-elle. Parce que le laboratoire, c'est comme une usine : on sort jusqu'à 500 résultats par jour! Et quand la demande vient de l'urgence, il faut l'exécuter en moins d'une heure.»

mon conseil

«Le fait que je m'intéresse à tous les secteurs de la biochimie m'a aidée à obtenir mon emploi ici», affirme Marie-Josée. En effet, dans un centre hospitalier relativement petit comme Santa Cabrini, le biochimiste clinique doit pouvoir chapeauter seul plusieurs aspects : **endocrinologie**, analyses d'urine, etc. Dans les centres hospitaliers universitaires toutefois, les biochimistes, plus nombreux, sont davantage spécialisés. 06/03

mon parcours

Marie-Josée a obtenu un diplôme d'études collégiales (DEC) en sciences de la santé au Collège de l'Assomption avant de poursuivre ses études à l'Université de Montréal : baccalauréat et maîtrise en biochimie, puis doctorat en sciences biomédicales, le tout ponctué de stages à la Cité de la santé de Laval et à l'Hôpital Saint-Luc. Pour porter le titre de biochimiste clinique, il lui a fallu réussir, en plus, une formation de deux ans sanctionnée par l'Ordre des chimistes du Québec (OCQ). Ce long parcours lui a permis d'obtenir un poste à Santa Cabrini.

Les mots en caractères **gras** sont définis dans le glossaire (p. 169 à 174).

Bio-informaticien
> en milieu universitaire

mon travail

«Un bio-informaticien, c'est un informaticien spécialisé dans le domaine de la biologie», résume François Major, qui enseigne et mène des recherches dans cette discipline à l'Université de Montréal. «Par exemple, en ce moment, j'observe électroniquement le fonctionnement de la molécule **ARN**», explique-t-il.

Comme le biologiste qui travaille en laboratoire, François cherche à mieux comprendre le fonctionnement de la vie. Mais il s'y prend en utilisant l'informatique, qui permet plus de rapidité et de précision. «L'apport des systèmes informatiques est un catalyseur de la découverte», soutient le scientifique. Un avantage de taille, car lorsqu'une découverte survient, elle peut déboucher sur de nouveaux moyens de diagnostiquer des maladies ou sur la connaissance de maladies dont on ignorait jusqu'alors l'existence.

Les bio-informaticiens peuvent aussi produire des diagnostics en employant, par exemple, des cartes à puce d'**ADN**, qui permettent de tester les composantes de l'organisme, comme les protéines. Mais le domaine est très vaste, tient à préciser François. «On peut tout aussi bien parler d'installation d'infrastructure informatique pour l'industrie pharmaceutique ou médicale.»

Des milieux de travail potentiels

> Compagnies pharmaceutiques
> Établissements d'enseignement
> Laboratoires de recherche

ma motivation

«Ce qui me motive dans mon travail de professeur, c'est de perpétuer l'intérêt pour cette discipline et de viser à maîtriser encore plus de connaissances», confie François. Le désir de mettre le doigt sur un élément nouveau le tient en haleine. «C'est un défi, parce qu'il faut être patient et ne jamais se décourager. Généralement, quand on découvre la réponse à une question, des dizaines d'autres questions surgissent. En recherche, on a souvent l'impression de n'avoir jamais fini.»

En outre, comme le domaine bio-informatique évolue très vite, il faut toujours se tenir à la fine pointe du progrès. Il y a aussi beaucoup de concurrence internationale. «Autant il y a de l'entraide, autant chaque pays veut être le premier à faire une découverte et à la faire breveter. Ça joue parfois du coude, mais c'est ce qui rend la profession intéressante.»

mon conseil

«Ce que je retiens de mon expérience jusqu'à maintenant, c'est la confrontation avec la nature qui ne se laisse pas facilement découvrir, résume François. On réalise que même l'informatique a ses limites.» Le chercheur souligne qu'il est néanmoins important de croire en soi et de persévérer dans la recherche de nouvelles pistes. «Il ne faut pas avoir peur des échecs. C'est avec les échecs qu'on construit.» 09/03

mon parcours

François a obtenu un baccalauréat, une maîtrise et un doctorat en informatique à l'Université de Montréal. Il a ensuite effectué un postdoctorat en bio-informatique au National Institute of Health, au Maryland, aux États-Unis. À la suite de ses études, qui se sont déroulées sans interruption, il a décroché un poste en recherche et en enseignement à l'Université de Montréal.

Les mots en caractères **gras** sont définis dans le glossaire (p. 169 à 174).

Chiropraticien
❯ en clinique privée

mon travail

Que vous souffriez d'une hernie discale, de migraines, d'insomnie ou encore d'asthme, François Auger peut vous aider. Il travaille à la Clinique chiropratique Saint-Martin à Laval, en compagnie de trois autres chiropraticiens, d'un massothérapeute et d'un acupuncteur. La chiropratique consiste à manipuler les différentes articulations du corps, notamment la colonne vertébrale, afin de stimuler le système nerveux et de favoriser ainsi la guérison.

Des milieux de travail potentiels

❯ Cliniques privées

«Lorsque je rencontre le patient pour la première fois, je fais une évaluation complète de son état physique, mais aussi de sa condition psychologique à propos de son travail, de sa vie personnelle, etc. Je lui fais également passer certains examens comme des radiographies, des tests sanguins ou des scanographies. À partir des renseignements obtenus, je décide alors du traitement approprié», explique François.

Pendant le traitement, le patient est allongé sur une table. François effectue des manipulations des articulations, des étirements et applique des points de pression sur les muscles tendus. Le cas échéant, il appliquera sur le corps du chaud ou du froid, selon les besoins.

ma motivation

François retire une grande valorisation de son métier, notamment parce qu'il lui permet d'améliorer la qualité de vie de ses patients. «Les gens sont désemparés face à leur douleur et ils se questionnent sur la cause de leur problème. Un homme qui boite depuis 20 ans et qui n'a trouvé aucune solution pour alléger sa souffrance, je sais que je suis en mesure de l'aider. Je peux découvrir l'origine de son mal, j'ai des solutions à lui offrir. C'est aussi très motivant de suivre la progression d'un patient.»

En tant que travailleur autonome, François a toute la latitude voulue pour planifier son temps. «J'ai une belle qualité de vie, car j'ai la possibilité de choisir mon horaire et ainsi d'accorder le temps nécessaire à ma famille et à mes projets.»

mon conseil

«Il faut avoir la vocation!» lance François. Outre les 5 000 heures de cours nécessaires pour obtenir le diplôme universitaire en chiropratique, on doit aussi lutter contre les préjugés qui persistent. «Nous sommes encore considérés comme des "ramancheurs" par certains. Le jeune devra se battre tout au long de sa carrière pour s'affirmer en tant que professionnel de la santé. La détermination est aussi de mise, car il faut environ cinq ans pour développer et fidéliser sa clientèle.» 05/03

mon parcours

Diplômé en techniques ambulancières du Collège Ahuntsic, François a longtemps travaillé pour Urgences Santé. Il est diplômé de la première promotion du doctorat en chiropratique de l'Université du Québec à Trois-Rivières (UQTR). En plus d'occuper un poste à la Clinique chiropratique Saint-Martin, il possède une clinique privée de chiropratique à domicile. Au moment de l'entrevue, il terminait une maîtrise en kinanthropologie (étude de la motricité humaine) à l'Université du Québec à Montréal.

Les mots en caractères **gras** sont définis dans le glossaire (p. 169 à 174).

Dentiste
❯ en clinique privée

mon travail

La profession de dentiste est loin d'être mal connue. Presque tout le monde va chez le dentiste et comprend que son rôle est de veiller à la santé dentaire de ses patients. Mis à part l'exécution de traitements, comme les chirurgies ou les **obturations** («plombages»), un dentiste tel que Joël Desnoyers doit veiller à la bonne marche de ses affaires lorsqu'il est propriétaire d'une clinique dentaire.

Ainsi, le praticien supervise des employés, comme la secrétaire, qui fixe les rendez-vous et reçoit les paiements des patients; l'assistant dentaire, qui le seconde pendant les traitements; et l'hygiéniste, qui travaille de façon plus indépendante et qui peut prodiguer certains traitements, notamment les nettoyages.

Le dentiste a aussi une obligation importante concernant le respect des normes d'hygiène fixées par Santé Canada. «Je dois m'assurer que les déchets biomédicaux sont bien traités. Entre autres, les aiguilles, les cotons tachés et les dents extraites doivent être jetés dans des contenants conçus pour la stérilisation, jusqu'à ce qu'une entreprise spécialisée vienne récupérer le tout.»

ma motivation

C'est d'abord la possibilité de travailler de façon autonome qui a attiré Joël en médecine dentaire. Puisqu'il dirige sa propre clinique, il peut établir son horaire, fixer le coût des traitements et gérer l'établissement comme il l'entend. «Être entrepreneur est aussi un beau défi. Je dois m'assurer de la viabilité de l'entreprise. Pour ça, les patients doivent être satisfaits du service à la clientèle [accueil, efficacité, ambiance], de la qualité de mes soins et des prix.»

En outre, depuis son enfance, il adore réparer toutes sortes de choses. Comme dentiste, que ce soit lorsqu'il restaure des dents ou des prothèses dentaires, il prend un grand plaisir à imaginer des façons de rendre la réparation solide et efficace. Il sait qu'il a réussi quand un client est satisfait du service reçu.

mon conseil

Patience, minutie et dextérité vont de pair avec la profession de dentiste, puisque certains travaux, comme les chirurgies, doivent être exécutés avec beaucoup de précision. «Être à son compte demande surtout de grandes qualités générales, poursuit Joël. En plus d'être un bon dentiste, je dois bien gérer les finances de la clinique, me montrer conciliant avec mes employés et, par moments, agir comme un psychologue avec des patients trop nerveux ou imprévisibles à la vue d'une aiguille ou du sang.»
06/03

mon parcours

Joël est titulaire d'un doctorat en médecine dentaire de l'Université de Montréal (diplôme de premier cycle d'une durée de quatre ans). Immédiatement après l'obtention de son diplôme, il a acheté d'un dentiste désireux de prendre sa retraite la clinique qui porte aujourd'hui son nom.

Les mots en caractères **gras** sont définis dans le glossaire (p. 169 à 174).

Ergothérapeute
‣ en centre de réadaptation

mon travail

Dans un décor où se côtoient ballons, crayons de couleurs et jeux de toutes sortes, Karine Caissy aide à améliorer l'autonomie d'enfants atteints de dysphasie (trouble du langage), de retard de développement ou de trisomie 21. À l'aide de tests d'évaluation (dessins, bricolage), d'observation du patient et d'entrevues avec les parents, Karine cible les incapacités de l'enfant, décide des traitements et de leur fréquence.

À quatre pattes sur le tapis de la salle de traitement du Centre de réadaptation de la Gaspésie, situé à Maria, Karine joue avec les enfants, leur montre comment tenir un crayon, dessiner ou encore attacher les lacets de leurs souliers. Ces petits gestes simples augmenteront leur motricité et leur permettront d'améliorer qualité de vie et estime de soi.

Si les trois quarts de sa clientèle sont composés d'enfants, Karine s'occupe également d'adultes qui souffrent d'incapacités physiques, comme les accidentés de la route. Elle les aide à réapprendre des gestes de tous les jours comme s'habiller, se laver ou conduire une voiture.

ma motivation

«L'ergothérapie est à la fois une science et un art, car j'utilise des activités artisanales comme le bricolage et le dessin pour faire progresser mes patients. J'aime cet aspect du métier qui me permet de faire une place à ma créativité et d'adapter, même de fabriquer, des objets. Par exemple, je peux modifier le bureau de travail d'un patient en fauteuil roulant afin qu'il puisse s'y installer aisément et avoir facilement accès aux objets se trouvant sur le bureau», précise Karine.

Pouvoir collaborer au bien-être des individus est pour elle une grande source de motivation. «Même si c'est le patient qui fait la majeure partie du travail, j'ai le sentiment de contribuer à son cheminement. Lorsqu'un enfant, jusque-là incapable de dessiner, griffonne son premier bonhomme grâce au traitement, c'est formidable!» Au Centre de réadaptation, Karine travaille avec une équipe composée d'une physiothérapeute, d'une orthophoniste, d'une travailleuse sociale et d'une éducatrice spécialisée. «Il arrive qu'un enfant doive aussi consulter ces professionnelles. Le traitement se fait alors en complémentarité. Ensemble, nous échangeons, fixons un objectif commun et établissons des stratégies. C'est une dynamique intéressante et stimulante.»

mon conseil

Le métier d'ergothérapeute exige empathie et patience. «Il faut être très dynamique et savoir stimuler l'enfant et lui montrer qu'il est sur la bonne voie. On peut, par exemple, prendre un ton de voix enjoué ou faire des gestes d'encouragement. De plus, il arrive que certains parents coopèrent peu, soit par manque d'intérêt ou de compréhension des difficultés de leur enfant. On doit apprendre à se mettre dans leur peau et ne pas les juger», conseille Karine. 05/03

mon parcours

Dès l'obtention de son baccalauréat en ergothérapie à l'Université Laval, Karine a décroché son emploi au Centre de réadaptation de la Gaspésie.

Des milieux de travail potentiels

‣ Cabinets privés
‣ Centres de réadaptation
‣ Centres d'hébergement et de soins de longue durée
‣ Centres hospitaliers
‣ Centres locaux de services communautaires (CLSC)
‣ Établissements d'enseignement
‣ Industries
‣ Organismes communautaires

Les mots en caractères **gras** sont définis dans le glossaire (p. 169 à 174).

Infirmier

> **en milieu hospitalier**

mon travail

Au sixième étage de l'Hôtel-Dieu de Saint-Jérôme se trouve le département de chirurgie où sont emmenés les patients venant de subir une intervention. Du réveil après l'anesthésie jusqu'à la fin de leur convalescence, Martin Lévesque leur prodigue les soins nécessaires. Il veille à la stabilité de leur état en surveillant leurs signes vitaux et leur niveau de conscience. Il administre les médicaments prescrits par le médecin ou pose les pansements. «Je détecte aussi les complications possibles, comme un infarctus, le saignement des plaies chirurgicales ou encore l'apparition de douleurs», ajoute Martin.

L'enseignement et la relation d'aide font aussi partie intrinsèque de son travail. «Je dois faire de la prévention, par exemple en informant un diabétique sur l'importance du contrôle régulier de son taux de sucre et d'un régime alimentaire spécifique. Mais je peux aussi être le confident des patients qui traversent des moments difficiles.»

Des milieux de travail potentiels

> Centres d'hébergement et de soins de longue durée

> Centres hospitaliers

> Centres locaux de services communautaires (CLSC)

> Cliniques privées

> Entreprises privées

> Établissements d'enseignement

ma motivation

Si Martin a choisi ce métier, c'est avant tout pour aider les gens. «Cela demande beaucoup d'efforts, mais on reçoit tellement en retour. Mon vrai salaire, c'est la reconnaissance des patients. Pouvoir améliorer leur qualité de vie est extrêmement valorisant», raconte-t-il.

Il apprécie aussi de travailler dans le milieu hospitalier. «C'est un défi de chaque instant, ça bouge énormément. C'est un métier qui demande toutefois de la force de caractère, car c'est tout un "feeling" d'avoir la vie des patients entre ses mains. Il faut savoir leur administrer la bonne dose de médicaments, détecter un infarctus à temps, etc. On doit être très vigilant.»

Outre les hôpitaux, les infirmiers peuvent œuvrer dans des domaines variés. «Il y en a pour tous les goûts et toutes les personnalités. Je pourrais choisir d'aller travailler en Afrique, ou dans un CLSC, ou auprès des enfants ou des personnes âgées par exemple. C'est un domaine diversifié et stimulant.»

mon conseil

Au sujet du métier d'infirmier, Martin souhaite faire tomber certains préjugés. «C'est une profession qui a longtemps été considérée comme de second ordre, tant sur le plan des responsabilités que des conditions de travail. Avec la pénurie qui sévit actuellement, la situation a bien changé. L'infirmier qui était auparavant en disponibilité a accès aujourd'hui à un poste à temps plein, sans compter les différentes primes possibles, comme les primes de déménagement. Les possibilités d'avancement se sont également améliorées. Par exemple, un infirmier peut devenir assistant de l'infirmier en chef ou même infirmier en chef.» 05/03

mon parcours

Titulaire d'un baccalauréat en sciences infirmières de l'Université Laval, Martin cumule les emplois. Au moment de l'entrevue, en plus de son poste à l'Hôtel-Dieu de Saint-Jérôme, il était chargé de cours au Département de soins infirmiers du Cégep de Saint-Jérôme et président du comité jeunesse de l'Ordre régional des infirmières et infirmiers de la région Laurentides-Lanaudière.

Les mots en caractères **gras** sont définis dans le glossaire (p. 169 à 174).

Ingénieure biomédicale
> en milieu hospitalier

mon travail

«L'ingénieur biomédical gère l'acquisition et l'implantation du matériel médical dans les centres hospitaliers, comme les **microscopes ophtalmologiques**, les lampes des salles d'opération, les équipements d'endoscopie, les **appareils d'électrochirurgie**, etc.», explique Aurèle Larrivé, ingénieure biomédicale au département de génie biomédical de l'Hôpital général juif – Sir Mortimer B. Davis à Montréal.

«J'ai un rôle de conseillère auprès des administrateurs et des cliniciens en ce qui concerne la planification d'achat, l'acquisition, l'utilisation et l'entretien des appareils médicaux, sans oublier le soutien à la formation du personnel clinique et des techniciens biomédicaux. Les choix que je propose répondent à plusieurs critères comme la sécurité des patients et du personnel de l'hôpital, le respect de l'environnement, les limites budgétaires, etc.

«Je veille à maintenir le parc d'appareils médicaux à la fine pointe de la technologie afin d'assurer le mieux-être des malades et d'améliorer leur traitement.»

ma motivation

«À l'école, ce sont les matières scientifiques qui m'intéressaient le plus. Les mathématiques, la chimie, la mécanique, l'électronique, la physiologie me passionnaient. Apprendre comment fonctionnent les choses et résoudre des problèmes techniques ont toujours été d'immenses plaisirs pour moi. Aussi, la carrière d'ingénieure s'est rapidement imposée, explique Aurèle.

«Je terminais ma maîtrise en sciences de l'activité physique, option biomécanique, sans parvenir à envisager une carrière dans ce domaine. Puis, j'ai accepté d'accompagner une amie inscrite en maîtrise de génie biomédical en stage d'une demi-journée dans un hôpital. Je m'y suis tout de suite sentie à ma place. Ce lieu est en constante mouvance, riche en ressources humaines et technologiques. Il y importe aussi d'approfondir ses connaissances et ses compétences. Ça me convenait parfaitement», confie Aurèle.

mon conseil

«Cette profession requiert des personnes friandes de technologies, curieuses et prêtes à se perfectionner continuellement pour faire face aux progrès technologiques rapides. Il est également essentiel de développer un champ d'expertise, une spécialité. De plus, pour travailler en milieu hospitalier, discrétion et souci de la confidentialité, par respect pour les patients, sont des qualités à posséder», souligne Aurèle. 09/03

mon parcours

Aurèle a d'abord obtenu un diplôme d'études collégiales (DEC) en sciences pures au Collège Montmorency à Laval. Elle a ensuite décroché un baccalauréat en génie mécanique à l'Université McGill avant d'entamer une maîtrise en sciences de l'activité physique, option biomécanique, à l'Université de Montréal. Dès la fin de ses études, elle a été embauchée à l'Hôpital général juif. Par intérêt personnel, elle s'est inscrite, à titre d'étudiante libre, aux cours menant à la maîtrise en génie biomédical à l'École Polytechnique.

Les mots en caractères **gras** sont définis dans le glossaire (p. 169 à 1/4).

Inspectrice en hygiène des produits primaires

> **dans un organisme public**

mon travail

«Les produits primaires destinés à la consommation, comme la viande, les œufs, les fruits et légumes, sont soumis à une réglementation très stricte», explique Lyne Drouin, inspectrice en hygiène des produits primaires pour l'Agence canadienne d'inspection des aliments (ACIA), qui relève du ministère de l'Agriculture.

Lyne est en poste à l'usine de volaille Exceldor à Saint-Anselme. Sous la gouverne d'un chef vétérinaire, elle surveille le traitement des poulets, de leur arrivée à l'abattoir jusqu'à leur livraison aux supermarchés. Quand l'établissement reçoit une cargaison de poulets vivants, elle s'assure qu'ils ont l'air sains et qu'ils ont été transportés dans de bonnes conditions, c'est-à-dire à une température ni trop chaude ni trop froide, sans stress ni souffrance inutiles. Elle vérifie également que les camions sont nettoyés et désinfectés et envoie les animaux suspects ou morts au vétérinaire.

Lyne voit aussi à la propreté de l'usine et au respect, par les employés, des règles de base, comme le port d'un filet sur les cheveux et la barbe, le port de gants, le nettoyage des tables et des couteaux, etc.

Des milieux de travail potentiels

> Agence canadienne d'inspection des aliments
> Entreprises privées

ma motivation

Cuisinière à ses heures, Lyne n'a aucun mal à se mettre à la place des consommateurs qui bénéficient de sa vigilance. «Ce que je ne veux pas retrouver dans mon assiette, je ne le laisse pas passer!» lance-t-elle. C'est un peu par hasard qu'elle a fait son entrée dans l'univers de la réglementation alimentaire, il y a 22 ans. «À cette époque, on pouvait être formé sur place.»

Bien qu'elle exerce «dans le poulet» depuis deux ans, Lyne peut prendre en charge toutes les tâches d'inspection, pour tous les produits primaires. Elle apprécie particulièrement se retrouver dans le domaine du bœuf, parce que les morceaux de viande, comme les défis de vérification, y sont plus grands. Par exemple, une carcasse peut avoir belle apparence, mais cela ne signifie pas qu'elle est propre à la consommation humaine pour autant.

mon conseil

«Je travaille pour une agence gouvernementale dans une usine privée, explique Lyne. C'est une position stratégique et délicate, car je représente la partie neutre entre le producteur et le consommateur. Quand je m'adresse aux employés de l'usine, je dois communiquer avec tact et être capable d'expliquer pourquoi tel ou tel détail est si important. Je dois aussi rester constamment sur le qui-vive, pour ne rien laisser passer.» 07/03

mon parcours

Titulaire d'un diplôme d'études secondaires, Lyne a été embauchée, à l'âge de 20 ans, par le ministère de l'Agriculture à titre de classificatrice dans le domaine du porc. «Je suis plus tard devenue inspectrice des produits primaires après une formation théorique et pratique d'environ trois semaines sur mon lieu de travail.» Elle a également suivi d'autres cours d'appoint dont une formation qui l'habilite à superviser l'application du système **HACCP**.

Les mots en caractères **gras** sont définis dans le glossaire (p. 169 à 174).

Inspectrice en santé animale
> **dans un organisme public**

mon travail

Pauline Talbot est inspectrice en santé animale au bureau de l'Agence canadienne d'inspection des aliments (ACIA) à Lévis. Elle doit déceler tout risque sanitaire lié à l'introduction et à la propagation de maladies animales sur le territoire canadien, comme la **tuberculose**, la **fièvre aphteuse**, la **salmonellose**. «Je travaille beaucoup sur le plan de l'importation et de l'exportation d'animaux d'élevage. Nous faisons également le suivi dans les fermes, les encans. J'analyse le sang de vaches, de cochons, de poulets, mais aussi d'espèces exotiques importées, comme des perroquets.»

Parfois sollicitée par les douaniers, Pauline doit vérifier la conformité de produits animaux importés au Canada, la viande bien sûr, mais aussi le fromage, la charcuterie, voire une peau de chèvre achetée par un touriste en Amérique centrale! «Je dois vérifier que la peau a été bien tannée et qu'elle ne présente aucun risque de transmission de maladie.»

Des milieux de travail potentiels

> Agence canadienne d'inspection des aliments
> Entreprises privées

ma motivation

«Je voulais travailler avec les animaux, mais aussi avec les gens», explique Pauline. Ce qu'elle apprécie tout particulièrement dans son métier, ce sont les visites dans les fermes, et sa mission d'information auprès des éleveurs, même si elle doit parfois sévir. «Dans les abattoirs, il arrive que les inspecteurs détectent des résidus d'antibiotiques sur les animaux abattus. Je dois alors me rendre à la ferme pour mener une enquête, et donner une amende au propriétaire s'il y a lieu.»

Pauline applique également un programme de tests sur les ongulés sauvages du pays capturés par des éleveurs, comme les cerfs de Virginie, les bisons, les wapitis, qui pourraient transmettre la tuberculose ou la **brucellose** au cheptel bovin du Canada. Elle se retrouve ainsi régulièrement confrontée à de vrais défis, professionnels et personnels, face à des animaux de très grande taille. «Mais que je sois face à un taureau ou à un bison, je dois faire mon travail!»

mon conseil

«Il faut vraiment étudier le comportement de chaque espèce, acquérir son expérience sur le terrain et écouter les conseils des personnes plus qualifiées», précise Pauline, qui avoue avoir été la cible de quelques taureaux qui souhaitaient l'encorner... Elle précise en outre qu'une bonne condition physique est souhaitable. «Quand on teste une vache, il y a des efforts à fournir pour l'immobiliser, même si l'éleveur est là pour nous aider. Et l'hiver, les conditions sont plus difficiles. Quand on fait des injections à -30°, on a les doigts gelés.»
07/03

mon parcours

Pauline a obtenu son diplôme d'études collégiales en santé animale au Cégep de La Pocatière en 1982. Pendant six ans, elle a travaillé à la Société protectrice des animaux à Québec, tout en assistant à temps partiel un vétérinaire dans une clinique privée. En 1988, elle est devenue inspectrice en hygiène des viandes; durant 14 ans, elle a visité une grande partie des abattoirs du Québec. Ayant réussi le concours d'inspectrice en santé animale de l'Agence canadienne d'inspection des aliments, elle y a obtenu un poste en 2001.

Les mots en caractères **gras** sont définis dans le glossaire (p. 169 à 174).

Intervenante en psychomotricité
> en milieu scolaire

mon travail

«Les enfants qui viennent de milieux pauvres manquent souvent d'intérêt pour l'activité physique, simplement parce qu'on ne leur a pas montré comment s'amuser en bougeant. Il faut juste leur ouvrir la porte», explique Julie Verrette, intervenante en **psychomotricité** pour l'organisme Québec en forme, qui favorise l'accès aux activités physiques pour les jeunes d'âge scolaire des communautés défavorisées.

Parcourant la région de Trois-Rivières, Julie visite plusieurs écoles pour rencontrer des groupes d'enfants de quatre à cinq ans, à raison d'une heure par semaine. Au cours d'une séance type, elle propose aux enfants des jeux éducatifs visant à développer leurs habiletés motrices, par exemple lancer une balle par-dessus un filet ou encore sauter dans un cerceau placé au sol. Bien qu'elle prépare ces exercices à l'avance, en suivant un plan de cours établi par Québec en forme, Julie utilise beaucoup sa créativité. Ainsi, elle peut inventer des histoires autour des exercices à réaliser et adapter son intervention selon le matériel dont dispose chaque école.

ma motivation

«J'ai toujours aimé l'activité physique et je suis une sportive de nature, raconte Julie. J'ai joué au soccer, j'ai fait de la natation, de la danse, du vélo, de l'escalade, de la course à pied, du ski de fond, etc.» Elle n'a donc pas hésité à choisir une carrière qui lui permettrait de rester dans le feu de l'action.

À Québec en forme, la possibilité d'aider les autres l'anime particulièrement. «Je trouvais ça triste que des enfants soient privés de sport ou simplement du goût de bouger... Quand on habite en ville dans un petit logement, la télévision représente la principale distraction, et on valorise le fait que les enfants restent sagement assis. Il est donc important de les éveiller à l'activité physique le plus tôt possible, car on a plus de chances de les y intéresser pour longtemps. Surtout que le manque d'exercice entraîne bien souvent des problèmes, comme l'obésité.»

mon conseil

Si Julie mène aujourd'hui une carrière qui la passionne, c'est qu'elle y a mis du sien. Pendant ses études, elle lisait tout ce qu'elle pouvait sur son futur métier et travaillait déjà dans le domaine. «Pour trouver un emploi, il est important de chercher toutes les occasions de parfaire ses connaissances et de se faire connaître», soutient-elle. 08/03

mon parcours

Julie a obtenu un diplôme d'études collégiales (DEC) en sciences de la santé au Cégep de Trois-Rivières, puis un baccalauréat et une maîtrise en sciences de l'activité physique à l'Université du Québec à Trois-Rivières (UQTR). Parallèlement, elle a travaillé au Centre sportif de l'UQTR, à préparer des programmes d'entraînement individualisés. Un bagage qui lui a permis de se joindre à Québec en forme.

Les mots en caractères **gras** sont définis dans le glossaire (p. 169 à 174).

Kinésiologue
❯ en centre d'activité physique et sportive

mon travail

Virginie Dupuis est kinésiologue au Centre d'activité physique et sportive du Collège de la région de L'Amiante, à Thetford Mines. La kinésiologie est une discipline qui vise la sécurité et le bien-être des individus par la pratique d'exercices physiques. «On procède à l'évaluation de la condition physique de la personne, c'est-à-dire ses habiletés motrices et sa capacité cardiorespiratoire, son pourcentage de graisse, sa souplesse, etc. Ensuite, on lui prescrit des exercices qui peuvent l'aider à améliorer sa qualité de vie.»

Virginie travaille avec une clientèle très variée. «Je traite notamment des diabétiques, des femmes enceintes, des personnes en réhabilitation après un accident de travail. On intervient également dans les entreprises. Dans ce cas, on peut, par exemple, réaménager un poste de travail pour la sécurité et le confort de l'employé, ou instaurer des pauses d'exercices pour diminuer le stress.»

Des milieux de travail potentiels

❯ Centres communautaires

❯ Centres de conditionnement physique

❯ Centres de loisirs

❯ Centres locaux de services communautaires (CLSC)

❯ Cliniques privées

❯ Entreprises

❯ Fédérations sportives

❯ Municipalités

ma motivation

«J'ai choisi cette profession parce que c'était nouveau et peu connu, explique Virginie. C'était un défi dès le départ de faire connaître mon métier! De plus, il n'y a pas de routine dans mon travail : ce matin, j'étais en évaluation avec des diabétiques; cet après-midi, j'anime un club de marche; et, ce soir, j'enseigne la danse aérobique.»

Virginie apprécie de pouvoir contribuer, à sa façon, au bien-être de la population. «On est davantage des professionnels de la santé que des professionnels du sport. Ce métier permet d'aider les individus à avoir une meilleure qualité de vie. Même si on pense que marcher est une activité facile, pour certaines personnes, c'est déjà beaucoup.»

Avec une clientèle si variée, Virginie doit résoudre chaque jour des problèmes différents. «Il faut répondre aux besoins spécifiques de chacun et trouver des solutions simples, efficaces et accessibles.»

mon conseil

«Il n'y a pas d'emploi assuré en sortant de l'université, estime Virginie. Encore très peu de postes sont créés dans ce domaine, et la majorité des diplômés cumulent les petits contrats dans des salles de gym, dans les écoles ou dans les entreprises. Il faut donc avoir du leadership et un esprit d'entreprise.» Virginie conseille en outre de participer aux formations connexes au sport et à la santé, comme elle l'a fait elle-même. 06/03

mon parcours

Virginie a obtenu son baccalauréat en kinésiologie à l'Université de Sherbrooke. Cette formation comprend trois stages coopératifs de quatre mois chacun. Virginie les a effectués au Collège de la région de L'Amiante, et, de fil en aiguille, elle a fini par se créer un poste à temps plein dans cet établissement. Elle s'est aussi perfectionnée en suivant diverses formations : brevet de Sauveteur national, formations en aérobie et Programme national de certification des entraîneurs (PNCE).

Les mots en caractères **gras** sont définis dans le glossaire (p. 169 à 174).

Médecin vétérinaire
❯ dans un organisme public

mon travail

Lise Dussault est vétérinaire à l'Agence canadienne d'inspection des aliments (ACIA). En appliquant les lois et règlements concernant la santé des animaux, elle voit à la prévention, à la surveillance, au contrôle et à l'éradication des maladies animales à déclaration obligatoire, maladies qui pourraient présenter un risque pour la santé de la population en général et pour celle des personnes et des organisations reliées à des activités de production animale. Elle doit également veiller à prévenir la transmission de maladies animales aux humains, procéder à la certification en vue de l'exportation d'animaux et inspecter les bêtes dans le cas d'importation. La rage, la tuberculose bovine et l'encéphalopathie spongiforme bovine, communément appelée maladie de la vache folle, sont quelques exemples des maladies que Lise doit surveiller.

«Je reçois des demandes d'enquête de la part de régies régionales de la santé, d'éleveurs, de propriétaires d'animaux et de vétérinaires lorsqu'ils suspectent un cas probable de maladie grave chez un animal. Je me rends sur les lieux pour enquêter sur la bête en question et faire des prélèvements de sang ou de tissus pour fins d'analyse et de diagnostic. À la réception des résultats, j'évalue et je recommande l'application des mesures de contrôle et d'éradication des maladies.» Les espèces principalement visées sont des animaux d'élevage, comme les bovins, les cervidés et les chevaux. Il peut aussi s'agir de chats ou de chiens, car ils sont également susceptibles de contracter des maladies à déclaration obligatoire.

ma motivation

En préservant la santé des animaux, Lise protège par le fait même la santé des humains qui sont en contact avec eux. Elle s'estime donc titulaire d'une fonction très importante.

Enfin, elle apprécie le fait de ne pas connaître la routine. Chaque journée lui apporte des demandes d'inspection différentes. «Il y a des cas urgents, d'autres moins. Parfois, un cas qui ne semblait pas grave peut se détériorer subitement. Tout évolue très vite.»

mon conseil

Comme l'apparition d'une maladie animale peut faire des ravages sur la santé des animaux et des humains, il faut être assez rigoureux de nature pour ne rien laisser au hasard lors d'une vérification, soutient Lise.

«Il faut aimer tous les animaux pour être vétérinaire», ajoute-t-elle. Ceci dit, il est important d'être émotionnellement solide, par exemple lorsqu'il faut abattre un troupeau entier de bêtes malades. En bout de ligne, l'amour des animaux ne doit pas dépasser le sens des responsabilités envers les éleveurs et la population en général.

06/03

mon parcours

Lise a trouvé son emploi actuel immédiatement après avoir terminé son doctorat en médecine vétérinaire à l'Université de Montréal. Quelques années plus tard, elle a voulu se perfectionner. Toujours à la même université, elle a fait une maîtrise en pathologie et microbiologie vétérinaire. Sans être absolument nécessaires, ces nouveaux apprentissages représentent des compétences supplémentaires.

Les mots en caractères **gras** sont définis dans le glossaire (p. 169 à 174).

Microbiologiste
> pour une compagnie pharmaceutique

mon travail

Microbiologiste chez Sherings Canada, Carl Vachon s'occupe principalement du contrôle de la qualité d'une grande variété de produits médicamenteux, comme des remèdes contre le rhume des foins, des crèmes pour l'eczéma ou même des onguents pour les otites chez les chiens. «Nous devons nous assurer que les médicaments mis sur le marché sont propres à la consommation», explique-t-il. En gros, cela signifie que le nombre de micro-organismes détectés dans un médicament ne doit pas dépasser un certain seuil.

«Afin de ne pas contaminer nous-mêmes les produits que nous analysons, il faut travailler de façon **aseptique**, poursuit-il. Les micro-organismes, tels que les bactéries, la moisissure ou les virus, sont des organismes vivants qu'on ne peut voir à l'œil nu.» Carl travaille donc sous des hottes dites à flux laminaire, dont l'action purifie l'air. «Les micro-organismes ne sont pas toujours nuisibles», précise-t-il. Certains entrent même dans la fabrication d'antibiotiques. Il faut tout de même analyser ces produits pour s'assurer que la quantité de micro-organismes y est adéquate.

Carl est également chef d'un groupe de microbiologistes et de techniciens en chimie et en biologie, ce qui l'amène à vérifier les documents produits à la suite des analyses de tout un chacun.

ma motivation

Carl avait d'abord songé à devenir chimiste, mais des cours en microbiologie au cégep lui ont donné la passion de l'étude du vivant, un domaine plus complexe, croit-il.

Doté d'un esprit analytique, Carl avoue qu'il aime découvrir des choses qui échappent d'abord à l'évidence. «J'aime travailler avec les éléments qu'on ne voit pas à l'œil nu», dit-il. Mais cela n'en représente pas moins un défi de taille. «Il faut de l'instinct pour s'en aller dans la bonne direction. Il y a des investigations qui peuvent prendre des mois avant d'aboutir à des résultats.» Par exemple, lorsqu'une contamination est détectée, il faut en trouver la source pour arriver à la maîtriser. Une démarche qui peut aller jusqu'à l'analyse de l'air et des surfaces de l'usine d'où proviennent les produits.

mon conseil

Pour réussir en microbiologie, il faut être passionné, selon Carl. «La passion mène à se dépasser, et c'est ce qu'il faut faire pour être un bon microbiologiste.» Il est également primordial de pouvoir travailler dans des délais serrés. «Pour que les compagnies pharmaceutiques soient rentables, il leur faut mettre rapidement leurs produits sur le marché. Et elles ne peuvent le faire tant que les analyses en microbiologie ne sont pas terminées. On a donc de la pression.» 09/03

mon parcours

Après avoir obtenu un diplôme d'études collégiales (DEC) en sciences de la nature au Cégep Lionel-Groulx, Carl a effectué un baccalauréat en microbiologie et immunologie à l'Université McGill. Il a commencé sa carrière chez une entreprise qui offre des services d'analyse à des compagnies pharmaceutiques avant d'entrer chez Sherings Canada.

Les mots en caractères **gras** sont définis dans le glossaire (p. 169 à 174).

Nutritionniste
❯ en milieu hospitalier

mon travail

Certains patients, comme les diabétiques, ne peuvent pas manger n'importe quoi. Ils doivent apprendre à adapter leur alimentation à leur état de santé tout en conservant le plaisir de manger. Marilyne Desrochers est là pour eux. Nutritionniste au Centre hospitalier universitaire de Sherbrooke (CHUS), elle évalue leurs comportements alimentaires et analyse leur **état nutritionnel** en se basant notamment sur leur poids et leurs analyses sanguines.

On pourrait croire qu'elle a un rôle de contrôle, mais il s'agit plutôt d'enseignement, soutient-elle. «Le défi, c'est de persuader les gens que leur alimentation joue un rôle important dans leur santé.» Pour y arriver, elle doit parfois demander la collaboration de l'entourage. «Si on a des doutes [sur ce qu'une personne boulimique prétend manger, par exemple], on appelle sa famille ou les infirmiers qui lui servent ses repas.» En milieu privé, toutefois, ce défi est moindre, car, comme le patient paie ses soins, il est généralement plus motivé.

Des milieux de travail potentiels

- ❯ Bureaux-conseils
- ❯ Centres communautaires
- ❯ Centres d'hébergement et de soins de longue durée
- ❯ Centres hospitaliers
- ❯ Centres locaux de services communautaires (CLSC)
- ❯ Cliniques privées
- ❯ Compagnies pharmaceutiques

ma motivation

Marilyne a choisi cette profession parce qu'elle lui permet d'être en contact avec des gens : médecin traitant, physiothérapeute, ergothérapeute, pharmacien, voire famille du patient. Mais c'est avec le médecin qu'elle collabore le plus. «À la suite de l'évaluation de l'alimentation de la personne, nous faisons différentes suggestions au médecin. Pour quelqu'un qui fait de l'insuffisance rénale, je peux suggérer une restriction des liquides ou d'autres aliments. Si une personne ne mange pas assez, je dis qu'un **gavage** serait peut-être requis.» Elle aime particulièrement aider des gens qui s'alimentent de façon insuffisante ou qui ont carrément cessé de manger. «J'aime voir que j'ai contribué à leur mieux-être.»

mon conseil

«N'ayez pas peur d'essayer différents milieux de travail pendant vos stages ou en début de carrière», conseille Marilyne aux futurs nutritionnistes. En effet, la profession présente de nombreux débouchés qui valent la peine d'être explorés, tels que chroniqueur en nutrition dans les médias, consultant dans un centre sportif, dans un centre d'hébergement pour aînés ou encore dans l'industrie pharmaceutique ou alimentaire. 07/03

mon parcours

Après un diplôme d'études collégiales (DEC) en sciences de la nature au Cégep de Victoriaville, Marilyne a fait un baccalauréat en nutrition à l'Université Laval qui comprenait quatre stages : un dans le milieu communautaire, un autre en recherche, un en gestion de cafétéria dans un hôpital, puis un stage en nutrition clinique, également dans un centre hospitalier. Elle a occupé un premier emploi comme nutritionniste au Regroupement de la santé et des services sociaux (RSSS) de la municipalité régionale de comté de Maskinongé avant de faire son entrée au CHUS.

Les mots en caractères **gras** sont définis dans le glossaire (p. 169 à 174).

Optométriste

› en centre de réadaptation visuelle (réseau public)

mon travail

Cataracte, **rétinopathie**, **rétinite pigmentaire** : pour Julie-Andrée Marinier, ces maladies oculaires n'ont plus de secret ou presque. Travaillant à l'Institut Nazareth et Louis-Braille, elle fait partie des 35 optométristes du Québec à se spécialiser en réadaptation visuelle. «Je travaille auprès des personnes âgées, précise-t-elle. Mon rôle est de diminuer l'impact de leur handicap visuel dans leur vie quotidienne. Je les aide à rester autonomes plus longtemps.» Son intervention commence par un examen visuel complet, qui lui permettra de déceler s'il y a présence de maladie oculaire. Elle mesure alors la pression intraoculaire; utilise un biomicroscope pour inspecter la paupière, la **cornée**, l'**iris** et le **cristallin**, et un **ophtalmoscope** pour examiner le fond de l'œil, le **vitré**, la **rétine** et le nerf optique.

L'examen terminé, Julie-Andrée prescrit une aide visuelle : des lunettes, des lentilles cornéennes, une loupe ou même un télescope, dans certains cas indispensables pour voir au loin le numéro d'un autobus, par exemple. Si le patient présente une maladie oculaire, elle en contrôlera chaque année la progression.

ma motivation

Pendant ses études secondaires, cette passionnée de physique et de biologie faisait du bénévolat auprès des aînés, des enfants handicapés et des personnes vivant avec le VIH. Habituée à aider les autres, elle se trouve ici dans son élément. Mais au quotidien, répondre aux questions des patients – et des proches qui les accompagnent – représente un défi. «Pour cela, il faut garder ses connaissances à jour en lisant des revues scientifiques d'optométrie et d'ophtalmologie [en anglais] et être à l'écoute du patient.» Par ailleurs, chaque pathologie apporte son lot de mystères, qu'elle tente de percer en consacrant plusieurs heures par semaine à la recherche clinique. Un facteur vasculaire est-il impliqué dans la **dégénérescence maculaire**, une maladie responsable des pertes visuelles en Amérique du Nord? Voilà l'une des questions qui la tiennent en haleine.

mon conseil

«Il est important d'établir un bon diagnostic, et ce, le plus vite possible, parce que le temps peut jouer dans l'évolution des maladies», soutient Julie-Andrée. Pour être optométriste, il faut donc posséder une bonne vision doublée d'un excellent sens de l'observation et d'une grande minutie, pour bien relever les données indiquées par les appareils de mesure. En outre, les longues études en optométrie nécessitent de la détermination, mais surtout d'excellents résultats scolaires, de la curiosité et une passion pour les sciences. 07/03

Des milieux de travail potentiels

- **›** Cabinets d'autres professionnels de la santé
- **›** Centres de réadaptation offrant des services en basse vision
- **›** Cliniques privées
- **›** Lunetteries

---

mon parcours

Julie-Andrée a obtenu un diplôme d'études collégiales (DEC) en sciences de la santé au Cégep de Bois-de-Boulogne, puis a suivi un doctorat professionnel (de premier cycle) en optométrie d'une durée de cinq ans, à l'Université de Montréal. De plus, elle a obtenu dans le même établissement une maîtrise en sciences de la vision pour pouvoir mener des activités de recherche et d'enseignement en plus de ses consultations.

Les mots en caractères **gras** sont définis dans le glossaire (p. 169 à 174).

Organisateur communautaire
❯ en centre de santé

mon travail

Vous avez une bonne idée pour améliorer le bien-être de vos concitoyens? Il vous faut rencontrer quelqu'un comme Richard Caron. «Mon but, c'est de développer des réseaux d'entraide et d'être au courant des ressources qui peuvent aider une personne à réaliser son projet», explique l'organisateur communautaire du Centre de santé Memphrémagog.

Richard passe la majeure partie de son temps dans des organismes communautaires (comité de lutte à la pauvreté, cuisines collectives, etc.). Il aide les citoyens à s'organiser, anime leurs réunions et leur fournit des pistes pour faire avancer leurs démarches. Une halte-garderie va ouvrir pour dépanner les parents du quartier? Richard ne travaillera pas directement à l'ouverture de l'établissement, mais il apportera un sacré coup de main, entre autres dans la recherche de subventions. «Je mets en commun les forces de tout le monde», ajoute-t-il.

Des milieux de travail potentiels

❯ Centres locaux de services communautaires (CLSC)

❯ Organismes communautaires

ma motivation

C'est en assurant la coordination d'une coopérative jeunesse que Richard a vraiment décidé de son choix de carrière. «Cela regroupait tout ce que j'aimais : travailler avec la population, rassembler des acteurs sociaux et économiques, apprendre aux jeunes à travailler et, de ce fait, contribuer à l'amélioration de la société en prévenant le chômage.» Bref, changer le monde à l'échelle locale, comme il dit.

Il travaille aujourd'hui à prévenir et non à guérir les problèmes de santé : il préfère aider des personnes pauvres à mettre sur pied une cuisine collective plutôt que d'avoir à soigner leurs troubles de malnutrition. Richard apprécie également le travail en groupe, notamment avec d'autres intervenants du domaine de la santé (médecins, infirmières, auxiliaires familiales). «Ensemble, on peut, par exemple, étudier le cas d'une mère pauvre qui, après une séparation, se retrouve à la rue seule avec ses deux enfants.»

mon conseil

Richard a appris à croire au potentiel de chacun. «Pour cela, il faut avoir une grande ouverture d'esprit, dit-il. Une personne est pauvre parce qu'elle a vécu des épreuves, pas nécessairement parce qu'elle est fainéante.» Aux gens qui veulent s'initier au métier, il conseille de s'engager socialement, auprès des jeunes, des aînés, des enfants ou encore des toxico-manes, par exemple. Et de voyager, voire de faire un stage à l'étranger. Tout cela permet de mieux se connaître, selon lui. 06/03

mon parcours

Au cégep, Richard s'est d'abord inscrit en administration, avant de bifurquer vers le diplôme d'études collégiales (DEC) en sciences humaines, pour ensuite effectuer un baccalauréat en psychosociologie de la communication, à l'Université du Québec à Montréal. Parallèlement à ses études, il a fait un stage en travail de rue ainsi que du bénévolat. Avant d'occuper son poste au Centre de santé Memphrémagog, il a travaillé au Centre local de services communautaires (CLSC) Pointe-aux-Trembles/Montréal-Est ainsi que dans des coopératives jeunesse de services à Villeray-Petite Patrie et à Saint-Henri.

Les mots en caractères **gras** sont définis dans le glossaire (p. 169 à 174).

Orthophoniste
> **en centre de réadaptation**

mon travail

Les orthophonistes évaluent et diagnostiquent les troubles de la parole, du langage et de la déglutition au moyen de tests et d'observations. Par la suite, ils élaborent un programme approprié de traitement et d'intervention spécifique à chaque patient. Programme qu'ils réalisent en collaboration avec les proches et les autres intervenants. C'est en résumé le travail de Natalie Vertefeuille, orthophoniste au Centre régional de réadaptation (CRR) La RessourSe à Hull.

Les patients de Natalie sont des victimes de graves accidents dans lesquels ils ont subi un traumatisme crânien. Souvent, ils sortent à peine du coma quand elle les prend en charge.

«Je vérifie si le patient est capable de me comprendre et s'il peut répondre à mes questions. Je regarde comment il exprime ses besoins, ses idées. Par la suite, j'entreprends une évaluation complète du langage [expression et compréhension] oral et écrit, dans le but qu'il puisse un jour reprendre son travail ou retourner aux études. Selon les problèmes éprouvés, Natalie établit un programme d'exercices dans lequel l'aspect ludique occupe une part importante.

ma motivation

«La communication est la base de notre vie, c'est ce qui nous permet d'être en relation avec les autres. Sans communication, on est isolé, coupé du reste du monde.» C'est ce constat qui a poussé Natalie à choisir cette profession.

Sa plus belle récompense : les progrès qu'accomplissent ses patients, jour après jour. «Une personne bègue qui va voir un orthophoniste pour obtenir de l'aide le fait volontairement. Mais ce n'est pas le cas de mes patients, qui ont subi un accident et ont de graves troubles **cognitifs**. Ils ne savent pas toujours qui nous sommes ni pourquoi ils sont là. Certains ne veulent pas recevoir d'aide. Il faut donc trouver des moyens détournés pour parvenir à nos fins et le travail en équipe devient donc essentiel.»

mon conseil

«Il n'existe pas de recette miracle pour corriger les problèmes diagnostiqués en orthophonie. Chaque cas est différent, et il arrive que l'on prépare un programme de traitement qui ne fonctionne pas.» Il faut donc une bonne dose d'analyse, de jugement et de créativité dans cette profession. Natalie estime pour sa part que c'est sur le terrain que l'on se forme concrètement. «En stage, on apprend à développer des façons de faire et d'agir qui ne s'apprennent pas dans les livres.» 05/03

mon parcours

Avant d'intégrer le programme en orthophonie de l'Université de Montréal, Natalie a fait une majeure en linguistique et a suivi des cours en psychologie dans cette même université. Après son baccalauréat, elle a poursuivi en maîtrise et effectué son stage au CRR La RessourSe à Hull, où elle a été embauchée.

Les mots en caractères **gras** sont définis dans le glossaire (p. 169 à 174).

Perfusionniste
> **en milieu hospitalier**

mon travail

Qu'on se le dise, le perfusionniste, vaut mieux l'avoir à son côté lorsqu'on subit une chirurgie à cœur ouvert. «Quand j'explique mon métier aux patients, ils me disent à la blague de ne pas être trop endormie pendant l'opération», évoque Julie Gagnon, perfusionniste à l'Hôpital général juif de Montréal.

«Environ 95 % de mon travail concerne la **machine cœur-poumon**. Lors d'une **chirurgie valvulaire**, cardiaque ou thoracique, on arrête le cœur et les poumons du patient. Avec mon appareil, je maintiens la personne en vie artificiellement pendant l'intervention.»

C'est un véritable travail d'équipe, constate Julie. «On doit informer le chirurgien de problèmes qui surviennent pendant l'opération [comme l'afflux de sang insuffisant vers la machine cœur-poumon], en plus de collaborer avec l'anesthésiste, l'**inhalothérapeute** et les infirmières.»

Julie s'occupe aussi de l'auto-transfuseur, qui sert à récupérer le sang du patient. Une fois récupéré, le sang est nettoyé et retransmis au patient, ce qui permet d'éviter le recours à un donneur.

ma motivation

C'est en regardant une série télévisée américaine qui montrait des médecins en pleine action que Julie a été conquise par cet univers. Puis une autre émission où elle a vu un perfusionniste à l'œuvre avec sa machine cœur-poumon l'a captivée.

«Je voulais être dans un métier où on a "les deux mains dedans", se souvient-elle. La salle d'opération m'a toujours intéressée. C'est impressionnant de voir ce qu'un chirurgien peut faire avec deux ou trois bouts de fil pour sauver des gens ou améliorer leur qualité de vie.» De plus, Julie sait qu'elle peut faire la différence entre la vie et la mort. «Quand ça va mal, l'adrénaline se met de la partie. Il faut réagir et penser rapidement. Lors d'un dénouement heureux, j'ai une grande satisfaction.»

mon conseil

Les étudiants refusés en médecine sont le plus souvent pris au dépourvu. Julie a vécu cette situation. Heureusement, la perfusion s'est révélée pour elle une profession tout aussi passionnante. «Ceux qui aiment la médecine devraient considérer cette voie», soutient-elle.

Pour exercer ce métier, il faut toutefois s'assurer d'avoir du sang-froid pour ne pas paniquer en situation d'urgence, avertit Julie. «Il faut être capable de réfléchir rapidement, de vivre dans le stress d'avoir la vie du patient entre les mains.»

05/03

Des milieux de travail potentiels

> Centres hospitaliers

mon parcours

Julie a effectué un baccalauréat en sciences de la santé, à la Nova Southeastern University, à Fort Lauderdale, en Floride. Par la suite, elle a obtenu un certificat en perfusion extra-corporelle à l'Université de Montréal, ce qui lui a permis d'obtenir un poste à l'Hôpital général juif de Montréal. Julie a également une maîtrise en pharmacologie de l'Université de Montréal.

Les mots en caractères **gras** sont définis dans le glossaire (p. 169 à 174).

Pharmacien
> en milieu hospitalier

mon travail

La profession de pharmacien évoque généralement les comptoirs chez Jean Coutu ou Pharmaprix. Ces pharmaciens «d'officine» font principalement de la préparation et de la distribution de médicaments. La profession de pharmacien d'hôpital est différente.

«La majeure partie de mon travail consiste à donner des soins pharmaceutiques, par conséquent à faire partie des unités de soins en compagnie des médecins, physiothérapeutes, ergothérapeutes, infirmières, afin de m'assurer que l'utilisation des médicaments est maximisée», explique Patrick Boudreault, pharmacien à l'Hôpital Saint-François-d'Assise du Centre hospitalier universitaire de Québec (CHUQ). «Par exemple, un médecin fait un diagnostic. En discutant avec lui, je vais suggérer le meilleur choix de médicaments possible. Je devrai ajuster ce choix, ainsi que la dose et la posologie du médicament, selon la situation précise du patient. Je suis totalement impliqué dans le processus décisionnel.

«La plupart du temps, je suis en contact direct avec les malades, insiste Patrick. Mais une demi-journée par semaine environ, je suis affecté à la gestion de la distribution des médicaments à la pharmacie de l'hôpital. En rotation, chaque pharmacien a sa période de distribution.» Cette tâche de comptoir consiste à préparer les médicaments destinés aux malades et à fournir à l'infirmière une feuille d'administration des médicaments pour chaque patient.

Des milieux de travail potentiels

> Centres d'hébergement et de soins de longue durée

> Centres hospitaliers

> Centres locaux de services communautaires (CLSC)

> Compagnies pharmaceutiques

> Établissements scolaires

> Pharmacies communautaires

> Pharmacies d'établissements de santé

ma motivation

Patrick apprécie tout particulièrement le travail d'équipe. «Les problèmes de santé que l'on voit dans les hôpitaux sont plus complexes. Par conséquent, avoir une équipe médicale et paramédicale sous la main, tout le matériel nécessaire, l'accès aux laboratoires et à l'information sur le patient permet de faire des choix mieux éclairés. De plus, le patient est sur place et il a le temps. À l'hôpital, on peut discuter avec lui, aller au fond des choses.»

Les médicaments sont de plus en plus chers, poursuit Patrick. «Le grand défi, c'est donc d'en faire une utilisation la plus appropriée et la plus judicieuse possible.»

mon conseil

Patrick Boudreault suggère aux jeunes intéressés par cette profession de planifier leurs études en fonction du milieu de travail visé. «On commence avec le baccalauréat en pharmacie. Ensuite, il y a trois choix possibles. La majorité des étudiants vont opter pour la pharmacie d'officine. Une petite partie d'entre eux feront une maîtrise en pharmacie d'hôpital, obligatoire pour pouvoir travailler dans les grands centres hospitaliers. La troisième voie, c'est le travail dans l'industrie pharmaceutique.» 05/03

mon parcours

Patrick a étudié à l'Université Laval, où il a obtenu son baccalauréat en pharmacie et sa maîtrise en pharmacie d'hôpital. À la fin de ses études en 2000, il a été embauché par l'Hôpital Saint-François-d'Assise du CHUQ.

Les mots en caractères **gras** sont définis dans le glossaire (p. 169 à 174).

Pharmacologue
> **en milieu universitaire**

mon travail

«Tiens, c'est bizarre ce résultat-là...» Voilà le genre d'étincelle qui attise la curiosité de Pedro D'Orléans-Juste. Pharmacologue et biologiste, il consacre ses énergies à comprendre la biologie humaine, les substances médicamenteuses, leur influence sur le corps et les moyens qu'utilise celui-ci pour s'en protéger (l'élimination, par exemple).

Pedro dirige le Département de **pharmacologie** de la faculté de médecine de l'Université de Sherbrooke. Il partage son temps entre l'administration du Département, l'enseignement aux étudiants, la recherche en laboratoire et la rédaction d'articles scientifiques dans son domaine de prédilection, soit les médicaments développés et éventuellement employés dans le traitement des maladies cardio-vasculaires. Ses écrits font force de référence dans le monde entier.

ma motivation

Très jeune, Pedro était déjà dévoré par une immense curiosité scientifique. Il en a passé du temps, enfermé au sous-sol de la maison familiale avec son microscope et son jeu de chimie, à faire expérience sur expérience. «Je savais que je ferais de la recherche, confie-t-il. Quand est venu le temps de choisir, ce qui m'a fait opter pour la pharmacologie, c'est l'immensité du potentiel de ce domaine. L'amélioration des soins de santé passe par l'amélioration des médicaments. Si les hospitalisations durent moins longtemps aujourd'hui qu'il y a 20 ans, c'est en partie grâce aux nouveaux médicaments, qui ont des actions mieux ciblées sur les maladies et qui présentent moins d'effets secondaires», explique Pedro, en précisant que le problème des **interactions médicamenteuses** représente toutefois un défi à relever pour les scientifiques.

mon conseil

«La première qualité que doit posséder un pharmacologue est, à mon avis, la curiosité», affirme Pedro. Repousser les limites des connais-sances actuelles demande aussi de la ténacité et de l'audace, ajoute-t-il. Pour ceux que l'aventure intéresse, l'Université de Sherbrooke a lancé en 2002 un baccalauréat en pharmacologie. Un programme qui répond aux besoins du marché, selon Pedro. «Il y a beaucoup de place en développement et mise en marché de produits pharmaceutiques, en représentation auprès des professionnels de la santé, en recherche et en enseignement.» 07/03

mon parcours

Pedro est titulaire d'un baccalauréat en sciences (biologie) de l'Université Bishop's ainsi que d'une maîtrise et d'un doctorat en pharmacologie de l'Université de Sherbrooke. Il a également poursuivi des études postdoctorales au William Harvey Research Institute de Londres. Il est devenu professeur à l'Université de Sherbrooke en 1989.

Les mots en caractères **gras** sont définis dans le glossaire (p. 169 à 174).

Physicienne médicale
> **en milieu hospitalier**

mon travail

Dans un service de radio-oncologie, où l'on traite les cancers, le physicien médical agit en tant qu'expert en radiation. «Il faut maîtriser cette radiation que l'on ne voit pas», explique Sylviane Aubin, physicienne médicale à l'Hôtel-Dieu de Québec du Centre hospitalier universitaire de Québec (CHUQ). En effet, si une juste dose guérit le patient, une trop faible dose peut faire échouer le traitement tandis qu'un excès peut entraîner des effets secondaires à long terme.

«Notre but est que le traitement soit précis et bien administré, poursuit Sylviane. Nous devons installer et calibrer les appareils qui vont traiter les patients, pour faire en sorte qu'ils fournissent correctement la radiation. Par ailleurs, s'il y a des problèmes pendant le traitement, les physiciens sont appelés en renfort.» Il arrive en effet qu'il faille apporter des ajustements au traitement prévu quand, par exemple, un patient subit une trop grande perte de poids. Les physiciens médicaux doivent aussi inspecter et entretenir scrupuleusement les appareils. Ils font également de la recherche-développement et de la formation dans leur domaine, en plus de s'occuper de radioprotection, c'est-à-dire les mesures à prendre contre les radiations, comme l'entreposage des sources radioactives et la gestion des déchets radioactifs.

Des milieux de travail potentiels

> Centres hospitaliers

ma motivation

«Nous affrontons continuellement de nouveaux problèmes. Par exemple, il arrive qu'un patient ait déjà été traité pour un cancer. Or, suivant la région du corps affectée, le patient ne peut recevoir plus qu'une certaine dose de radiation. On évalue alors s'il est possible de faire le traitement prescrit par le médecin ou s'il n'y a pas lieu de traiter autrement pour réduire les effets secondaires à long terme.» Et il y a des moments très gratifiants où son bonheur... irradie : «Récemment, c'est moi qui ai planifié de A à Z le traitement d'un patient en attente d'une greffe de moelle osseuse.» Ce traitement impliquait l'irradiation complète du corps du patient dans le but d'éliminer son système immunitaire et ainsi empêcher le rejet de sa nouvelle moelle... en provenance d'Allemagne.

mon conseil

«La physique médicale est un domaine complexe et mal connu, même des physiciens, affirme Sylviane. Pendant mes études, au baccalauréat et à la maîtrise, j'ai fait deux stages en physique médicale pour mieux connaître le métier. Je suggère d'en faire autant à tout étudiant qui se destine à cette spécialité.» 05/03

mon parcours

Sylviane a décroché un baccalauréat en physique à l'Université Laval. De son propre chef, elle a effectué un stage rémunéré en physique médicale au Groupe de recherche en physique médicale, du département de radio-oncologie de l'Hôtel-Dieu de Québec. Ayant obtenu une bourse du ministère de la Santé et des Services sociaux, elle a ensuite fait une maîtrise en physique médicale à l'Université Laval. Sylviane a par la suite été embauchée par l'Hôtel-Dieu de Québec.

Les mots en caractères **gras** sont définis dans le glossaire (p. 169 à 174).

Physiothérapeute
> **en clinique privée**

mon travail

Tendinite, entorse, **hernie discale**, migraine et **subluxation** : voici quelques-uns des problèmes de santé que traite Mathieu Côté. Il travaille à la clinique privée Physiothérapie Biokin située à Sainte-Foy, avec trois autres physiothérapeutes. Mathieu s'assure d'amener ses patients à un niveau fonctionnel optimal grâce à une réadaptation des articulations et des muscles blessés. Lors de sa première rencontre avec le client, il fait une évaluation de son état physique, détermine quelle est la source de la douleur et établit un plan de traitement.

Mathieu a recours à différentes techniques : il peut, par exemple, mettre en mouvement muscles et articulations pour en rétablir la souplesse, renforcer les muscles à l'aide de poids et haltères ou les masser pour les détendre, ou encore faire des manipulations sur des articulations. Il utilise également l'**électrothérapie** et l'**hydrothérapie** pour diminuer la douleur et l'inflammation et accroître les bienfaits du traitement. Finalement, le patient retournera chez lui avec des exercices de musculation, d'assouplissement ou de renforcement à accomplir.

ma motivation

La physiothérapie comprend trois champs de pratique : l'orthopédie (c'est celle qu'a choisie Mathieu), la neurologie et le cardiorespiratoire, ce qui implique des clientèles différentes. «Le physiothérapeute peut choisir de traiter des quadraplégiques, des grands brûlés ou des personnes atteintes de sclérose en plaques. C'est un domaine diversifié où l'on peut sans cesse se renouveler.» Mais le principal défi de Mathieu est de mener chacun de ses patients vers une réadaptation complète. «J'aime aider les gens à retrouver leur qualité de vie, c'est valorisant. Du sportif blessé qui peut reprendre ses activités à la mère de famille soulagée de ses migraines, j'ai contribué à leur cheminement. Il est également stimulant de se creuser la tête pour bien cerner la problématique du patient, surtout lorsque les causes sont multiples, et donc pas toujours faciles à trouver», explique-t-il.

Il aime également pouvoir établir des relations privilégiées avec sa clientèle. «Le traitement permet de créer un lien de confiance avec les patients. Au fil des rencontres, j'apprends à les connaître et à les apprécier.»

mon conseil

Selon Mathieu, pour exercer le métier de physiothérapeute, il faut aimer aider les gens et savoir les accompagner dans leur cheminement. «Il est important de développer un lien de confiance avec eux et de réaliser que chaque patient a son propre objectif de guérison à atteindre. Le physiothérapeute doit l'encourager et le motiver, par exemple en l'incitant à faire ses exercices à la maison.» 05/03

mon parcours

Titulaire d'un baccalauréat en physiothérapie de l'Université Laval, Mathieu est actionnaire associé à la clinique Physiothérapie Biokin. En 2003, il était également chargé de cours en physiothérapie à l'Université Laval et physiothérapeute pour une équipe de hockey senior semi-professionnelle à Pont-Rouge.

Des milieux de travail potentiels

> Cabinets d'autres professionnels de la santé
> Centres de réadaptation
> Centres d'hébergement et de soins de longue durée
> Centres hospitaliers
> Centres locaux de services communautaires (CLSC)
> Cliniques privées
> Établissements d'enseignement spécialisés

Les mots en caractères **gras** sont définis dans le glossaire (p. 169 à 174).

Podiatre
❯ en clinique privée

mon travail

Problèmes de pieds? François Giroux, docteur en médecine podiatrique, les connaît tous. Ses cas les plus fréquents sont les verrues plantaires, les ongles incarnés, les cors, ainsi que les problèmes de malformation (pieds plats, pieds creux, orteils marteaux, etc.). Mais il traite aussi les fractures, les tumeurs, les ulcères, les maladies de la peau et des ongles de même que les problèmes d'articulations et de structure osseuse.

«Trouver le problème, poser le diagnostic, c'est l'essentiel de mon travail, résume-t-il. Par la suite, il ne me reste qu'à effectuer le traitement pour améliorer la situation de mon patient.» L'observation, la manipulation, les radiographies et les tests de laboratoire font partie des méthodes à sa disposition pour mettre le doigt sur ce qui ne va pas.

Une fois que le problème est cerné, François explique au patient de quoi il s'agit et prodigue le traitement approprié. Son intervention peut comporter, par exemple, une chirurgie mineure, une pose de plâtre, une thérapie de rééducation du pied ou encore la fabrication de supports orthopédiques.

Le podiatre émet également des recommandations pour éviter les rechutes. À chaque consultation, il collige minutieusement toute l'information recueillie dans ses dossiers médicaux, qu'il doit conserver plusieurs années.

ma motivation

L'engagement social est une valeur importante pour François. Il a choisi de faire carrière dans le domaine de la santé pour être en contact avec ses semblables et améliorer leur qualité de vie. En ce sens, sa pratique le satisfait particulièrement. «Ce que je trouve le plus stimulant dans mon travail, c'est que les gens qui viennent me voir arrivent en ayant mal et repartent soulagés. Si leur bobo n'est pas guéri, ils savent au moins à quoi s'attendre parce que je leur ai bien expliqué les étapes du traitement. Pour moi, c'est très gratifiant.»

Autre aspect qui lui est cher : être son propre patron. Depuis qu'il a ouvert sa clinique, François exerce la pleine maîtrise sur ses heures de pratique, sur ses vacances et sur son environnement.

mon conseil

Auparavant, il fallait aller étudier aux États-Unis pour devenir podiatre. Ce n'est plus le cas depuis 2004. «Il existe maintenant une formation en podiatrie à l'Université du Québec à Trois-Rivières. C'est une première dans le monde francophone. Il s'agit d'un programme doctoral de quatre ans, dont les premiers diplômés sortiront en 2008.» 08/05

mon parcours

Au moment où François a choisi la carrière de podiatre, il n'existait pas de formation dans le domaine au Québec. Il a donc obtenu son diplôme universitaire du réputé Pennsylvania College of Podiatric Medicine. C'est après avoir travaillé quelques mois en clinique privée qu'il a inauguré son propre cabinet à Charlesbourg, où il pratique toujours.

Des milieux de travail potentiels

- ❯ Cabinets privés
- ❯ Cabinets d'autres professionnels de la santé
- ❯ Centres hospitaliers

Les mots en caractères **gras** sont définis dans le glossaire (p. 169 à 174).

Psychoéducateur
> **en milieu hospitalier**

mon travail

Michel Laroche est psychoéducateur au centre de jour de pédopsychiatrie de l'Hôpital du Sacré-Cœur de Montréal. Il reçoit en thérapie de groupe des enfants de deux à six ans qui présentent des troubles envahissants du développement (TED) : **autisme**, **troubles du comportement** ou **de l'attention**, **hyperactivité**, **anxiété**, etc.

«Je peux faire des interventions visant la motricité globale, avec un ballon, ou la motricité fine, à l'aide de petits objets. Pour les enfants atteints très sévèrement, l'éveil à la relation passe par du crayonnage, des casse-têtes, des petites constructions. Je stimule leur communication avec des images, de la musique, des contes, etc.»

Michel travaille aussi avec les parents en plus de collaborer avec les autres établissements du réseau d'aide de ces enfants, comme les garderies, les centres locaux de services communautaires (CLSC), les centres de réadaptation et les écoles. «Environ 50 % de mon temps est consacré à l'intervention directe. L'autre moitié va à la gestion», résume-t-il.

ma motivation

«Les préjugés entourant les maladies psychiatriques m'ont toujours révolté, confie-t-il. J'avais le goût de m'engager socialement, de me porter à la défense des malades et de les aider à progresser.

«Je travaille en troisième ligne d'intervention, là où les médecins de famille et les cliniques ne suffisent pas à la tâche. Mon intervention est ultra-spécialisée et intensive», précise Michel, qui rencontre généralement ses jeunes patients deux fois par semaine, souvent pendant plus d'un an.

Michel se plaît bien dans son équipe multidisciplinaire, qui comprend une douzaine de praticiens de la santé, dont des psychiatres, des orthophonistes et des ergothérapeutes. «Une des spécialités du psychoéducateur est de mettre à contribution toutes les ressources du milieu pour en tirer le plein potentiel.» Cela implique la coordination de l'équipe, la disposition des meubles, l'utilisation des locaux et les horaires.

mon conseil

Le premier outil de travail du psychoéducateur, c'est sa personnalité, déclare Michel. «Pour bien aider, il faut se connaître, savoir ce que contient notre "coffre à outils". Il faut aussi faire preuve de respect pour la souffrance des autres, avoir de la rigueur pour ne pas se perdre de vue dans l'aide qu'on apporte et savoir fixer des objectifs clairs dans la progression des patients.» 06/03

mon parcours

Michel a obtenu un diplôme d'études collégiales (DEC) en sciences de la santé au Cégep du Vieux Montréal, puis un baccalauréat en psychoéducation à l'Université de Montréal. Il a commencé à pratiquer dans son domaine sitôt ses études terminées. Il continue toutefois à suivre des sessions de formation, par exemple en évaluation de cas ou en supervision de groupes de parents. Ayant contribué à la restructuration du programme de maîtrise en psychoéducation, il est bien placé pour expliquer que l'exercice de la profession nécessite maintenant un diplôme de deuxième cycle.

Des milieux de travail potentiels

> Cabinets privés
> Centres de réadaptation
> Centres hospitaliers
> Centres jeunesse
> Centres locaux de services communautaires (CLSC)
> Établissements d'enseignement
> Garderies
> Milieu carcéral

Les mots en caractères **gras** sont définis dans le glossaire (p. 169 à 174).

Psychologue
> **en centre de réadaptation**

mon travail

On a souvent tendance à croire que les psychologues aident surtout les gens souffrant de troubles de santé mentale. Toutefois, leur rôle peut varier d'un milieu de travail à un autre. Ivan Syvrais, psychologue au Centre de réadaptation Lucie-Bruneau, pratique dans le cadre d'un programme de réadaptation au travail.

Des douleurs causées par des blessures subies lors d'un accident ou par une maladie neurologique, comme la sclérose en plaques, peuvent miner le moral d'une personne au point de compromettre son rendement au travail. «Je tente de voir comment la douleur d'un client peut affecter sa vie professionnelle et je lui propose des stratégies de réinsertion au travail, explique Ivan. Par exemple, si après avoir été victime d'un accident, une personne éprouve un stress qui l'empêche de se concentrer, je peux commencer par lui faire essayer des exercices de relaxation.»

ma motivation

Ivan a choisi d'œuvrer en psychologie médicale de la santé, car il était particulièrement intéressé par le lien entre la douleur physique et les aspects psychologiques. Pour lui, il est clair qu'une personne souffrant physiquement risque aussi de souffrir psychologiquement, à cause entre autres du haut niveau de stress ou de frustration que peut engendrer une maladie ou une blessure. «J'aime donner une qualité de vie aux gens, les aider à se reprendre en main et les voir progresser», explique-t-il. Créatif, il se plaît à trouver de nouvelles stratégies de réinsertion au travail. Il peut s'agir, par exemple, d'une technique de visualisation positive adaptée aux besoins spécifiques d'un client.

Ivan apprécie également l'interaction avec les autres intervenants du Centre. En partageant des renseignements avec l'ergothérapeute, le médecin, le physiothérapeute, le conseiller d'orientation ou encore avec l'éducateur physique, il acquiert une compréhension globale de l'état de chaque patient.

mon conseil

Puisque, dans un tel milieu, le psychologue collabore avec beaucoup d'autres intervenants, la sociabilité se révèle essentielle au quotidien. L'empathie, la capacité d'écoute, la diplomatie et l'ouverture d'esprit sont également à cultiver afin de venir en aide aux clients.

«Il faut être persévérant pour accéder à cette profession puisque cela demande de longues études, ajoute Ivan. Maintenant, les étudiants en psychologie doivent faire un doctorat pour pouvoir pratiquer.» 06/03

Des milieux de travail potentiels

> Cabinets privés
> Centres locaux de services communautaires (CLSC)
> Cliniques médicales
> Établissements d'enseignement
> Organismes communautaires

---

mon parcours

Le diplôme de troisième cycle n'était pas obligatoire pour exercer comme psychologue au moment où Ivan a terminé ses études. C'est donc grâce à son baccalauréat en psychologie de l'Université du Québec à Trois-Rivières et à sa maîtrise en psychologie de l'Université de Montréal qu'il a pu obtenir son premier emploi, au Centre Lucie-Bruneau. Toutefois, désireux d'augmenter son expertise, Ivan a entrepris un doctorat en psychologie à l'Université de Montréal. Il a également suivi une formation de deux ans sur les états de stress post-traumatique offerte par un organisme privé.

Les mots en caractères **gras** sont définis dans le glossaire (p. 169 à 174).

Représentant pharmaceutique
> dans une compagnie pharmaceutique

mon travail

Francis Veillette est représentant pharmaceutique. Presque toujours sur la route, il rencontre les médecins pour leur présenter les produits de la compagnie pharmaceutique Pfizer Canada.

Des milieux de travail potentiels

> Compagnies pharmaceutiques

«Nous discutons des médicaments qui viennent d'être mis sur le marché ou des nouveautés concernant les produits déjà existants. Je leur parle aussi des dernières recherches réalisées sur des produits qu'ils connaissent déjà.»

Francis ne se rend aux bureaux de Pfizer à Montréal que deux fois par an. Le reste de l'année, il fonctionne de façon autonome et gère son emploi du temps. Il est responsable des régions de la Mauricie, de Lanaudière et d'une partie de la Montérégie et il s'assure de bien quadriller son territoire. «C'est moi qui cible les médecins et qui prends rendez-vous avec eux. Je contacte ceux qui sont spécialisés dans des champs de pratique liés au médicament que je présente. L'accès aux généralistes est moins aisé, mais plus ils connaissent le représentant, plus le contact est facilité.»

ma motivation

Francis a deux passions : la science et le contact humain. Son métier lui permet d'allier les deux. «C'est pour cette raison que j'ai choisi cette branche. J'ai déjà travaillé en laboratoire, mais ce n'était pas la même chose, il me manquait le contact avec les gens.»

Les relations avec les médecins sont généralement très cordiales, dit-il. «Nous discutons de science, des récentes études, des interactions entre les médicaments. C'est très stimulant.»

Francis doit constamment se tenir informé. Parmi ses lectures de chevet figurent, par exemple, le *New England Journal of Medicine*, *Nature*, etc. «J'aime sentir que je maîtrise mon sujet à fond. Je suis un peu comme une PME : je suis responsable du succès de mon travail.»

mon conseil

L'autonomie et la discipline sont les principales qualités du représentant pharmaceutique. «Nous sommes laissés à nous-mêmes. Par exemple, je dois veiller à ma propre formation en ce qui concerne les nouveaux médicaments. Il faut savoir s'organiser, et accepter d'avoir parfois à travailler le soir.» Francis souligne aussi l'importance de l'ouverture d'esprit et de la soif de connaissances scientifiques. «Si on ne se tient pas à jour, on perd sa crédibilité», dit-il. Être un bon communicateur est également primordial. «C'est difficile pour les malades d'avoir accès à un médecin. Imaginez ce qu'il en est pour un représentant pharmaceutique!» 05/03

mon parcours

Francis a obtenu son baccalauréat en biologie médicale à l'Université du Québec à Trois-Rivières. Il a ensuite effectué un stage de quatre mois en recherche fondamentale à l'Université de l'Alberta. De retour au Québec, il a été embauché par la société pharmaceutique Parke-Davis, qui est plus tard devenue la propriété de Pfizer.

Les mots en caractères **gras** sont définis dans le glossaire (p. 169 à 174).

Sage-femme
> **en maison de naissance**

mon travail

Une femme enceinte peut choisir de vivre tout le processus de la grossesse et de l'accouchement accompagnée d'une sage-femme.

Christiane Léonard, sage-femme à la maison de naissance du Centre local de services communautaires (CLSC) Lac-Saint-Louis de Pointe-Claire, assure la continuité des soins avant, pendant et après la naissance de l'enfant.

«Je rencontre les femmes pendant leur grossesse, je les assiste à l'accouchement et je fais le suivi postnatal à domicile. Et si malheureusement un problème survient pendant l'accouchement, je les accompagne également à l'hôpital.»

Des milieux de travail potentiels

> Centres hospitaliers
> Domicile des patientes
> Maisons de naissance

ma motivation

Pendant son adolescence, Christiane a été fascinée par un reportage sur l'obstétricien français Frédérick Leboyer, ardent défenseur de l'accouchement sans violence.

«J'ai réalisé qu'il existait des approches plus douces dans la mise au monde d'un enfant et ça m'a plu. Quelques années plus tard, à la naissance de mon premier bébé, j'ai choisi d'être accompagnée par une sage-femme et cela s'est très bien déroulé. J'ai alors décidé de devenir sage-femme moi-même.»

Christiane aime l'approche globale de la pratique de sage-femme, qui tient compte des dimensions physique, psychologique et sociale de cet événement unique qu'est la naissance d'un enfant. «On touche à toutes les dimensions de la personne. Et les tâches sont variées : on fait des consultations, des visites à domicile, on s'occupe du nouveau-né, de l'allaitement, etc. Il n'y a pas de monotonie.»

mon conseil

Christiane affirme qu'il faut, d'abord et avant tout, adhérer à la philosophie selon laquelle la grossesse, le travail et l'accouchement sont des événements de la vie sains et naturels.

La profession de sage-femme nécessite une grande disponibilité et il faut être prêt à vivre des conditions de travail très irrégulières. «Je suis de garde 24 heures sur 24, 10 jours sur 14. J'ai ensuite quatre jours de congé durant lesquels une autre sage-femme prend le relais.» 05/03

mon parcours

«Auparavant, on apprenait sur le tas. J'ai moi-même commencé en observant des accouchements, puis en assistant graduellement une autre sage-femme.» Maintenant, il faut obtenir un baccalauréat en pratique sage-femme à l'Université du Québec à Trois-Rivières. Après un an de théorie, on effectue trois ans de stages dans des maisons de naissance et des hôpitaux. Enfin, les sages-femmes doivent réussir un examen régi par l'Ordre des sages-femmes du Québec pour pouvoir exercer légalement la profession dans la province, où elles sont désormais reconnues comme des professionnelles de la santé.

Les mots en caractères **gras** sont définis dans le glossaire (p. 169 à 174).

Travailleur de rue

> **en organisme communautaire**

mon travail

À Rimouski, il y a un travailleur de rue qui accueille des jeunes de 12 à 29 ans dans un autobus scolaire réaménagé à cette fin. Il s'appelle Serge Dumont et travaille pour le Mouvement d'aide et d'information SIDA du Bas-Saint-Laurent. Toutefois, à la demande des jeunes, le mandat de Serge englobe plus que la prévention du sida.

Des milieux de travail potentiels

> Centres locaux de services communautaires (CLSC)

> Organismes communautaires

Avec eux, il aborde des thèmes liés à toutes sortes de sujets qui leur tiennent à cœur, comme les peines d'amour, les effets des drogues, le divorce, etc. Parfois, Serge invite des spécialistes, comme des sexologues, pour approfondir tel ou tel sujet. Il offre aussi des consultations privées dans une petite salle située à l'arrière de l'autobus. Quand un jeune a des problèmes sérieux, comme des tendances suicidaires, il l'envoie à un autre spécialiste, un psychiatre par exemple.

«Ici, les jeunes vivent beaucoup d'isolement et ont besoin de communiquer», explique Serge pour souligner la particularité du travail de rue en région. Dans de grandes villes comme Québec ou Montréal, les interventions sont différentes, car l'itinérance, la délinquance, les problèmes de drogue et la criminalité sont plus fréquents.

ma motivation

Curieusement, Serge ne se destinait pas au métier de travailleur de rue. Ce n'est qu'après qu'il eut été embauché comme intervenant psychosocial par le Mouvement d'aide et d'information SIDA du Bas-Saint-Laurent qu'on lui a proposé de prendre les commandes de l'autobus. «Comme je n'avais jamais travaillé de ma vie avec les jeunes, j'ai trouvé ça intéressant.» Et il ne regrette rien. Dans le véhicule où il travaille seul, il apprécie la liberté d'intervenir à sa façon. De plus, il aime les jeunes et croit en eux. «Si je peux permettre à un seul jeune de réaliser un de ses rêves en l'encourageant, j'aurai accompli quelque chose d'important.»

En plus de briser l'isolement des jeunes, un de ses grands défis est d'aller chercher des subventions gouvernementales, municipales et autres pour payer les coûts de son service. Car, il faut le dire, l'organisme qui l'emploie ne bénéficie que de peu d'argent.

mon conseil

Pour être apprécié des jeunes et bien réussir son travail, Serge obéit à quatre règles d'or à bord de son autobus. Il fait preuve d'une grande discrétion, ne juge jamais les opinions des autres, se considère comme l'égal de la clientèle et essaie d'être assez souple pour s'adapter à tous les genres d'individus. «Les jeunes sont différents les uns des autres et je dois accepter leurs propres valeurs sans les juger ou prendre parti pour l'un plutôt que l'autre.»
06/03

mon parcours

Avant de faire son baccalauréat en psychosociologie à l'Université du Québec à Rimouski, Serge a d'abord suivi des cours en psychothérapie dans une école privée montréalaise. Pendant ses études universitaires, il a travaillé comme intervenant psychosocial à l'Association canadienne pour la santé mentale et auprès des Grands Frères de Rimouski comme agent de communication. Puis, après quelques années de pratique comme psychothérapeute à son compte, il a obtenu un emploi au Mouvement d'aide et d'information SIDA du Bas-Saint-Laurent.

Les mots en caractères **gras** sont définis dans le glossaire (p. 169 à 174).

Travailleuse sociale
> **en centre local de services communautaires**

mon travail
Le métier de travailleur social est vaste. Selon qu'on exerce dans une école secondaire, dans un hôpital ou dans un centre local de services communautaires (CLSC), le quotidien varie considérablement.

Geneviève Croisetière, elle, travaille pour le CLSC Arthur-Buies, à Saint-Jérôme. Elle s'occupe du soutien à domicile d'adultes en perte d'autonomie causée par la maladie et par le vieillissement. «Je leur apprends à vivre au quotidien selon leur problème. Je les aide à accepter leur réalité et à organiser leur milieu de vie en fonction de leurs capacités.» Il peut s'agir, par exemple, d'impliquer la famille d'une personne atteinte de la maladie d'Alzheimer afin que quelqu'un lui rappelle de prendre ses médicaments.

Chaque jour, Geneviève se rend au domicile des patients et voit comment ils évoluent. Si, par exemple, l'un d'eux a besoin qu'un auxiliaire familial prépare ses repas, elle demande à la personne-ressource en question de lui rendre visite. Après chaque rencontre, elle rédige un résumé de la situation qui tient compte des aspects biologiques, psychologiques et sociaux, et qui sera accessible aux autres intervenants.

Des milieux de travail potentiels

> Centres hospitaliers
> Centres jeunesse
> Centres locaux de services communautaires (CLSC)

ma motivation
«J'ai toujours aimé aider les autres, confie Geneviève. J'avais vraiment envie d'occuper un emploi qui me le permettrait et qui favoriserait les contacts humains. C'est très valorisant de se savoir utile.»

Par ailleurs, Geneviève apprécie le fait d'exercer un travail non routinier. Chaque jour apporte son lot d'imprévus, par exemple, un changement soudain de l'état de santé d'un patient. Elle doit donc être en mesure de suivre attentivement le dossier de chaque individu et de s'adapter en conséquence.

Le travail d'équipe lui plaît également beaucoup. Au CLSC, elle côtoie constamment des ergothérapeutes, des infirmiers, des auxiliaires familiaux, etc. Elle trouve intéressant d'apprendre en partageant leur expérience.

mon conseil
Selon Geneviève, un travailleur social doit être suffisamment empathique pour comprendre le vécu d'une personne sans porter de jugement. Il doit aussi avoir assez de vivacité d'esprit pour réagir vite aux situations changeantes. Une bonne connaissance des ressources de la communauté est également indispensable. Mais par-dessus tout, il faut faire preuve de beaucoup de respect. «Il faut toujours se centrer sur les besoins de la personne que l'on aide, car elle est la mieux placée pour savoir comment améliorer sa qualité de vie.» 07/05

mon parcours
Après l'obtention de son diplôme d'études collégiales (DEC) en sciences humaines au Cégep Lionel-Groulx, Geneviève a fait un baccalauréat en travail social à l'Université McGill. Durant ses années d'université, elle a fait du bénévolat auprès de personnes âgées en plus d'effectuer deux stages dans le réseau des CLSC, qui l'ont amenée à s'occuper de la coordination des bénévoles, puis du soutien à domicile. Ce n'est qu'après ces expériences qu'elle a pu obtenir un poste au CLSC Arthur-Buies.

Les mots en caractères **gras** sont définis dans le glossaire (p. 169 à 174).

La pratique des
médecins
omnipraticiens
et spécialistes

La population québécoise peut compter sur au-delà de 18 500 médecins, soit un peu plus de 9 500 spécialistes et environ 9 000 omnipraticiens[1]. Pierre angulaire du réseau de la santé et des services sociaux, ils œuvrent partout dans la province. C'est cependant à Montréal, en Montérégie et dans la région de Québec qu'ils sont les plus nombreux.

Par Guylaine Boucher

Tout comme les autres employés du réseau de la santé et des services sociaux, les médecins sont rémunérés par l'État. Leur rémunération et leurs conditions de travail sont négociées entre le gouvernement et les fédérations médicales qui les représentent. Certains sont salariés, notamment dans les centres de santé et de services sociaux (CSSS), mais la majorité d'entre eux sont payés à l'acte, c'est-à-dire en fonction de chacune de leurs interventions auprès d'un malade. Ce mode de rémunération leur confère un statut qui se rapproche de celui du travailleur autonome.

Une majorité de médecins généralistes partagent leur temps entre la pratique en cabinet privé et les établissements du réseau public. Il est même fréquent qu'un médecin généraliste soit en lien avec plusieurs de ces établissements. La raison en est simple : les omnipraticiens ayant moins de dix ans de pratique doivent accepter d'effectuer certaines activités professionnelles particulières s'ils désirent toucher leur pleine rémunération. Par activité particulière, on entend, par exemple, le fait de travailler en soins de longue durée, à l'urgence d'un centre hospitalier, auprès des clientèles ayant des problèmes de santé mentale ou encore d'alcoolisme et de toxicomanie. Un médecin peut donc travailler trois jours en clinique privée, être de garde une fin de semaine sur deux en CSSS et effectuer des consultations ponctuelles dans un centre de réadaptation.

La situation est différente pour les médecins spécialistes. Ces derniers concentrent en effet la majorité de leurs activités en centre hospitalier. Un certain nombre d'entre eux ont aussi leur bureau de consultation privé[2].

Ce portrait général vaut tant pour les médecins qui pratiquent en région que pour ceux installés en milieu urbain. Seule la rémunération diffère. Les médecins qui exercent à l'extérieur des grands centres voient en effet leur salaire bonifié en raison de l'isolement relatif dans lequel ils doivent accomplir leur travail. ∎

1. Collège des médecins du Québec. *Profil statistique*, 31 décembre 2004.
2. FOURNIER, Marc-André et André-Pierre CONTANDRIOPOULOS. *Caractéristiques des médecins du Québec et de leur pratique selon le temps consacré à leurs activités professionnelles*, Groupe de recherche interdisciplinaire en santé, février 2005.

Vous avez la piqûre?

Au Québec, quatre établissements universitaires offrent le doctorat en médecine générale et la résidence dans les différentes spécialités. Ce sont l'Université Laval, l'Université McGill, l'Université de Montréal et l'Université de Sherbrooke. On peut obtenir tous les détails sur les études médicales dans le site du Collège des médecins à l'adresse suivante : http://www.cmq.org.

Médecin spécialiste en allergie et en immunologie clinique*

mon travail

L'allergologue-immunologue est un médecin spécialisé dans le dépistage, le diagnostic et le contrôle des troubles physiologiques (difficultés respiratoires, éruptions cutanées, démangeaisons, **œdème**, larmoiement, écoulement nasal, etc.) occasionnés par les allergies.

Il interroge les patients sur leurs symptômes et sur leur environnement (à la maison, au travail, etc.). Il les examine et procède à des tests complémentaires comme les **tests cutanés** (*prick tests*) et les **patch-tests**. En cas d'**asthme**, il procède à une **exploration fonctionnelle du système respiratoire**. Il peut aussi prescrire des analyses sanguines pour vérifier la présence d'**immunoglobulines** spécifiques à l'allergène suspecté dans le sang.

Ensuite, il pose son diagnostic et commence le traitement qui peut prendre différentes formes (modification de l'environnement, du comportement, des habitudes alimentaires, médicaments, vaccins, désensibilisation, etc.).

Des milieux de travail potentiels

❯ Centres d'hébergement et de soins de longue durée

❯ Centres hospitaliers

❯ Centres locaux de services communautaires (CLSC)

❯ Cliniques privées

ma motivation

L'allergologue-immunologue s'intéresse à la personne dans sa globalité en relation avec son environnement. De plus, la réaction allergique peut être causée par une foule d'allergènes comme les acariens, les moisissures, certains aliments, les poils d'animaux, les piqûres de guêpes, etc. La réaction peut aussi toucher différents organes et générer de nombreux problèmes comme la conjonctivite, la rhinite, le rhume des foins, l'asthme, l'eczéma, l'urticaire, etc. Le champ d'action de ce spécialiste est donc vaste et varié, ce qui en fait une discipline à la fois exigeante et pleine de défis.

L'allergologue-immunologue couvre plusieurs aspects de la médecine parce qu'il gère les difficultés qu'éprouve le patient dans son rapport avec ce qui l'entoure et se modifie, comme la nourriture, la nature, l'habitat, etc. Il doit donc pouvoir se faire rapidement une vue d'ensemble pour bien évaluer la situation générale du patient. C'est également une discipline très stimulante, car en constante évolution, où l'on doit suivre de près les modifications des allergènes, l'apparition de nouveaux allergènes et les allergies croisées.

* Exceptionnellement, en l'absence d'un médecin disponible pour un témoignage, nous publions ici une monographie de cette profession.

mon conseil

Dans l'exercice de cette profession, on doit faire preuve de patience et de détermination pour chercher et trouver les causes des symptômes du patient, ce qui n'est pas toujours chose aisée. Tel le détective qui mène une enquête pour trouver le coupable, il faut avoir une vraie passion pour la recherche. Un excellent sens de l'observation et une bonne mémoire sont également essentiels pour parvenir à relier tous les indices et créer une vision d'ensemble qui permettra de poser un diagnostic. 09/03

mon parcours

Pour devenir allergologue-immunologue, la voie la plus directe est un diplôme d'études collégiales (DEC) en science de la santé ou en sciences pures, suivi du doctorat en médecine et de la **résidence** en allergologie-immunologie.

Les mots en caractères **gras** sont définis dans le glossaire (p. 169 à 174).

Médecin spécialiste en anatomopathologie
> en milieu hospitalier

mon travail

Quand votre médecin traitant fait des prélèvements sur vous et qu'il les envoie «au laboratoire», il les envoie à un médecin spécialiste en anatomopathologie, communément appelé pathologiste. «Sans la pathologie, il lui serait beaucoup plus difficile d'établir le bon diagnostic», explique Marie-Laure Brisson, médecin spécialiste, pathologiste et directrice du département de pathologie de l'Hôpital général juif de Montréal.

«Le pathologiste examine des prélèvements de tissus humains, d'abord à l'œil nu, puis à l'aide d'un microscope optique. Par la suite, différentes modalités diagnostiques peuvent venir compléter ses observations, comme l'**immunofluorescence**, la **microscopie électronique**, la **biologie moléculaire** ou la **génétique**.» Une démarche grâce à laquelle il est possible de déterminer la nature d'une maladie, son étendue, sa gravité et son évolution probable. «J'explique les résultats aux médecins traitants. Je suis une consultante pour eux, précise la spécialiste. Dans certains cas, je dois examiner le prélèvement pendant l'intervention chirurgicale afin de poser un diagnostic immédiat et ainsi permettre au chirurgien de pratiquer l'intervention la plus appropriée.»

ma motivation

«Ce qui m'a attirée en médecine, c'est la vie : la sauver, lui redonner une qualité, la prolonger. En posant un diagnostic exact, le pathologiste contribue à l'atteinte de ces objectifs», souligne Marie-Laure, en ajoutant que même la pratique d'une autopsie peut faire avancer les connaissances sur la vie.

«C'est aussi pour la diversité des rôles que le pathologiste peut assumer que j'ai choisi cette spécialité. On intervient dans toutes sortes de cas, allant du **test Pap** à l'étude des malformations fœtales. En centre universitaire, le pathologiste est aussi appelé à enseigner et à faire de la recherche clinique ou fondamentale. De plus, les horaires du pathologiste peuvent être un peu plus souples que ceux d'autres médecins spécialistes, parce qu'il n'a pas de patients à suivre directement.» Cela dit, Marie-Laure affirme tout de même travailler entre 10 et 12 heures par jour.

mon conseil

Un bon pathologiste doit être curieux, rigoureux, perspicace et tenace, et aimer travailler en équipe pour mener à bien les différents tests. Marie-Laure fait aussi remarquer qu'à l'Institut médico-légal du Québec, ce sont des pathologistes qui réalisent les autopsies liées aux morts violentes ou encore aux identités douteuses. «Il ne faut pas craindre cet aspect de la pratique. Il y a beaucoup à apprendre du décès d'une personne. En comprendre la cause est souvent utile pour sauver d'autres vies.» 09/03

Des milieux de travail potentiels

> Centres d'hébergement et de soins de longue durée
> Centres hospitaliers
> Centres locaux de services communautaires (CLSC)
> Cliniques privées

mon parcours

«J'ai fait mon doctorat en médecine à l'Université de Montréal, raconte Marie-Laure. Puis, j'ai fait cinq ans de **résidence** en pathologie à l'Hôtel-Dieu de Montréal et à l'Université de Georgetown à Washington DC. Par la suite, j'ai fait ma surspécialité en pathologie des maladies du rein à l'Université de Georgetown et à l'Université McGill de Montréal.» Marie-Laure a commencé à travailler à l'Hôpital général juif de Montréal dès la fin de ses études.

Les mots en caractères **gras** sont définis dans le glossaire (p. 169 à 174).

Médecin spécialiste (résidente) en anesthésiologie

❯ en milieu hospitalier

mon travail

Souffrir le moins possible, voilà ce que l'on espère quand on doit subir une chirurgie. Sophie Collins est là pour y voir. D'abord médecin, Sophie se spécialise actuellement en anesthésiologie. Elle pratique surtout en salle d'opération, sous la supervision d'anesthésiologistes reçus.

Sophie peut rencontrer le patient quelques jours à l'avance en clinique d'évaluation préopératoire ou encore juste avant la chirurgie. Elle évalue alors sa condition physique et, s'il y a lieu, l'envoie passer des tests complémentaires, comme des prises de sang ou des radiographies. Elle détermine ainsi avec le principal intéressé si l'intervention nécessite qu'il soit insensibilisé localement ou «endormi».

Avant et pendant la chirurgie, Sophie administre des médicaments au patient afin de diminuer le plus possible la conscience ou la douleur. En cours de route, elle maintient et surveille ses fonctions vitales, comme son pouls et sa respiration, à l'aide de divers appareils, tel le respirateur artificiel. Une fois l'intervention terminée, elle va voir le patient en salle de réveil pour s'assurer qu'il va bien et lui faire prendre des médicaments contre la douleur au besoin.

Des milieux de travail potentiels

- ❯ Centres d'hébergement et de soins de longue durée
- ❯ Centres hospitaliers
- ❯ Centres locaux de services communautaires (CLSC)
- ❯ Cliniques privées

ma motivation

Pour Sophie, l'anesthésiologie est une spécialité stimulante, car elle permet de voir toutes sortes de situations. «Je travaille autant avec des enfants, des adultes, des femmes enceintes que des personnes âgées. J'interviens dans une grande diversité de cas : ablation d'amygdales ou de kystes, chirurgies cardiaques, naissances, amputations, etc. En plus, je vois immédiatement l'effet de mes actions sur les patients et leur douleur. C'est très valorisant de faire du bien à quelqu'un qui a mal.

«Pour une personne qui ne veut pas avoir à faire de suivi de patient, c'est vraiment idéal, poursuit-elle. Une fois que le patient est bien, qu'il n'a plus de nausées ou de vomissements, qu'il respire bien, que sa douleur est contrôlée, qu'il a une bonne pression et un bon pouls, je peux l'envoyer à sa chambre pour sa convalescence. Mon intervention est terminée.»

mon conseil

«En salle d'opération, il se passe de longues périodes où tout va bien, mais je dois quand même rester vigilante. Lorsque survient une situation d'urgence, comme un saignement non maîtrisé, c'est à moi d'agir et de ramener le patient à un état normal. Mon calme agit alors sur toute l'équipe du bloc opératoire.» 06/03

mon parcours

Sophie a obtenu son diplôme d'études collégiales (DEC) en sciences de la santé au Collège Jean-de-Brébeuf, puis son doctorat en médecine à l'Université Laval. **Résidente** en anesthésiologie, elle travaille de 50 à 80 heures par semaine dans différents hôpitaux liés à l'Université de Montréal, comme l'Hôpital Maisonneuve-Rosemont et l'Hôpital Sacré-Cœur de Montréal.

Les mots en caractères **gras** sont définis dans le glossaire (p. 169 à 174).

Médecin spécialiste en biochimie médicale

❯ en milieu hospitalier

mon travail

Le médecin biochimiste, c'est le spécialiste de la chimie de la matière vivante. «Nous étudions et analysons différents prélèvements humains [sang, urine, salive, larmes, etc.] pour y déceler des anomalies pouvant être associées à une maladie, explique Jean Dubé, médecin biochimiste à l'Hôpital Fleurimont du Centre hospitalier de l'Université de Sherbrooke (CHUS). Ces analyses déterminent, par exemple, le taux de sucre ou encore de cholestérol dans le sang. Les résultats aident les **médecins traitants** à établir le diagnostic et à ajuster le traitement des patients.»

Jean fait partie d'une équipe de six médecins biochimistes qui se partagent la supervision de plusieurs techniciens de laboratoire, lesquels exécutent les différents tests. Quand un résultat semble anormal, c'est à lui de vérifier, par exemple, si les instruments d'analyse fonctionnent bien et si le prélèvement a été fait dans les bonnes conditions. Jean enseigne également aux étudiants en médecine de l'Université de Sherbrooke.

Des milieux de travail potentiels

- ❯ Centres d'hébergement et de soins de longue durée
- ❯ Centres hospitaliers
- ❯ Centres locaux de services communautaires (CLSC)
- ❯ Cliniques privées

ma motivation

«J'ai toujours été passionné par la science médicale, la recherche et les personnes, raconte Jean. J'ai donc choisi la médecine tout simplement.» Il s'est ensuite dirigé vers la biochimie médicale pour des raisons de qualité de vie. «Je ne me voyais pas en médecin d'urgence. La biochimie me permet une carrière médicale de laboratoire, avec la possibilité de suivre des patients en clinique externe et d'être de garde à partir de mon domicile. Je peux ainsi vivre ma passion tout en me réservant du temps.» Seul sortant en biochimie médicale de son année, Jean a eu l'embarras du choix pour se trouver un emploi. «J'ai choisi ce poste à Sherbrooke parce qu'il se doublait d'un poste de professeur adjoint à la faculté de médecine de l'Université. Pour moi, c'était très important de pouvoir partager mes connaissances et de poursuivre des recherches. L'Université me donne accès à des locaux, à du matériel et à du personnel pour mes travaux.»

mon conseil

Pour devenir biochimiste médical, il faut être curieux de nature en plus d'aimer les sciences et le travail de laboratoire, qui implique beaucoup d'observation et d'analyse. «Il faut aussi être autonome dans ses études. Le programme de biochimie médicale est moins fréquenté, alors il y a moins de supervision et d'encadrement que dans d'autres programmes plus populaires. Il ne faut pas s'attendre à se faire tenir la main!» 08/03

mon parcours

Jean a fait un baccalauréat en biologie médicale à l'Université du Québec à Trois-Rivières (UQTR), suivi d'une maîtrise en sciences expérimentales à l'Institut national de la recherche scientifique (INRS). Ensuite, pendant cinq ans, il a mené de front un doctorat en médecine expérimentale (Ph. D.) et un doctorat en médecine (M.D.) à l'Université Laval. Après un an et demi de **résidence** en médecine interne, il a bifurqué vers une résidence en biochimie médicale d'une durée de cinq ans.

I Les mots en caractères **gras** sont définis dans le glossaire (p. 169 à 174).

Médecin spécialiste en cardiologie

❯ en milieu hospitalier

mon travail

«Je m'occupe du dépistage, du diagnostic, du traitement et de la prévention des maladies du cœur et des problèmes de circulation sanguine dans les vaisseaux. Les principales maladies que je traite sont les infarctus du myocarde, les artères sclérosées et rétrécies, l'**arythmie**, la **péricardite**, le **souffle au cœur**, etc.», explique Simon Kouz, spécialiste en cardiologie et chef de l'unité de cardiologie au Centre hospitalier régional de Lanaudière (CHRDL) à Joliette.

«Dans ma lutte contre les maladies du cœur, le bon vieux stéthoscope est mon principal outil de travail. Je fais aussi passer différents tests à mes patients, comme des examens biologiques [pour vérifier le **dosage des enzymes du muscle du cœur**, par exemple], des **électrocardiogrammes**, une **coronographie**, etc., pour obtenir des renseignements sur leur état de santé. Puis, j'analyse les résultats et pose un diagnostic. Je prescris des changements dans le mode de vie et les médicaments appropriés.»

Des milieux de travail potentiels

❯ Centres d'hébergement et de soins de longue durée

❯ Centres hospitaliers

❯ Centres locaux de services communautaires (CLSC)

❯ Cliniques privées

ma motivation

«J'ai choisi la médecine parce que j'aime les gens et que je veux les aider à mieux vivre. Je voulais une profession où les relations interpersonnelles occupent une bonne place. De plus, j'étais passionné par le corps humain et la biologie. Je voulais comprendre comment ça fonctionnait, relate Simon.

«J'ai choisi cette spécialité parce que j'aime les concepts clairs, la logique. Le principe de base de la cardiologie, ce n'est pas plus compliqué qu'une pompe et des tuyaux! J'ai toujours trouvé fascinant qu'une machine aussi complexe que le corps humain soit régie par quelque chose d'aussi simple.

«Dans cette discipline, il y a toujours de nouvelles découvertes, et il se fait d'ailleurs aujourd'hui beaucoup plus de prévention que d'opérations. Toute cette évolution fait en sorte que je suis perpétuellement en formation. Internet me permet d'apprendre beaucoup plus vite qu'auparavant, de voir des photos et de comprendre les nouveautés au fur et à mesure. J'ai le privilège de pouvoir aider mes patients grâce à mes connaissances, et en retour j'ai le devoir de tenir mes connaissances à jour pour pouvoir mieux les aider encore», confie Simon.

mon conseil

Un cardiologue se doit d'être en bonne santé : le travail est en effet si exigeant qu'on n'a pas le temps d'être malade! On doit donc avoir une excellente hygiène de vie pour aspirer à cette profession. De plus, il faut être capable de prendre des décisions rapidement, de garder son sang-froid et de bien réagir au stress. On doit également avoir des aptitudes pour le travail en équipe, car on travaille de concert avec d'autres professionnels de la santé. 09/03

mon parcours

Pour devenir médecin spécialiste en cardiologie, on doit d'abord obtenir un doctorat en médecine, puis effectuer sa **résidence** dans cette discipline. Il est possible ensuite de faire une surspécialité en cardiologie d'intervention, en cardiopathie congénitale, en recherche clinique, etc.

Les mots en caractères **gras** sont définis dans le glossaire (p. 169 à 174).

Médecin spécialiste en chirurgie cardiovasculaire et thoracique
> en milieu hospitalier

mon travail

Un patient qui se présente à l'Institut de cardiologie de Montréal (ICM) n'a pas le cœur à rire. Louis Perrault, chirurgien cardiovasculaire et thoracique, le sait. «Le patient est déjà envoyé par un cardiologue. Le diagnostic est tombé, la chirurgie est souhaitable dans 95 % des cas. Je discute alors avec le patient des options, du déroulement de l'intervention, des bénéfices et des risques.»

Louis figure parmi la quarantaine de chirurgiens cardiovasculaires et thoraciques québécois. Des chirurgies, il en fait 270 par année. Trois jours par semaine, il effectue des **pontages coronariens**, des **chirurgies valvulaires**, des greffes cardiaques et des interventions chirurgicales cardiaques pour corriger des problèmes congénitaux.

La chirurgie cardiovasculaire, dit-il, est parmi les disciplines les plus exigeantes sur le plan technique. «C'est une chirurgie microvasculaire. On utilise des loupes pour opérer des vaisseaux qui font aussi peu que 1 mm de diamètre interne. De plus, la clientèle est à haut risque [parce que gravement malade]. Nous sommes comme des funambules...» En plus de la recherche fondamentale et appliquée qu'il effectue à l'ICM, Louis prend sous sa houlette les résidents en chirurgie cardiaque et les étudiants de maîtrise et de doctorat en pharmacologie de l'Université de Montréal.

Des milieux de travail potentiels

> Centres d'hébergement et de soins de longue durée

> Centres hospitaliers

> Centres locaux de services communautaires (CLSC)

> Cliniques privées

ma motivation

«J'ai choisi la médecine par défi, confie Louis. C'était le parcours qui me semblait le plus difficile.» Puis, ç'a été un coup de cœur pour l'univers de la chirurgie. «Les chirurgiens sont des gens d'action, pragmatiques, qui aiment les résultats immédiats. Cela correspondait à mon tempérament.»

Un patient en attente d'une greffe cardiaque peut avoir moins d'un an à vivre, illustre le chirurgien. Or, quelques jours après la greffe, il peut faire de la bicyclette stationnaire, alors qu'avant, le moindre geste l'épuisait. «C'est spectaculaire! Les résultats sont instantanés, la gratification aussi.» Louis aime particulièrement la décharge d'adrénaline qui accompagne le geste chirurgical.

mon conseil

Bien connaître les implications du métier avant d'y plonger tête première est indispensable, selon Louis. «C'est une spécialité qui demande beaucoup psychologiquement et physiquement. On ne peut pas faire son travail en dilettante. Nos patients nous suivent toujours, même en vacances.»

mon parcours

Avant de travailler à l'ICM, Louis a traversé... 16 années d'études universitaires. À l'Université de Montréal, il a fait son doctorat de cinq ans en médecine, un même nombre d'années de **résidence** en chirurgie générale et trois ans de résidence en chirurgie cardiovasculaire et thoracique. Par la suite, il s'est expatrié en France, où il a fait un doctorat de trois ans en pharmacologie cellulaire et moléculaire à l'Université Louis-Pasteur de Strasbourg.

L'investissement en temps est également considérable : les résidents peuvent consacrer 100 heures par semaine au travail. Louis estime donc que pour réussir la formation, il faut nécessairement trouver sa gratification dans le geste opératoire lui-même. 05/03

Les mots en caractères **gras** sont définis dans le glossaire (p. 169 à 174).

Médecin spécialiste en chirurgie générale

❯ **en milieu hospitalier et en clinique privée**

mon travail

Bistouri, scalpel sont des mots qui en font frémir plusieurs, mais pas Nancy Roy, chirurgienne générale.

Cette branche de la médecine ratisse large, confirme Nancy. Elle comprend la chirurgie de la tête, du cou, des tissus mous (comme la peau, la graisse et les muscles), des seins, des **glandes endocrines** (sauf l'**hypophyse**), du thorax, de l'abdomen et des vaisseaux sanguins. «La vaste majorité des chirurgiens se spécialisent», nuance-t-elle toutefois.

Nancy exerce en cabinet privé ainsi qu'au Centre hospitalier des Vallées de l'Outaouais, à Gatineau. «Je pratique les interventions chirurgicales du système digestif et du sein. Il s'agit autant de chirurgies majeures en bloc opératoire [pour des cas de cancer, par exemple], que mineures [comme l'ablation d'un kyste ou encore d'une tumeur bénigne].»

Ses autres tâches englobent les consultations, notamment auprès des patients de l'urgence, les **endoscopies** et les **colonoscopies** ainsi que les rencontres périodiques avec les patients qu'elle a opérés. Professeure à ses heures, elle enseigne également aux chirurgiens en herbe qui viennent faire leur stage à l'hôpital.

ma motivation

Nancy a clairement le sentiment de jouer un rôle crucial. «Dernièrement, j'ai sauvé la vie d'une jeune femme de 28 ans aux prises avec la bactérie mangeuse de chair à l'abdomen. Alors qu'en théorie, ses chances de survie étaient presque nulles, l'opération chirurgicale lui a permis de s'en sortir et de repartir chez elle.»

La chirurgienne se dit également stimulée intellectuellement par sa profession, qu'elle qualifie de non routinière. «C'est toujours une surprise! Lorsqu'on est de garde, on peut être appelé d'urgence pour aller opérer un patient, donner un avis médical, assister un collègue, etc. Contrairement à d'autres disciplines très spécialisées, les cas sont plus complexes et plus variés.»

Présentement, un projet l'enthousiasme particulièrement : elle souhaite implanter dans sa région une clinique des maladies du sein.

mon conseil

Avant de choisir ce métier, il faut se demander si l'on est prêt à être dérangé en tout temps, concède Nancy. Week-ends, nuits, anniversaires, réveillons de Noël : rien n'est exclu. «Pour fonder une famille avec une carrière pareille, ça prend beaucoup d'organisation.»

mon parcours

Nancy a d'abord effectué un doctorat en médecine (un programme de cinq ans) à l'Université Laval. Son titre de médecin en poche, elle a fait ses cinq ans de **résidence** en chirurgie générale à la même université, avant d'être engagée comme chirurgienne générale au Centre hospitalier des Vallées de l'Outaouais.

Dans le feu de l'action, il faut aussi oser, souligne-t-elle. «Le mode d'emploi n'est pas toujours dans les manuels. On doit parfois inventer une nouvelle approche ou utiliser une technologie en émergence, comme la **laparoscopie**, qui n'existait pas encore quand j'étais aux études.» 05/03

Les mots en caractères **gras** sont définis dans le glossaire (p. 169 à 174).

Médecin spécialiste en chirurgie orthopédique
> en milieu hospitalier

mon travail

Hugo Viens est chirurgien orthopédique au Centre hospitalier du Haut-Richelieu, à Saint-Jean-sur-Richelieu. Sa spécialité l'amène à diagnostiquer et à traiter les blessures et les atteintes du système musculo-squelettique dans son ensemble, c'est-à-dire les maladies, les traumatismes et les malformations des os – notamment la colonne vertébrale – des articulations, des ligaments, des muscles et des tendons.

«Les traumatismes musculo-squelettiques, comme les fractures, les entorses et les luxations, concernent le chirurgien orthopédique, explique Hugo. Je m'occupe donc du traitement médical de ces atteintes, et s'il y a lieu, du traitement chirurgical. Le deuxième grand domaine d'activité des orthopédistes concerne toutes les pathologies dégénératives, comme l'arthrose ou le vieillissement des articulations, ainsi que toutes les maladies infectieuses qui touchent les os et les articulations.»

Des milieux de travail potentiels

> Centres d'hébergement et de soins de longue durée

> Centres hospitaliers

> Centres locaux de services communautaires (CLSC)

> Cliniques privées

ma motivation

Après avoir obtenu son doctorat en médecine générale, Hugo a choisi de devenir chirurgien orthopédique par intérêt pour la **biomécanique**, et l'aspect manuel et concret de cette spécialité. «Quand on travaille en orthopédie, on a parfois l'impression d'être dans un garage automobile! On travaille avec des outils pneumatiques, des marteaux, des perceuses, des scies, mais aussi avec des microscopes et différents instruments de précision pour les techniques microchirurgicales.»

Hugo estime également que c'est un domaine où l'on peut avoir une relation très gratifiante avec ses patients. «L'impact sur la qualité de vie des gens est très important en orthopédie, explique-t-il. L'intervention articulaire de la hanche, qui est une chirurgie orthopédique, est l'intervention chirurgicale qui améliore le plus la santé des gens. Des personnes qui ne pouvaient plus marcher reviennent me voir pour me remercier de leur avoir donné une nouvelle vie. C'est très valorisant.»

mon conseil

«Je crois qu'il y a un ingénieur mécanique qui sommeille en chaque chirurgien orthopédique. La biomécanique requiert un intérêt pour le génie mécanique de façon générale, afin de bien comprendre le fonctionnement du corps humain», précise Hugo.

Il ajoute toutefois que cette spécialité implique un nombre d'heures de présence à l'hôpital qui est l'un des plus élevés de l'ensemble des spécialités médicales et chirurgicales. «Durant les gardes, on s'occupe des polytraumatisés et de toutes les pathologies de l'appareil musculo-squelettique. Ce sont des types de cas qui entrent continuellement aux urgences.» 07/03

mon parcours

Hugo a étudié trois ans en biologie à l'Université de Montréal. Son baccalauréat en poche, il s'est inscrit au doctorat en médecine générale à la même université, et a ensuite entamé sa **résidence** en orthopédie. Diplômé en mai 2003, il a commencé à pratiquer au Centre hospitalier du Haut-Richelieu.

Les mots en caractères **gras** sont définis dans le glossaire (p. 169 à 174).

Médecin spécialiste en chirurgie plastique
> **en clinique privée**

mon travail

Ezat Hashim se dit d'abord médecin. «Mon rôle est d'améliorer la santé et la qualité de vie des personnes», dit-il. Mais au quotidien, ses interventions concernent surtout l'apparence des patients. «Je suis un sculpteur de corps. Mes principaux outils de travail sont mon sens artistique, mes connaissances médicales et ma minutie.»

Les patients qui le consultent à la Clinique de chirurgie plastique de Montréal le font principalement pour deux raisons. «Les uns veulent rétablir leur apparence à la suite d'un traumatisme, comme des brûlures ou encore l'ablation d'un sein.» Ces gens ont besoin d'une intervention en chirurgie plastique. «Les autres viennent plutôt par désir de modifier leur apparence, par exemple, pour refaire leurs seins, leur visage, leur nez, leurs mains, faire enlever une tache de naissance, des poches sous les yeux, etc.» On parle alors de chirurgie esthétique. Dans tous les cas, le médecin écoute, prend des photos, examine et détermine de quelle manière il peut aider la personne.

Des milieux de travail potentiels

> Centres d'hébergement et de soins de longue durée

> Centres hospitaliers

> Centres locaux de services communautaires (CLSC)

> Cliniques privées

ma motivation

«Jeune, j'aimais le dessin et les sciences, se souvient le Dr Hashim. J'ai donc choisi la médecine pour le côté scientifique, et la chirurgie plastique pour le travail sur la beauté.» En plus de combiner ses deux passions, sa pratique lui permet aujourd'hui un contact privilégié avec les personnes.

«C'est un grand plaisir d'opérer un patient, de rétablir les proportions de son visage ou de son corps et de constater, après la guérison, la beauté retrouvée. Mes interventions changent la vie des gens. Elles les aident à s'accepter et à s'aimer davantage en leur procurant un corps qui correspond mieux à l'idée qu'ils s'en font.» Mais il lui arrive aussi de refuser de pratiquer certaines interventions. «Je ne veux pas créer des clowns. L'éthique que j'observe est celle de la beauté naturelle», souligne-t-il.

mon conseil

«Pour pratiquer la chirurgie plastique, il faut aimer les sciences parce qu'il faut d'abord devenir médecin, prévient-il. De plus, il faut aimer travailler minutieusement et délicatement, être patient et avoir un bon jugement.» Mais, puisque la discipline requiert aussi un bon sens artistique, le chirurgien insiste sur l'importance de développer ses connaissances en art, «par exemple en allant voir des expositions, en se tenant au courant des tendances, en fouillant l'histoire». 09/03

mon parcours

Ezat Hashim a effectué un baccalauréat en chimie/biochimie à l'Université McGill avant d'y faire son doctorat en médecine, puis une maîtrise en chirurgie expérimentale. Il a fait sa **résidence** en chirurgie plastique à l'Hôpital général de Montréal, à l'Hôpital Royal Victoria et à l'Hôpital de Montréal pour enfants avant d'entreprendre deux surspécialités en chirurgie esthétique en Ontario, l'une au Cosmetic Surgery Hospital à Woodbridge et l'autre au General Hospital à Scarborough. Il pratique à la Clinique de chirurgie plastique de Montréal depuis 2000.

Les mots en caractères **gras** sont définis dans le glossaire (p. 169 à 174).

Médecin spécialiste en dermatologie
> en clinique privée et en milieu hospitalier

mon travail

Si, en revenant d'une escapade romantique en forêt, vous avez des cloches d'eau sur la peau accompagnées d'intenses démangeaisons, vous faites probablement une réaction allergique à l'herbe à puce. Comme ce jeune couple infortuné qui a consulté le dermatologue Pierre Ricard, vous devrez subir un traitement à la calamine ou à la cortisone pour guérir cette «dermite par contact vénéneuse». Pierre soigne des personnes de tout âge qui ont des maladies de peau, reliées ou non à l'esthétique : acné, rosacée, eczéma ou perte de cheveux, par exemple. Il précise que les dermatologues (ou dermatologistes) peuvent également soigner des maladies transmises sexuellement, comme la syphilis ou l'herpès, ainsi que les manifestations externes de maladies internes, comme les éruptions cutanées chez les personnes leucémiques. Ces médecins spécialistes sont aussi habilités à enlever les verrues, les poils, la couperose, les rides et les taches de vin à l'aide du laser, «un bistouri sans saignement qui pourra peut-être un jour traiter l'acné». Pierre souligne également le rôle que jouent les membres de sa profession dans la prévention du cancer de la peau. C'est grâce à eux si, aujourd'hui, la population est sensibilisée aux effets néfastes de l'exposition au soleil.

Des milieux de travail potentiels

> Centres d'hébergement et de soins de longue durée
> Centres hospitaliers
> Centres locaux de services communautaires (CLSC)
> Cliniques privées

ma motivation

L'aspect psychologique occupe une place importante dans le travail du dermatologue, souligne le spécialiste. «Souvent, les gens ont une perception négative d'eux-mêmes», observe-t-il. Réconforter, rassurer et faire preuve d'entregent vont donc de pair avec la pratique. Une dame de 87 ans a un très léger cancer sur la joue? Il vaut sans doute mieux ne pas prononcer devant elle le mot tant redouté si elle semble inquiète de nature. En plus du contact humain, il apprécie de pouvoir déterminer ce dont souffre une personne. «C'est constructif. Par exemple, si vous voyez un **mélanome** chez quelqu'un, vous venez peut-être de lui sauver la vie.» Quand le diagnostic ne vient pas tout de suite, il consulte des livres spécialisés ou demande conseil à l'un des deux confrères avec qui il partage son cabinet.

mon conseil

Pierre déplore avoir souvent vu des gens atterrir en douleur dans son bureau parce qu'on leur avait prescrit ailleurs un médicament inefficace. D'où l'importance de bien écouter les patients. Si un adolescent fait de l'acné, par exemple, son dermatologue doit savoir si d'autres membres de sa famille en font aussi. «Écouter permet d'établir l'histoire personnelle du patient et de sa maladie, afin de lui proposer un traitement approprié.» 07/03

mon parcours

Après sa formation classique, Pierre a entrepris un doctorat en médecine suivi d'une **résidence** de cinq ans en dermatologie, à l'Université de Montréal. Lui qui aspirait initialement à devenir gynécologue (comme son père) s'est aperçu en cours d'études que très peu de médecins savaient traiter les maladies de peau. C'était en 1965, et il n'y avait que 60 dermatologues au Québec. Intrigué par cette spécialité, il a décidé d'y plonger. Une décision qui ne semble pas lui avoir donné d'urticaire!

Les mots en caractères **gras** sont définis dans le glossaire (p. 169 à 174).

Médecin spécialiste en endocrinologie
> en milieu hospitalier

formation universitaire

mon travail

«L'endocrinologie est la science médicale qui étudie les glandes endocrines. Ces glandes fabriquent les hormones qui se déversent dans le sang avant d'atteindre leurs tissus cibles. Parmi les glandes les plus connues, notons la thyroïde, les parathyroïdes, le pancréas, les testicules, les ovaires, les surrénales et l'hypophyse», explique Fernand Labrie, médecin spécialiste en endocrinologie, directeur du Centre de recherche du Centre hospitalier de l'Université Laval.

«Les glandes endocrines produisent des hormones comme l'hormone de croissance, la testostérone et l'**estradiol**, pour parler des plus connues. Il arrive que ces glandes se dérèglent, amenant ainsi une déficience ou une augmentation de la fabrication des hormones. L'endocrinologue étudie ces dérèglements en procédant à des analyses sanguines afin de connaître les paramètres biologiques du patient et d'établir le traitement hormonal approprié. Les maladies les plus connues reliées au dérèglement hormonal sont le diabète, l'hypothyroïdie, l'ostéoporose, l'infertilité, etc.

«Mon travail de chercheur me permet de concentrer ma pratique professionnelle sur la recherche en laboratoire, alors que mon travail de directeur m'astreint à diverses tâches administratives incontournables pour assurer le succès de la recherche», ajoute Fernand.

Des milieux de travail potentiels

> Centres d'hébergement et de soins de longue durée

> Centres hospitaliers

> Centres locaux de services communautaires (CLSC)

> Cliniques privées

ma motivation

«J'ai toujours été intéressé par les sciences. La chimie, la biochimie et les mathématiques étaient mes matières favorites. La médecine m'apparaissait être la meilleure avenue pour travailler dans un milieu scientifique tout en apportant une contribution au soulagement de la souffrance humaine, spécialement le cancer qui est le plus grand fléau», explique le médecin.

mon conseil

«L'endocrinologie est une discipline scientifique qui requiert plusieurs qualités. Ainsi, une bonne dose de curiosité est nécessaire; il faut également se montrer tenace pour se reposer sans cesse les mêmes questions et refaire les mêmes analyses pour s'assurer que tout est aussi parfait que possible; on doit également avoir le goût d'apprendre et remettre les choses en question pour aller au-delà des connaissances actuelles», déclare Fernand. 09/03

mon parcours

Fernand a obtenu son doctorat en médecine à l'Université Laval, puis a poursuivi ses études de spécialisation en endocrinologie. Il a ensuite effectué des études post-doctorales au Département de biochimie de l'Université de Cambridge, puis à l'Université du Sussex et enfin au Laboratoire de biologie moléculaire de Cambridge, en Grande-Bretagne. Il a fondé le Laboratoire d'endocrinologie moléculaire, qui est devenu le Centre de recherche en endocrinologie moléculaire et oncologique (CREMO) de l'Université Laval. Ses recherches ont, entre autres, permis la découverte de la castration chimique et du traitement hormonal combiné, utilisés dans le monde entier comme traitements standards du cancer de la prostate.

Les mots en caractères **gras** sont définis dans le glossaire (p. 169 à 174).

Médecin spécialiste en gastro-entérologie

> **en milieu hospitalier**

mon travail

Un médecin spécialiste en gastro-entérologie se consacre aux problèmes du tube digestif et de ses glandes annexes, c'est-à-dire le foie, la vésicule biliaire et le pancréas. Chef du service de gastro-entérologie au Centre hospitalier de l'Université Laval (CHUL) à Québec, Pierre Gagnon explique la particularité de sa pratique.

«En gastro-entérologie, l'un des outils de diagnostic est l'endoscope. C'est un appareil vidéo qu'on introduit par la bouche ou le rectum, et qui permet d'aller voir l'intérieur du tube digestif. Lors de la réalisation de l'endoscopie, on peut également, avec des instruments adaptés à cette technique guidée par vidéo, poser des gestes thérapeutiques, comme enlever des polypes intestinaux. Ceci évite une chirurgie au patient.»

Pierre est responsable de l'admission des patients au service de gastro-entérologie du CHUL, mais il est également sollicité pour son expertise dans les autres services, notamment aux urgences.

Des milieux de travail potentiels

> Centres d'hébergement et de soins de longue durée

> Centres hospitaliers

> Centres locaux de services communautaires (CLSC)

> Cliniques privées

ma motivation

C'est après avoir effectué un stage en gastro-entérologie lors de sa formation en médecine générale que Pierre a décidé de choisir cette spécialité. «La gastro-entérologie n'est pas une pratique routinière. Il y a le côté analytique quand on est en consultation avec les patients, et il y a le côté technique lorsqu'on fait des endoscopies.»

Pierre a un intérêt tout particulier pour les problématiques causant des symptômes – douleurs abdominales, diarrhées, constipations, mauvaise digestion, par exemple – qui ne sont pas reliés à une maladie organique, mais aux émotions et au stress.

«Cela concerne de 50 à 60 % des patients reçus en clinique externe, précise-t-il. Il faut être capable de les prendre en charge et de les aider à bien canaliser leur énergie, non pas vers la douleur, mais vers ce qui génère la douleur, c'est-à-dire la sphère psychologique ou émotionnelle.»

mon conseil

«À mon avis, la chose la plus importante est d'aimer le contact avec les patients et d'être à l'aise avec les malades, affirme Pierre. J'ai compris récemment que pour être un bon gastro-entérologue, il faut savoir apprivoiser sa propre souffrance. Si on la connaît, si on la comprend et qu'on l'accepte, cela crée une ouverture qui nous permet d'être réceptif à la souffrance du patient, une souffrance psychique qui se somatise dans le tube digestif.» 05/03

mon parcours

Pierre a obtenu son doctorat en médecine à l'Université Laval. Il a ensuite effectué sa **résidence** en gastro-entérologie à l'Université McGill. Diplômé en 1988, il pratiquera un an au Centre hospitalier de l'Université Laval à Québec, avant de se perfectionner un an en France en endoscopie thérapeutique à l'hôpital Édouard-Hériot, à Lyon. Il est ensuite revenu au CHUL en 1990.

Les mots en caractères **gras** sont définis dans le glossaire (p. 169 à 174).

Médecin spécialiste en génétique clinique
> en milieu hospitalier

mon travail

«Je suis responsable de la recherche et du dépistage des maladies des nouveau-nés pour tout le Québec. J'effectue des recherches sur l'hérédité – le bagage génétique qui nous vient de nos parents – et sur la **composition génétique**», explique Claude Laberge, médecin spécialiste en pédiatrie et génétique médicale, chef du laboratoire de génétique au Centre hospitalier de l'Université Laval (CHUL) et professeur de médecine pédiatrique à l'Université Laval.

«Je reçois des prélèvements sanguins de tous les bébés qui naissent au Québec, soit autour de 75 000 par année. Le laboratoire est entièrement automatisé. Je surveille les tests, les analyses et je commande de nouveaux prélèvements si besoin est. Finalement, j'envoie les résultats d'analyse aux médecins traitants et je leur explique les cas problèmes quand il y en a. Je peux également faire des tests sur des fœtus. Cela permet de savoir si l'enfant à naître sera en bonne santé ou s'il risque de développer une maladie héréditaire.»

ma motivation

Issu d'une longue tradition familiale (son père, son grand-père et l'un de ses oncles étaient médecins), Claude a grandi au milieu de discussions à caractère médical. «Quand j'ai choisi la pédiatrie, la **génétique** en était encore à ses premiers balbutiements. J'avais un vif intérêt pour ces nouvelles applications de la science au service des populations. J'avais envie de contribuer à cet essor. Les deux spécialités combinées me permettaient d'aider à la fois les enfants et les parents.

«Pour moi, il était primordial de rendre accessibles les nouvelles connaissances par l'entremise des soins médicaux à l'ensemble de la population québécoise. En ce sens, le laboratoire du Centre de recherche du CHUL joue un rôle essentiel, car il permet d'avoir une vue d'ensemble. C'est très gratifiant de pouvoir aider des gens frappés par la maladie et de trouver des pistes d'explication et de solutions là où il n'y en avait pas auparavant», précise Claude.

mon conseil

«Pour devenir généticien, il faut être passionné de biologie, s'intéresser à l'humain et à la santé des populations. On doit aimer se poser des questions et chercher des réponses, effectuer des tests, des expérimentations et même des investigations. Il faut être prêt à apprendre toute sa vie, ne pas avoir peur du changement, ni de remettre en question des vérités établies. Même s'il faut savoir respecter l'autorité, il faut aussi avoir une tête de cochon!» s'exclame Claude en riant. Car ce scientifique visionnaire, qui n'a pas souvent été premier de classe, dit devoir sa réussite à sa persévérance. 09/03

mon parcours

Claude a obtenu son doctorat en médecine à l'Université Laval. Il a fait sa **résidence** en pédiatrie à l'Université de Toronto et sa résidence au Hospital for Sick Children. C'est aux Sir Johns Hopkins Medical Institutions de Baltimore, au Maryland, qu'il a terminé sa surspécialité en génétique. Il a fait sa résidence au Johns Hopkins Hospital. Après ses études, il a participé à la création du laboratoire du Centre de recherche du CHUL.

Les mots en caractères **gras** sont définis dans le glossaire (p. 169 à 174).

Médecin spécialiste (résidente) en gériatrie

❯ en milieu hospitalier

mon travail

Au Département de gériatrie du Centre hospitalier de l'Université Laval (CHUL), on trouve des personnes âgées souffrant de problèmes de santé multiples (fractures, pneumonie, troubles cognitifs, insuffisance rénale, etc.) et dont l'autonomie est diminuée. «Mon but est de traiter physiquement les patients, mais aussi d'améliorer leur qualité de vie lors de leur retour à la maison», explique Mélanie Hains, médecin **résidente** en gériatrie.

Pour chaque cas, Mélanie évalue, outre les problèmes de santé, les antécédents médicaux, la prise de médicaments et le milieu de vie. Par exemple, le patient vit-il seul ou en couple? Dans son propre logement ou en centre d'hébergement? Elle pose ensuite son diagnostic, duquel découle un plan de traitement. Puis, avec l'aide de la famille et d'une équipe multidisciplinaire, composée notamment d'une **ergothérapeute**, d'une nutritionniste et d'une travailleuse sociale, Mélanie évalue les moyens d'assurer la sécurité et la stabilité du patient une fois qu'il aura quitté l'hôpital. Aide à domicile ou séjour dans une résidence pour personnes âgées font partie des solutions envisageables.

Des milieux de travail potentiels

❯ Centres d'hébergement et de soins de longue durée

❯ Centres hospitaliers

❯ Centres locaux de services communautaires (CLSC)

❯ Cliniques privées

ma motivation

«J'aime traiter les personnes âgées, car elles sont attachantes, confie Mélanie. Elles possèdent une grande expérience de vie, et c'est toujours enrichissant d'échanger avec elles.»

Encore récente, la gériatrie compte peu de praticiens. Mais avec le vieillissement de la population, les besoins augmentent, et les recherches vont bon train. «C'est une spécialisation où les découvertes futures sont prometteuses, et c'est très stimulant», souligne Mélanie, en évoquant notamment les percées dans le domaine des troubles cognitifs.

Sa résidence terminée, Mélanie souhaite demeurer dans le milieu hospitalier, où le travail d'équipe fait partie du quotidien. «Je ne pourrais pas travailler en solitaire, j'ai besoin du contact avec les gens. À l'hôpital, je suis en constante interaction avec les malades et leur famille, mais aussi avec mon équipe. L'expertise de chacun permet de mieux traiter les patients.»

mon conseil

Selon Mélanie, un jeune qui se destine à la gériatrie doit avoir la vocation. «Les études sont longues et difficiles. Il faut s'investir au maximum. L'amour du métier permet de passer au travers plus facilement.»

Cette spécialité demande aussi un intérêt pour le contact humain. «Il est important d'être à l'écoute des malades et de leur famille. Cela permet de faire une évaluation pertinente de l'état du patient et de mieux orienter le plan de traitement.» 08/03

mon parcours

Diplômée d'un doctorat en médecine de l'Université Laval, Mélanie a entrepris sa **résidence** en gériatrie sous la supervision du même établissement.

Les mots en caractères **gras** sont définis dans le glossaire (p. 169 à 174).

Médecin spécialiste (résident) en hématologie

> **en milieu hospitalier**

mon travail

Jean-Sébastien Delisle est un spécialiste des maladies du sang, qu'elles soient bénignes comme l'**anémie**, ou malignes comme la **leucémie**.

L'hématologue voit au diagnostic, au traitement et à la prévention des maladies du sang et des organes où se forment les **globules sanguins**. Il examine les patients, fait passer des tests et des analyses, interprète les résultats et prescrit les traitements appropriés.

«Mais un hématologue ne fait pas que voir des patients, nuance Jean-Sébastien. Au Québec, nous sommes aussi des médecins de laboratoire. Les hématologues sont donc responsables des banques de sang dans les centres hospitaliers, et de la qualité et de l'interprétation des analyses effectuées au laboratoire d'hématologie de l'hôpital.»

En tant que résident, Jean-Sébastien a un statut d'apprenti. «J'exerce mon métier sous supervision, précise-t-il. Je peux rencontrer seul des patients, mais tous les cas sont ensuite discutés avec les professionnels.»

°Des milieux de travail potentiels

> Centres d'hébergement et de soins de longue durée
> Centres hospitaliers
> Centres locaux de services communautaires (CLSC)
> Cliniques privées

ma motivation

Jean-Sébastien a opté pour la médecine, car elle lui permet de combiner une foule de matières qui le passionnent : les sciences fondamentales comme la biologie, et les sciences humaines comme la psychologie et la sociologie.

«Nous avons un contact humain très intense avec les patients puisque plusieurs subissent des traitements de chimiothérapie. C'est un lien difficile parfois, mais très enrichissant sur le plan humain. On aide les gens même lorsque les situations paraissent désespérées et ils nous en sont très reconnaissants», ajoute-t-il.

mon conseil

«Dans cette spécialité, il faut s'attendre à rencontrer des personnes qui souffrent de cancer, avec toute la charge émotive que cela implique. Certains médecins sont capables d'y faire face, d'autres trouvent ça difficile.» Jean-Sébastien estime qu'il faut avoir une bonne dose d'empathie et de compassion.

De plus, il conseille de s'impliquer dans le travail au laboratoire le plus tôt possible. «Je suggère de faire des stages de recherche en hématologie ou en oncologie, ou encore du travail de laboratoire pour voir rapidement si on aime le labo, car cela fait aussi partie de nos tâches.» 05/03

mon parcours

Jean-Sébastien a obtenu son doctorat en médecine à l'Université McGill, puis il a entrepris sa **résidence** en hématologie. Beaucoup d'hématologues se spécialisent ensuite en oncologie en prolongeant leur formation d'une autre année dans ce domaine, mais Jean-Sébastien envisage plutôt d'opter pour la recherche sur le cancer du sang.

Les mots en caractères **gras** sont définis dans le glossaire (p. 169 à 174).

Médecin spécialiste en médecine d'urgence

> en milieu hospitalier

mon travail

À l'urgence spécialisée de l'Institut de cardiologie de Montréal s'affaire une équipe composée d'infirmières, de préposés aux bénéficiaires, de brancardiers et de techniciens en électrocardiogramme. Leur rôle? Recevoir les patients souffrant de problèmes cardiaques, par exemple d'arythmie, d'insuffisance cardiaque ou encore ayant fait un infarctus.

À la tête de cette équipe, Alain Vadeboncœur s'assure de poser le bon diagnostic et de prescrire les traitements appropriés. «En fait, je prends le patient en charge pour un court segment de son histoire. Tout d'abord, j'évalue son état et, s'il y a lieu, on le réanime à l'aide de médicaments, en utilisant des défibrillateurs ou des solutés. Ensuite, je l'examine, je lui pose des questions et je livre mon diagnostic. Je prescris alors des examens afin de confirmer ou d'infirmer le diagnostic. Finalement, je demande l'hospitalisation du patient ou je lui donne son congé. Si le cas est trop complexe, je fais appel à l'expertise d'autres spécialistes, comme des cardiologues. Ensemble, nous allons discuter de l'état du patient et trouver une marche à suivre», expose Alain.

Des milieux de travail potentiels

> Centres d'hébergement et de soins de longue durée
> Centres hospitaliers
> Centres locaux de services communautaires (CLSC)
> Cliniques privées

ma motivation

Alain adore l'atmosphère de l'urgence. «C'est très intense. On touche aux choses de base : la vie, la mort, la douleur. On ne connaît pas la routine et on ne sait jamais ce qui peut arriver dans les prochaines minutes. J'apprécie aussi la relation de camaraderie qui s'installe entre les membres du personnel», raconte Alain.

Pouvoir aider les patients est également une grande motivation. «Je me sens privilégié d'être présent pour eux à un moment aussi crucial. Il est alors facile d'établir un contact qui est bref, certes, mais très fort parce que les gens sont vulnérables.»

mon conseil

Selon Alain, la médecine d'urgence demande des qualités spécifiques. «Il faut aimer être mis en situation de déséquilibre, avoir la capacité de réagir rapidement et de façon cohérente dans des moments de stress important. On doit posséder une certaine force de caractère et beaucoup d'aplomb, afin d'être stimulé par l'urgence plutôt que de paniquer. C'est une profession particulière qu'on peut aimer ou non. Je conseille donc à l'étudiant qui songe à choisir cette spécialisation de passer une journée avec un médecin d'urgence. Il saura alors si cette voie lui convient.»

05/03

mon parcours

Titulaire d'un doctorat en médecine de l'Université de Montréal, Alain a fait sa **résidence** en médecine d'urgence. Il a ensuite œuvré à Urgences Santé, puis au Centre hospitalier Pierre-Boucher où il a occupé également le poste de chef du département de médecine d'urgence. Au moment de l'entrevue, il travaillait pour l'Institut de cardiologie de Montréal, à la fois comme spécialiste de médecine d'urgence, coordonnateur de l'urgence et chercheur en médecine préhospitalière et de cardiologie. Il était aussi chargé de formation clinique à l'Université de Montréal.

Les mots en caractères **gras** sont définis dans le glossaire (p. 169 à 174).

Médecin spécialiste (résident) en médecine interne

❯ en milieu hospitalier

mon travail

«L'interniste, ou le spécialiste de la **médecine interne**, traite uniquement une clientèle adulte», affirme d'emblée Stéphane P. Ahern, **résident** en médecine interne à l'Hôpital Maisonneuve-Rosemont de Montréal.

Il ajoute que la médecine interne s'intéresse aux maladies débordant du champ d'action restreint des autres spécialités. Par exemple, lorsqu'une pneumonie s'aggrave, le patient peut voir sa tension artérielle diminuer, et développer des complications cardiaques, rénales, cérébrales ou hépatiques (au foie). L'interniste, qui connaît bien les différents systèmes et leur interaction, est alors appelé en renfort. On fait également appel à lui en cas de maladies rares ou inusitées.

Les internistes sont des spécialistes polyvalents, soutient Stéphane. «Toutefois, dans les grandes villes, on les voit se spécialiser. Par exemple, certains pratiquent uniquement aux soins intensifs.» Pour l'instant, puisqu'il est toujours résident, Stéphane touche à tout. Selon son horaire, il fait des consultations à l'urgence, auprès des patients hospitalisés, à la clinique externe ou encore aux soins intensifs.

Des milieux de travail potentiels

❯ Centres d'hébergement et de soins de longue durée

❯ Centres hospitaliers

❯ Centres locaux de services communautaires (CLSC)

❯ Cliniques privées

ma motivation

Dans sa profession, Stéphane estime qu'il a le privilège d'entrer en relation avec l'autre d'une façon toute particulière. «Vous ne connaissez pas quelqu'un et vous avez une mauvaise nouvelle à lui annoncer. Vous pénétrez dans sa vie privée aux endroits les plus intimes.» Les relations humaines, dans ce contexte, sont très intenses, dit-il.

Stéphane envisage de se spécialiser en soins intensifs, car il aime travailler avec les patients très malades et gérer les situations critiques. «Ce qui me passionne en médecine interne, et particulièrement en soins intensifs, c'est cette obligation du diagnostic précis, complet, bien structuré, mais rapide. Nous sommes comme Sherlock Holmes. On cherche ce que tout le monde a oublié : un détail, un signe clinique, une erreur... C'est un travail très intellectuel.»

mon conseil

Pour Stéphane, seuls les étudiants qui sentent vibrer en eux une passion pour l'être humain devraient cheminer en médecine. «Il faut être à l'affût de la personne qui est devant nous et profiter de ce moment singulier qui nous est offert.»

Comme interniste, ajoute-t-il, il faut vouloir travailler avec une clientèle adulte, aimer les cas complexes, avoir le souci du détail et une bonne dose de curiosité scientifique. 06/03

mon parcours

Titulaire d'un baccalauréat ès arts multidisciplinaire et d'une maîtrise ès arts en philosophie, Stéphane a été reçu en médecine à l'Université de Sherbrooke. En plus de son doctorat en médecine (M.D.), il possède un doctorat (Ph. D.) en sciences cliniques. Il a effectué sa **résidence** dans le programme conjoint de médecine interne et de soins intensifs de l'Université de Montréal, dont la durée est de cinq ans. En cours de route, l'Hôpital Saint-Luc du Centre hospitalier de l'Université de Montréal (CHUM) et l'Hôpital Maisonneuve-Rosemont l'ont pris sous leur aile.

Les mots en caractères **gras** sont définis dans le glossaire (p. 169 à 174).

Médecin spécialiste en médecine nucléaire

> en milieu hospitalier

mon travail

Au département d'imagerie médicale du Centre hospitalier régional de Lanaudière, l'équipe d'Hélène Bernier, composée de technologues et de médecins spécialisés en médecine nucléaire, s'occupe de recevoir les patients devant passer une **scintigraphie**. Permettant de détecter une embolie pulmonaire, un infarctus, ou encore une fracture, l'examen consiste à injecter au malade un produit radioactif par voie buccale ou intraveineuse afin d'observer le fonctionnement de l'organe atteint.

Une fois que le technologue a fait passer la scintigraphie au patient, Hélène reçoit les résultats de l'examen et pose son diagnostic. Pour les cas particuliers qui demandent, par exemple, l'injection d'un médicament afin d'exercer une stimulation cardiaque ou contracter la vésicule biliaire, Hélène procède elle-même à l'examen.

De plus, elle traite par la médecine nucléaire les personnes dont la glande thyroïde est atteinte (traitement par **radio-isotopes**). Pour ce faire, Hélène leur fait passer différents tests, détermine la dose nécessaire de radio-isotopes que le patient prendra ensuite sous forme de médicament.

Des milieux de travail potentiels

> Centres d'hébergement et de soins de longue durée
> Centres hospitaliers
> Centres locaux de services communautaires (CLSC)
> Cliniques privées

ma motivation

Hélène adore le contact avec les patients. «C'est valorisant de pouvoir les aider. Souvent, ce sont des personnes qui traînent un problème depuis longtemps, et la médecine nucléaire permet de poser un diagnostic précis. Par la même occasion, j'aide aussi leur médecin à mieux orienter son traitement.» Le travail en équipe est également une source de motivation. «Il est agréable de pouvoir échanger avec les autres médecins et les technologues, et de mettre en commun nos connaissances et nos compétences respectives pour parvenir à un résultat.»

Encore toute récente, la médecine nucléaire a fait son apparition dans les années 1970. «C'est une spécialisation où les percées technologiques sont constantes. Je ne procède pas aujourd'hui de la même façon qu'il y a cinq ans, et cela sera encore différent dans cinq autres années. C'est passionnant d'assister à cette évolution et de maintenir ses connaissances à jour.»

mon conseil

«Pour exercer cette profession, il faut avoir la vocation et faire preuve d'une grande détermination, souligne Hélène. N'entre pas qui veut dans les facultés de médecine, et la formation est longue et ardue. À titre d'exemple, un résident va passer en moyenne 75 heures par semaine dans les hôpitaux. Il faut de plus posséder d'excellentes aptitudes scientifiques et avoir un esprit logique sans faille pour réussir aux examens. Et les études ne sont jamais terminées! Un médecin est en constant apprentissage et se doit d'être à l'affût des dernières nouveautés médicales.» 06/03

mon parcours

Titulaire d'un doctorat en médecine de l'Université de Montréal, Hélène a fait sa **résidence** en médecine nucléaire dans le même établissement. Elle a ensuite décroché son emploi au Centre hospitalier régional de Lanaudière, où elle est devenue chef de service en médecine nucléaire.

Les mots en caractères **gras** sont définis dans le glossaire (p. 169 à 174).

Médecin spécialiste en microbiologie médicale et infectiologie
> **en milieu hospitalier**

mon travail

«La microbiologie médicale a pour objet d'étude les principales infections humaines et les micro-organismes qui en sont responsables [bactéries, virus, champignons ou parasites]. Les grands sujets sont les flores humaines normales, les méthodes de contrôle des micro-organismes, les antibiotiques et les interactions entre l'humain et les micro-organismes», explique Jean Robert, médecin spécialiste en microbiologie-infectiologie et en santé communautaire à l'Hôtel-Dieu de Saint-Jérôme.

«Lorsque je suis responsable du laboratoire, je supervise le travail des techniciens médicaux qui procèdent aux différents tests, par exemple, les **cultures bactériennes** [par lesquelles on peut déterminer la nature d'une infection]. Je signe tous les résultats qui sortent du laboratoire, je les explique aux médecins traitants en plus de recommander et de prescrire des antibiotiques et des traitements. Je reçois aussi des patients pour lesquels je fais le suivi médical jusqu'à la guérison ou jusqu'au contrôle de la maladie.»

Des milieux de travail potentiels

> Centres d'hébergement et de soins de longue durée
> Centres hospitaliers
> Centres locaux de services communautaires (CLSC)
> Cliniques privées

ma motivation

Alors qu'il était résident en pneumologie à l'Hôpital Saint-Luc de Montréal, Jean a côtoyé un jeune médecin microbiologiste dont la passion était communicative. «Ça m'a incité à faire six mois de spécialité en microbiologie, juste pour voir, et j'ai finalement décidé de poursuivre dans cette voie. Ce qui a motivé chacune des décisions que j'ai eu à prendre, ce sont les gens que j'ai rencontrés, poursuit-il. Je me suis laissé guider par mon ouverture d'esprit et ma curiosité. J'ai voulu contribuer à quelque chose de plus grand qu'une carrière, je crois. Ma passion, c'est la vie, celle des gens qui m'entourent, celle de mes patients, celles que je peux sauver, améliorer, aider... Ce sont ces vies qui donnent un sens à la mienne.»

mon conseil

«Il faut une grande ouverture aux autres pour devenir médecin dans toute la noblesse du terme, ce qui exige dévouement, écoute et besoin de donner, affirme Jean. Pour devenir médecin microbiologiste, il importe aussi d'être curieux de la vie et de la science. Il faut sortir de son milieu, s'ouvrir sur le monde et ne pas juger : les maladies que je vois tous les jours portent des noms comme vaginite, herpès, sida. Les patients qui en sont atteints sont d'abord des personnes et ont besoin de réconfort et de traitement.» 09/03

mon parcours

Jean a obtenu son doctorat en médecine à l'Université de Montréal. Puis, il a voyagé, entre autres en Amazonie, pour se familiariser avec la médecine tropicale, et il a fréquenté les instituts Pasteur et Armand-Frappier à titre d'étudiant-chercheur. Il a ensuite fait sa **résidence** en microbiologie après un bref séjour en pneumologie. Il est devenu chef du Département de santé communautaire de l'Hôpital Saint-Luc de Montréal, avant de se joindre à l'Hôtel-Dieu de Saint-Jérôme pour y ouvrir le Service de microbiologie.

Les mots en caractères **gras** sont définis dans le glossaire (p. 169 à 174).

Médecin spécialiste (résident) en néphrologie

> **en milieu hospitalier**

mon travail

Paul Ayoub a opté pour la néphrologie. Cette spécialité de la médecine s'intéresse aux maladies rénales. «Le rein est l'organe du corps qui a pour fonction de maintenir l'**homéostasie** sanguine. Il agit en fait comme un filtre qui nettoie le sang, c'est-à-dire qu'il le purifie des déchets accumulés par le corps. Il agit aussi comme gestionnaire de l'eau et des **électrolytes corporels** [sodium, potassium...], ainsi que comme producteur d'hormones qui régulent la composition sanguine», explique-t-il.

Le rôle du néphrologue, précise Paul, est d'une part de comprendre et de traiter les maladies qui affectent le rein, et d'autre part «d'aider» le rein lorsque celui-ci ne fonctionne plus, par la médication, la **dialyse** ou la transplantation.

Des milieux de travail potentiels

> Centres d'hébergement et de soins de longue durée

> Centres hospitaliers

> Centres locaux de services communautaires (CLSC)

> Cliniques privées

ma motivation

«La néphrologie est une spécialité passionnante, mais également très rigoureuse et exigeante. Elle demande des connaissances médicales approfondies et est souvent jugée par nos confrères comme l'une des spécialités les plus complexes du monde médical», note Paul.

Selon lui, l'intérêt de la néphrologie réside dans sa pratique diversifiée et dynamique. En effet, on trouve ce spécialiste dans tout un éventail de cas : urgences médicales, soins intensifs, intoxications sévères (aux médicaments, aux drogues, etc.), **hémodialyses**, **dialyses péritonéales**, greffes rénales, **recherche fondamentale**, éthique médicale, néphrologie pédiatrique, etc.

«Les cas sont souvent complexes, car les patients ont généralement beaucoup d'antécédents médicaux et sont très malades. Par conséquent, c'est stimulant intellectuellement, mais cela peut être aussi fort exigeant.»

mon conseil

Selon Paul, plusieurs qualités sont essentielles pour apprécier pleinement la pratique en néphrologie. «En particulier, il faut savoir adopter une approche humaine avec les patients, tout en sachant gérer les situations d'urgence.

«Être à l'aise dans le travail d'équipe et avoir une approche multidisciplinaire sont également indispensables. En effet, le néphrologue doit travailler de pair avec les autres spécialistes, car la plupart des maladies affectent également les reins. Enfin, on doit être passionné de matières fondamentales comme la pharmacologie, la **biologie moléculaire** et la chimie.» 07/03

mon parcours

Après avoir obtenu son diplôme d'études collégiales (DEC) en sciences pures au Collège François-Xavier-Garneau à Québec, Paul a décroché son doctorat en médecine générale à l'Université Laval en 1999. Il a effectué sa **résidence** en néphrologie au Centre hospitalier de l'Université de Montréal (CHUM).

Les mots en caractères **gras** sont définis dans le glossaire (p. 169 à 174).

Médecin spécialiste en neurochirurgie
> **en milieu hospitalier**

mon travail

Le neurochirurgien Alain Roux est spécialiste du système nerveux. À l'Hôpital Charles-LeMoyne de Longueuil (arrondissement de Greenfield Park), il pratique des opérations au cerveau et à la colonne vertébrale. «J'interviens notamment dans les cas de tumeurs au cerveau, de **ruptures d'anévrisme**, de hernies discales ou d'autres pathologies de la colonne.»

Quand Alain reçoit un patient, il l'examine et décide s'il est préférable d'opter pour un traitement médical sous **pharmacopée** ou pour un traitement chirurgical. Quand une opération se révèle nécessaire, il la pratique et procède au suivi postopératoire pendant quelques mois.

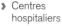

Des milieux de travail potentiels

> Centres d'hébergement et de soins de longue durée
> Centres hospitaliers
> Centres locaux de services communautaires (CLSC)
> Cliniques privées

ma motivation

«J'aime traiter les cas lourds! confie le spécialiste. Mon degré de motivation augmente avec la complexité du problème. Parfois, je dois opérer une tumeur dont le diamètre n'est que de quelques millimètres, c'est extrêmement délicat.»

«La science regorge d'enseignements, souligne-t-il, mais encore faut-il savoir les mettre en pratique. C'est là toute la difficulté : décider s'il est plus indiqué d'opérer ou non. On a beau avoir appris la théorie par cœur, si l'on n'a pas de jugement clinique, cela ne sert à rien. Je m'efforce de toujours agir dans le meilleur intérêt du patient, c'est un défi perpétuel.»

Pour Alain, avoir le sentiment qu'il vient en aide aux patients est le plus puissant des moteurs. «Je sens vraiment que je rends service. Quand je constate qu'un patient que j'ai opéré évolue bien, j'en suis très fier.»

mon conseil

La neurochirurgie est un travail minutieux et délicat. Cela exige une dextérité manuelle absolument hors pair, insiste Alain. La plupart des opérations s'effectuent au microscope ou au moyen – mais rarement au Québec – d'un neuronavigateur, un ordinateur qui permet au médecin de visualiser l'intérieur du cerveau. «Il faut aussi avoir le sens de l'orientation spatiale, car tout en regardant au microscope, on doit savoir exactement où l'on est.» Un bon jugement et une aptitude pour le travail clinique sont aussi des qualités essentielles pour déterminer quel type d'intervention pratiquer sur le patient. «Ça prend du pif!» s'exclame Alain.

Le neurochirurgien a aussi... les nerfs solides! Il doit résister au stress, car il travaille souvent sous pression et dans des conditions extrêmes. Ainsi, une intervention au cerveau dure généralement entre six et huit heures, et le moindre faux mouvement peut avoir des conséquences désastreuses pour le patient. 06/03

mon parcours

Alain a obtenu son doctorat de médecine à l'Université de Montréal, puis il a effectué sa **résidence** en médecine générale en 1979. Il a pratiqué sept ans comme médecin généraliste avant de s'inscrire en neurochirurgie. «Je sentais que j'avais fait le tour du jardin. J'avais besoin d'autres défis.» Médecin spécialisé en neurochirurgie depuis 1991, il a aussi fait une formation continue en **médecine d'expertise**, ce qui lui permet de témoigner comme médecin expert devant les tribunaux.

Les mots en caractères **gras** sont définis dans le glossaire (p. 169 à 174).

Médecin spécialiste en neurologie
> **en milieu hospitalier**

mon travail

Le neurologue est un médecin spécialiste des troubles du système nerveux dus à un accident (choc au cerveau ou à la moelle épinière) ou à une maladie (épilepsie, Alzheimer, Parkinson, etc.). Le neurologue ne fait pas de chirurgie, ce travail étant réservé au neurochirurgien. Éric Lalumière, neurologue, travaille depuis huit ans à la Cité de la Santé, un hôpital d'environ 450 lits qui dessert Laval et sa couronne nord, soit plus de 300 000 personnes.

«Je fais de la clinique externe : je rencontre de nouveaux patients ou des gens que j'ai déjà vus, explique Éric. Je les interroge, les examine, j'établis un diagnostic, puis j'élabore un plan de traitement. Je peux aussi être de garde, c'est-à-dire faire des consultations à l'étage où séjournent les patients ou à l'urgence de l'hôpital, pour des personnes qui ont besoin de recevoir des soins rapidement.»

Des milieux de travail potentiels

> Centres d'hébergement et de soins de longue durée
> Centres hospitaliers
> Centres locaux de services communautaires (CLSC)
> Cliniques privées

ma motivation

Outre la satisfaction de soigner ses patients, Éric est fasciné par l'aspect scientifique de sa spécialité médicale, en constante évolution. «On peut toujours en apprendre davantage sur le système nerveux et son fonctionnement, c'est un domaine très vaste. Pour le moment, on n'en connaît qu'une infime partie. Les découvertes scientifiques n'ont pas nécessairement d'impact sur le plan thérapeutique, mais elles nous permettent de progresser dans la compréhension de différentes maladies. Ce sont souvent les premières pistes pour développer de nouveaux traitements.»

Tout un appareillage permet d'explorer le système nerveux. «À l'hôpital, je fais de l'électromyographie, avec un appareil de la dimension d'un lave-vaisselle. Des fils sont branchés sur le patient, un stimulateur envoie de petits chocs électriques et des électrodes enregistrent le passage du courant, ce qui nous donne une idée de la vitesse de conduction des nerfs, donc des problèmes neurologiques qui peuvent affecter le patient.»

mon conseil

«Pour devenir neurologue, on doit être conscient qu'il faudra étudier pendant de nombreuses années, au moins cinq ans à l'université, signale Éric. Il faut avoir un vif intérêt pour les sciences et on doit constamment mettre ses connaissances à jour. Il y a une grande part de formation continue dans toutes les spécialités médicales, qui se fait de différentes façons : lectures personnelles, colloques, congrès, présentations, etc. Tous les cinq ou six ans, il peut y avoir des changements scientifiques assez importants dans le domaine de la neurologie, on doit suivre de près l'évolution.» 05/03

mon parcours

Éric a obtenu son doctorat en médecine à l'Université de Montréal, puis il a effectué sa **résidence** en neurologie. Il a consacré dix années de sa vie à l'étude de la médecine avant d'être embauché à la Cité de la Santé.

Les mots en caractères **gras** sont définis dans le glossaire (p. 169 à 174).

Médecin spécialiste (résidente) en obstétrique-gynécologie

> **en milieu hospitalier**

mon travail

Évelyne Caron rêve du jour où elle aura ses propres patientes. Médecin **résidente** en obstétrique-gynécologie, elle apprend sa future spécialité en effectuant des stages dans différents hôpitaux rattachés à l'Université McGill. «Le rôle de ce médecin spécialiste est d'accompagner médicalement les femmes tout au long de leur vie, explique-t-elle. Je vais m'occuper bien sûr des grossesses, des accouchements et des différentes pathologies affectant les organes génitaux, comme le cancer du col de l'utérus ou du vagin, mais aussi de la santé des femmes en général.» Ainsi, lorsqu'elle sera autorisée à pratiquer, Évelyne deviendra une personne-ressource de premier ordre, notamment pour ce qui concerne la contraception, la planification familiale, la ménopause, l'autoexamen des seins et les problèmes menstruels.

L'obstétricien-gynécologue suit sa clientèle en cabinet privé ou en clinique externe. Il procède lui-même aux accouchements, en milieu hospitalier, mais envoie à d'autres spécialistes les patientes nécessitant des traitements particuliers, comme la chimiothérapie ou la radiothérapie dans les cas de cancer.

ma motivation

Pour Évelyne, la santé des femmes représente plus qu'une simple question médicale. «Sur le plan humain, c'est très enrichissant. Les rapports médecin-patientes sont étroits. On parle de sujets intimes comme les relations sexuelles, la contraception ou l'autoexamen des seins. Les femmes me font confiance. Je deviens une confidente.

«Sur le plan médical, c'est très diversifié, ajoute-t-elle. Chaque femme est unique et réagit différemment selon sa biologie, mais aussi selon sa culture. De plus, un médecin qui choisit cette spécialité peut voir une clientèle de tous âges : des jeunes femmes pour leurs premiers examens, des couples pendant la grossesse ou en clinique de fertilité, etc. Et les naissances, c'est toujours magique!»

mon conseil

«La personne qui se destine à la pratique de l'obstétrique-gynécologie doit être ouverte d'esprit et tolérante, soutient Évelyne. Quand on parle de sexualité, on parle d'une grande variété de pratiques. Par exemple, on voit de jeunes adolescentes qui viennent consulter pour se faire prescrire des contraceptifs alors qu'elles ne sont pas prêtes à avoir des relations sexuelles. D'autres viennent demander si l'attirance qu'elles ont pour une autre femme est normale. On voit des cas d'abus sexuels, de prostitution, etc. Il faut retenir nos propres valeurs et savoir écouter les patientes.»
06/03

mon parcours

«Quand j'étais au secondaire, j'hésitais entre le journalisme, le droit et la médecine. J'ai pris soin de me garder toutes les portes ouvertes en suivant autant de cours de sciences que je pouvais», raconte Évelyne, qui a obtenu un diplôme d'études collégiales (DEC) en sciences de la santé au Séminaire de Sherbrooke. Puis, elle a été acceptée à l'Université McGill, où elle a effectué un programme préparatoire d'un an en médecine avant de traverser les quatre années du doctorat en médecine. Elle a ensuite amorcé sa **résidence** en obstétrique-gynécologie.

Les mots en caractères **gras** sont définis dans le glossaire (p. 169 à 174).

Médecin spécialiste en oncologie médicale
> **en milieu hospitalier**

mon travail

Jean Latreille est médecin spécialiste en oncologie médicale et en hématologie à l'Hôpital Charles-LeMoyne de Longueuil (arrondissement de Greenfield Park), sur la Rive-Sud. Il diagnostique, traite et soulage le cancer par des procédés comme la chimiothérapie, l'hormonothérapie et l'immunothérapie.

«Je rencontre des patients atteints de cancer. Ils me sont envoyés par d'autres médecins. Ils viennent pour se faire préciser un diagnostic et pour se faire traiter, explique Jean. Je suis responsable d'établir le diagnostic. Pour cela, j'analyse les résultats des examens qu'ils ont déjà passés et j'en commande des complémentaires au besoin. Une fois le diagnostic posé, j'explique clairement la situation au patient : le type de cancer, son importance, les implications et effets des traitements possibles et je lui demande de choisir.»

ma motivation

«L'un de mes oncles est médecin. Quand j'étais petit, il m'impressionnait beaucoup. J'aimais ce qui se dégageait de lui, sa façon d'être, sa philosophie de vie. J'ai donc décidé très tôt de suivre ses traces, poursuit Jean.

«L'oncologie m'a séduit pendant mon stage de chirurgie. J'ai vu un jeune homme aux prises avec un cancer des intestins. La chimiothérapie n'existait pas encore. Il n'y avait rien à faire pour lui, rien que le regarder mourir et apprendre. J'ai éprouvé tellement d'empathie pour cette personne, pour sa souffrance, pour sa mort inutile, pour sa vie trop brève, que j'ai voulu faire quelque chose. J'ai voulu m'impliquer et chercher des pistes de solutions. J'ai donc étudié l'hématologie puis l'oncologie, mais toujours dans l'optique de soigner, de soulager, de guérir les patients atteints de cancer.»

mon conseil

«Pour devenir oncologue, on doit être tenace. Aujourd'hui, on souligne mes succès, mais j'ai aussi connu des revers. J'ai dû m'accrocher à ma quête, à mes recherches et avancer souvent à contre-courant. Il faut savoir écouter les patients et leur parler, car ils sont plus vulnérables que les personnes en bonne santé. On doit leur expliquer leur maladie, les comprendre et les rassurer malgré la situation, mais aussi leur montrer les pistes d'espoir.» 09/03

mon parcours

Jean a obtenu son doctorat en médecine générale à l'Université McGill, puis a effectué sa **résidence** en **médecine interne** à l'Hôpital général de Montréal, et sa résidence en hémato-oncologie à l'Hôpital du Sacré-Cœur. «J'ai ensuite complété avec une formation au M.D. Anderson Hospital and Tumor Institute à Houston au Texas. J'ai aussi effectué des études de troisième cycle en psychothérapie à l'Institut de formation humaine intégrale de Montréal.» Il a fait son entrée au service d'hématologie et d'oncologie médicale de l'Hôpital Charles-LeMoyne en 1999.

Les mots en caractères **gras** sont définis dans le glossaire (p. 169 à 174).

Médecin spécialiste en ophtalmologie

> en milieu hospitalier

mon travail

Ophtalmologiste, Patrick Boulos se définit comme un médecin spécialiste de l'œil. «Un ophtalmologiste diagnostique et traite toutes les maladies oculaires, explique-t-il. Il pratique également la chirurgie des yeux, que ce soit à l'extérieur de l'œil, par exemple les paupières, ou à l'intérieur, comme une chirurgie du cristallin ou de la rétine.»

Les ophtalmologistes utilisent des appareils extrêmement précis, comme le laser. «On a souvent recours au laser pour les traitements médicaux, dans le cadre d'une vitrectomie par exemple, qui est une chirurgie pour les patients diabétiques qui ont du sang dans les yeux. Après avoir aspiré le sang, on utilise le laser pour détruire les vaisseaux extrêmement fragiles qui auraient tendance à saigner de nouveau si on ne les ôtait pas. Ce sont des chirurgies qui se faisaient autrefois avec des bistouris.»

Diplômé en ophtalmologie, Patrick se spécialise actuellement en oculoplastie. «C'est une formation qui touche la chirurgie esthétique des paupières et les reconstructions après un traumatisme ou une tumeur.»

Des milieux de travail potentiels

- > Centres d'hébergement et de soins de longue durée
- > Centres hospitaliers
- > Centres locaux de services communautaires (CLSC)
- > Cliniques privées

ma motivation

«Ce qu'il y a de bien en ophtalmologie, c'est que le diagnostic se voit, explique Patrick. On utilise un microscope vertical qui envoie une lumière dans l'œil, qu'on appelle la lampe à fente. Si les structures semblent normales à l'intérieur de l'œil, tout va bien, mais s'il y a une pathologie, les changements sont apparents. C'est drôle à dire, mais c'est très visuel comme spécialité!»

Les sciences physiques ont également attiré Patrick vers cette spécialité. «En ophtalmologie, on joue avec des formules, des diagrammes, des rayons, des appareils très techniques. Je passe ma journée avec toutes sortes d'appareils : des lasers, des appareils d'imagerie numérique, des microscopes. Les technologies évoluent sans cesse. Il faut apprendre à les connaître, à les utiliser, et comprendre leur fonctionnement du point de vue physique-optique.»

mon conseil

«La plupart des gens pensent que l'œil est un petit organe dont on a vite fait le tour, mais quand on commence sa spécialité en ophtalmologie, c'est comme si on partait à la découverte d'un nouveau monde. Même avec un doctorat en médecine, on a l'impression de recommencer à zéro! D'autant plus que les connaissances acquises durant le doctorat en médecine générale sont moins utilisées en ophtalmologie que dans d'autres spécialités.» 07/03

mon parcours

Après une formation préuniversitaire de niveau collégial orientée vers les sciences de la santé, Patrick a été admis à la faculté de médecine de l'Université de Montréal. Diplômé de médecine générale en 1997, il a ensuite effectué une **résidence** en ophtalmologie. Ophtalmologue diplômé depuis 2002, il a amorcé en 2003 sa surspécialisation en oculoplastie à l'Université de Montréal.

Les mots en caractères **gras** sont définis dans le glossaire (p. 169 à 174).

Médecin spécialiste en oto-rhino-laryngologie
> en clinique privée et en milieu hospitalier

mon travail

ORL. En plus d'abréger un titre interminable, ces trois lettres désignent une spécialité des plus étendues. L'oto-rhino-laryngologiste, c'est le médecin qui voit au diagnostic, au traitement et à la prévention des problèmes qui affectent les oreilles, le nez ou la gorge, comme les otites, les amygdalites ou les affections de la **glande thyroïde**. Outre sa pratique en clinique privée, Marie-Claude Lanoie, ORL, travaille deux jours par semaine à l'Hôpital Hôtel-Dieu de Saint-Jérôme. Elle en consacre un à voir les patients en clinique externe, et l'autre, à effectuer des chirurgies en salle d'opération.

Lorsqu'elle reçoit un patient en clinique, Marie-Claude l'accueille et lui demande ce qui ne va pas. Ensuite, elle l'examine, évalue son cas, pose un diagnostic et prescrit un traitement, des médicaments ou une intervention chirurgicale.

Les journées de chirurgie, elle pratique des interventions de toute nature, par exemple l'enlèvement d'un kyste à la lèvre ou encore l'insertion d'implants dans les oreilles. Entre deux opérations, pendant le nettoyage de la salle, Marie-Claude ne dispose que de 10 à 15 minutes pour s'entretenir avec le patient suivant, préparer le dossier et les ordonnances postopératoires, voir le patient précédent en salle de réveil... et, à l'heure du dîner, prendre son repas.

ma motivation

Alors qu'elle étudiait la médecine, Marie-Claude a particulièrement apprécié le cours d'anatomie ORL. Pour préciser son choix de spécialité, elle a donc fait un stage dans ce domaine. «Chaque jour pendant un mois, j'allais observer le travail d'un ORL. Les aspects médical et chirurgical m'ont fascinée. J'ai choisi cette pratique parce qu'elle me permettait d'être proche de la clientèle. Pouvoir voir le patient en clinique, diagnostiquer son problème et le résoudre en chirurgie, ça m'attirait beaucoup. C'est l'une des rares pratiques médicales à permettre cela.»

La variété des cas à traiter représente une grande source de stimulation pour Marie-Claude. «Le fait que la pratique s'étende aux patients de tous âges, des enfants aux aînés, me plaît énormément.» La rapidité des résultats qu'elle obtient a aussi de quoi nourrir son enthousiasme.

mon conseil

«Pour devenir ORL, il faut être décidé, tenace et acharné!» lance Marie-Claude, en évoquant les dix années d'études nécessaires pour accéder à la profession. Il faut aussi avoir un goût certain pour le travail en équipe, une bonne dextérité et une grande empathie envers les patients.

«Comme la clientèle est très variée, les aspects psychologiques le sont aussi.» Elle ajoute que l'évolution des techniques et des médicaments suppose une mise à jour constante. Lectures, conférences et congrès vont donc de pair avec la pratique. 06/03

mon parcours

Marie-Claude a consacré cinq ans à son doctorat en médecine, à l'Université de Montréal. Elle a ensuite fait ses cinq années de **résidence** en oto-rhino-laryngologie à l'Hôpital Hôtel-Dieu de Saint-Jérôme, avant d'y entreprendre sa pratique professionnelle.

Les mots en caractères **gras** sont définis dans le glossaire (p. 169 à 174).

Médecin spécialiste (résident) en pédiatrie générale

> **en milieu hospitalier**

mon travail

La pédiatrie est une spécialité médicale qui vise à prévenir, à diagnostiquer et à traiter les maladies de l'enfant, de la naissance jusqu'à l'adolescence. «Le domaine de la pédiatrie est très vaste, affirme Jean-Sébastien Joyal, résident en pédiatrie à l'Hôpital Sainte-Justine de Montréal. On n'est pas spécialiste d'un groupe d'organes, mais plutôt d'un groupe de population âgé de 0 à 18 ans.»

La pédiatrie reconnaît plusieurs périodes dans la vie de l'enfant, chacune correspondant à une étape différente du développement physiologique. «On fait beaucoup de **néonatologie** au début de notre résidence : on prend en charge les nouveau-nés, certains prématurés. C'est une tout autre médecine! Actuellement je fais un stage d'un mois à l'étage des adolescents. Je suis responsable de 25 patients qui ont entre 12 et 18 ans.»

ma motivation

Jean-Sébastien voulait devenir chirurgien avant qu'un premier stage en pédiatrie lors de sa médecine générale ne vienne bouleverser son choix. «C'est fascinant de travailler avec de jeunes enfants qui ont l'avenir devant eux, mais qui rencontrent sur leur parcours un obstacle, une maladie. Ce sont souvent des problèmes aigus ou infectieux pour lesquels on a, en général, des solutions. On aide ces enfants à surmonter l'obstacle pour qu'ils deviennent des adultes en bonne santé.»

Cependant, il arrive aussi que des enfants souffrent de maladies plus pernicieuses, comme le cancer. «Voir un enfant malade, qui parfois va mourir, nous confronte aux grands questionnements de l'existence. C'est vrai dans toutes les professions médicales, mais, en pédiatrie, c'est plus difficile, car on a affaire à des enfants.»

mon conseil

«On a toujours envie de faire et de donner le maximum à nos patients. Les parents sont également très exigeants envers les médecins, les pédiatres, car ils veulent aussi ce qu'il y a de mieux pour leur enfant. Il faut savoir poser des limites franches, mais raisonnables : on doit faire sentir aux patients que l'on est accessible, tout en sachant préserver du temps pour sa propre vie personnelle.» 07/03

Des milieux de travail potentiels

> Centres d'hébergement et de soins de longue durée

> Centres hospitaliers

> Centres locaux de services communautaires (CLSC)

> Cliniques privées

mon parcours

Après son secondaire, Jean-Sébastien a décroché une bourse pour aller étudier deux ans au Collège Lester B. Pearson en Colombie-Britannique. Il y a obtenu un baccalauréat international avec option en physique-chimie. À son retour au Québec en 1995, il est entré à la faculté de médecine de l'Université McGill où il a terminé son doctorat en médecine générale en l'an 2000. Il a ensuite entamé sa résidence en pédiatrie à l'Université de Montréal. Jean-Sébastien a mis ses études entre parenthèses durant six mois en 2002, pour participer en tant que pédiatre à un projet de Médecins du Monde dans la région du Chiapas au Mexique.

Les mots en caractères **gras** sont définis dans le glossaire (p. 169 à 174).

Médecin spécialiste en physiatrie
> en milieu hospitalier

mon travail

Le médecin spécialiste en physiatrie s'occupe du diagnostic, du traitement et de la prévention des douleurs et des troubles fonctionnels de l'appareil locomoteur causés par un accident, une maladie, une malformation congénitale ou une lésion d'origine sportive ou professionnelle.

Gaétan Filion œuvre auprès de la clientèle juvénile du Centre de réadaptation Marie-Enfant à Montréal, au Centre montérégien de réadaptation à Saint-Hubert et à l'Hôpital juif de réadaptation de Laval. Il évalue chaque cas et fait des recommandations aux divers intervenants comme les physiothérapeutes et les ergothérapeutes, pour fournir au patient les soins adaptés à ses besoins. «Si on prend l'exemple d'un enfant qui a subi un traumatisme au cerveau, mon objectif dans son cas est de minimiser au maximum les impacts sur son développement, sa croissance et son apprentissage. Je peux faire des recommandations au physiothérapeute sur des exercices à pratiquer. Pour un enfant atteint de paralysie cérébrale, je prescris des médicaments par injection, afin de détendre certains muscles et d'ainsi faciliter ses mouvements.» Puisqu'il doit aussi parfois apprendre de mauvaises nouvelles aux parents au sujet de l'état de leur enfant, Gaétan a également un rôle de soutien moral aux familles à jouer.

Des milieux de travail potentiels

> Centres d'hébergement et de soins de longue durée
> Centres hospitaliers
> Centres locaux de services communautaires (CLSC)
> Cliniques privées

ma motivation

Bien que sa profession soit parfois exigeante, Gaétan adore son travail. «Je m'amuse avec les enfants et aussi avec les parents. Bien sûr, il n'est pas toujours facile d'annoncer à des parents que leur bébé, qu'ils croyaient parfait, est handicapé pour le reste de ses jours... Mais j'essaie aussi d'apporter un sourire pour qu'à travers les pleurs, il y ait aussi un peu de réconfort.

«Au départ, je voulais devenir cardiologue, mais j'ai réalisé que c'était peut-être une branche trop stressante pour moi, avec des horaires très exigeants. En outre, plus jeune, j'avais eu l'occasion de travailler au camp Papillon avec des enfants handicapés. En physiatrie, j'ai retrouvé le plaisir d'évoluer avec eux et de les voir grandir.»

mon conseil

Gaétan a retenu une grande leçon de sa pratique de la physiatrie : «Plus on pense en savoir, plus on réalise qu'on ne sait rien!» Malgré ses 13 ans d'expérience dans la profession, il demeure conscient qu'il continue à en apprendre tous les jours, et c'est ce qui le stimule.

«J'ajouterai qu'il ne faut pas opter pour cette profession pour l'argent. Un peu comme pour toutes les spécialités en médecine, la physiatrie est une vocation. Il faut la pratiquer avec passion.» 09/03

mon parcours

Après avoir fait son doctorat en médecine générale puis sa **résidence** en physiatrie à l'Université de Montréal, Gaétan a également suivi une formation postdoctorale en neurobiologie à l'Université Pierre et Marie Curie à Paris, et à l'Université Laval à Québec. «Par la suite, j'ai commencé à exercer en physiatrie. Nous sommes peu nombreux au Québec, et les besoins dans ce domaine sont grands. Par conséquent, on ne cherche pas très longtemps un emploi...»

Les mots en caractères **gras** sont définis dans le glossaire (p. 169 à 174).

Médecin spécialiste en pneumologie*

mon travail

Le pneumologue est le médecin spécialiste qui se consacre à la prévention, au diagnostic et au traitement de l'adulte et de l'enfant souffrant de problèmes de santé aigus et chroniques du système respiratoire. Il traite les maladies comme la pneumonie, l'**apnée du sommeil**, le cancer du poumon, la **bronchite chronique**, l'**emphysème**, l'**asthme**, les **maladies respiratoires environnementales**, etc.

Le pneumologue peut recevoir sa clientèle en consultations externes ou à son bureau privé pour les premières visites et les suivis médicaux. À l'hôpital, il procède à différents examens comme l'**examen direct de l'expectoration**, à des contrôles de la respiration au repos, à l'effort ou en sommeil, à des **tubages gastriques**, des **endoscopies**, etc. Il commande aussi des analyses à d'autres professionnels de la santé comme des analyses sanguines, des radiographies, des examens bactériologiques, etc., afin de pouvoir finalement poser son diagnostic.

ma motivation

Sans la respiration, il n'y a pas de vie possible. Le pneumologue essaie d'améliorer la qualité de vie de ses patients en soignant leurs poumons et leur système respiratoire.

Le pneumologue travaille avec des instruments et des techniques variés. Ainsi, il a recours au stéthoscope, à l'**endoscopie**, à la **polygraphie** ou à la **polysomnographie**, etc. Le pneumologue travaille aussi en équipe avec des infirmiers, des **inhalothérapeutes**, des techniciens de laboratoire, etc.

Le cancer du poumon est l'une des premières causes de mortalité en Amérique du Nord. Cette forme de cancer frappe plus souvent les fumeurs. Le pneumologue est en première ligne pour lutter contre ce fléau. Il s'implique dans la prévention du tabagisme et dans la lutte contre le cancer du poumon par l'éducation, le dépistage et les examens préventifs.

mon conseil

Les jeunes qui désirent devenir spécialistes en pneumologie doivent avoir un goût certain pour l'investigation. En effet, les maladies pouvant affecter les poumons sont nombreuses et souvent difficiles à identifier clairement. Il faut donc de la ténacité et de la détermination pour chercher et découvrir les causes des symptômes du malade.

De plus, il faut faire preuve d'entregent, de tact et de diplomatie afin de créer rapidement un climat de confiance avec les patients. On doit également être en mesure de vulgariser ses connaissances pour bien se faire comprendre d'eux. Enfin, on doit s'attendre à apprendre toute sa vie professionnelle durant pour mettre au service de sa clientèle les plus récentes découvertes dans le domaine. 09/03

Des milieux de travail potentiels

> Centres d'hébergement et de soins de longue durée

> Centres hospitaliers

> Centres locaux de services communautaires (CLSC)

> Cliniques privées

* Exceptionnellement, en l'absence d'un médecin disponible pour un témoignage, nous publions ici une monographie de cette profession.

mon parcours

Pour devenir médecin spécialiste en pneumologie, la voie la plus directe est un diplôme d'études collégiales (DEC) en sciences de la santé ou en sciences pures, suivi du doctorat en médecine et de la **résidence** en pneumologie.

Les mots en caractères **gras** sont définis dans le glossaire (p. 169 à 174).

Médecin spécialiste (résident) en psychiatrie

> **en milieu hospitalier**

mon travail

Prométhéas Constantinides, résident en psychiatrie, travaille à l'Hôpital du Sacré-Cœur de Montréal. «Le rôle du psychiatre est de donner des soins aux patients à la demande de leur médecin de famille ou des cliniques, ou encore des urgences pour un problème de santé mentale nécessitant l'intervention d'un spécialiste. Ce sont généralement des personnes dépressives, maniaco-dépressives, qui souffrent de psychoses, qui ont des idées suicidaires, etc., explique-t-il.

«De plus, on s'occupe des patients hospitalisés, on leur apporte les soins médicamenteux et psychothérapeutiques, et on se charge des interventions sociales adéquates. On s'assure, par exemple, qu'un patient a un logement en sortant de l'hôpital. Le psychiatre gère une équipe multidisciplinaire comprenant notamment des intervenants sociaux, des psychologues et des ergothérapeutes pour la réadaptation physique et psychique si nécessaire.»

Des milieux de travail potentiels

> Centres d'hébergement et de soins de longue durée
> Centres hospitaliers
> Centres locaux de services communautaires (CLSC)
> Cliniques privées

ma motivation

«En psychiatrie, davantage que dans d'autres spécialités médicales, explique Prométhéas, on prend le temps de discuter pour apprendre à connaître ses patients. Les cas sont très variés : on peut voir une personne déprimée parce qu'elle a perdu un être cher, ou recevoir un patient qui se prend pour Bonaparte ou pour Dieu... Dans ce cas, il faut l'hospitaliser et établir un traitement par les médicaments. On peut ainsi vraiment l'aider : il rentre complètement désorienté et quelques semaines plus tard il reprend contact avec la réalité.

«La psychiatrie est un domaine en pleine expansion, poursuit-il. De 1990 à 2000, c'était "la décennie du cerveau". Aux États-Unis, il y a eu des recherches très poussées pour comprendre le fonctionnement de l'esprit humain, du cerveau, de la conscience, et on commence à peine à profiter des résultats de ces recherches. C'est fascinant! Un siècle après les premières découvertes de Freud, cette spécialité en est encore à ses débuts.»

mon conseil

«La psychiatrie requiert une grande ouverture d'esprit, une curiosité, une expérience de vie aussi. Il faut avoir voyagé, avoir vu autre chose, être capable de se mettre à la place de l'autre et, surtout, il faut avoir envie de le faire! C'est un travail très relationnel et exigeant psychologiquement parlant. En médecine, on perd les gens par la mort, par l'évolution de la maladie. En psychiatrie, on peut aussi les perdre, entre autres par le suicide. Cela crée parfois un sentiment d'impuissance difficile à gérer, d'où l'importance de s'entourer d'une bonne équipe de travail.» 07/03

mon parcours

Prométhéas a obtenu son doctorat en médecine générale à l'Université de Montréal et y a poursuivi sa **résidence** en psychiatrie. Pendant sa quatrième année de résidence, il a été stagiaire à l'Hôpital du Sacré-Cœur au Pavillon Albert-Prévost.

Les mots en caractères **gras** sont définis dans le glossaire (p. 169 à 174).

Médecin spécialiste (résidente) en radiologie diagnostique

❯ en milieu hospitalier

mon travail

Les tâches d'un radiologue consistent à traiter les images, comme les scanners, les IRMN (imagerie par résonance magnétique nucléaire) ou les radiographies, pour pouvoir poser un diagnostic. «On est consultant pour les médecins de première ligne, les omnipraticiens, ou pour les spécialistes comme les chirurgiens, les pneumologues, les neurologues. Le technologue en radiologie prend les images, et c'est le radiologue qui en fait la lecture, les analyse et détermine ce qui doit être fait en fonction du diagnostic», explique Visal Pen, résidente en radiologie diagnostique.

Des milieux de travail potentiels

❯ Centres d'hébergement et de soins de longue durée

❯ Centres hospitaliers

❯ Centres locaux de services communautaires (CLSC)

❯ Cliniques privées

ma motivation

«Je suis entrée en médecine parce que j'avais de bons résultats scolaires, avoue Visal. Ce n'était pas au départ une vocation. Puis, peu à peu, le corps humain m'a dévoilé ses mystères et j'ai trouvé cela fascinant. J'ai ensuite décidé de me spécialiser en radiologie parce que je trouve incroyable qu'on puisse voir des choses dans une personne vivante sans même la toucher.»

En effet, grâce aux progrès techniques, c'est le radiologue qui, le premier, peut détecter un petit nodule cancéreux de trois millimètres seulement, dans un sein par exemple. «On peut donc guérir la patiente plus facilement, car le cancer n'aura pas eu le temps de faire de ravages. C'est extraordinaire!»

Visal considère son choix de carrière comme très stimulant intellectuellement, mais très exigeant personnellement. «Pour arriver au terme de dix ans d'études, il faut de la persévérance, de la discipline, parce qu'à un moment donné, la passion s'épuise et on doit faire beaucoup de sacrifices dans sa vie personnelle.»

mon conseil

«C'est un milieu qui demande toujours le meilleur de soi, conclut Visal, car tous les patients désirent avoir le meilleur médecin, le meilleur chirurgien, le meilleur radiologue. La médecine est vaste, elle se développe, elle évolue. Il y a de nouveaux appareils, de nouveaux médicaments, ça ne finit jamais. C'est impossible de tout savoir, mais il faut en apprendre le plus possible : pour être un bon médecin, on doit avoir une curiosité scientifique inépuisable.» 05/03

mon parcours

Visal a obtenu son doctorat en médecine à l'Université de Montréal en 1993. Elle a ensuite entamé sa **résidence** en radiologie diagnostique. Lors de sa quatrième année de résidence, elle a été appelée à effectuer des stages au Centre hospitalier de l'Université de Montréal, à l'Hôpital Sainte-Justine, au Centre de traumatologie de l'Hôpital du Sacré-Cœur, à l'Hôpital Maisonneuve-Rosemont et à l'Institut de cardiologie de Montréal.

Les mots en caractères **gras** sont définis dans le glossaire (p. 169 à 174).

Médecin spécialiste en radio-oncologie

❯ en milieu hospitalier

mon travail

«Je traite des patients atteints de cancer en leur administrant des **radiations ionisantes**, selon le principe de la radiothérapie», explique Carole Lambert, médecin spécialiste en radio-oncologie aux hôpitaux Notre-Dame et Hôtel-Dieu du Centre hospitalier universitaire de Montréal (CHUM).

Un tel traitement demande une grande préparation. Ainsi, la spécialiste rencontre chaque patient à plusieurs reprises avant de procéder. Lorsqu'un patient lui arrive pour la première fois, elle l'écoute et évalue son cas à partir de résultats d'examens. «La seconde visite a pour but de planifier le traitement. Par **tomodensitométrie**, je détermine la zone à traiter, les organes sains à éviter, la dose de radiations à libérer, les angles de traitement, le type de rayonnement, etc. Toutes ces données sont inscrites dans un logiciel spécialisé.»

La troisième visite est une sorte de répétition générale avant l'intervention. Par la suite, le nombre de séances varie selon la quantité de radiations nécessaire pour éliminer toutes les cellules cancéreuses. Carole suit chaque individu jusqu'à ce que tout rentre dans l'ordre. «J'ai sous ma responsabilité de 25 à 40 patients simultanément», précise-t-elle.

Des milieux de travail potentiels

- ❯ Centres d'hébergement et de soins de longue durée
- ❯ Centres hospitaliers
- ❯ Centres locaux de services communautaires (CLSC)
- ❯ Cliniques privées

ma motivation

La spécialité qu'elle exerce aujourd'hui n'a pas toujours été son objectif. «Initialement, je voulais devenir chiropraticienne ou naturopathe. C'est la santé qui m'intéressait avant tout. Je voulais aider, soulager la souffrance, mais surtout favoriser la santé. J'ai finalement choisi la médecine pour contribuer au mieux-être des personnes.

«L'idée de devenir radio-oncologue m'est venue d'un seul coup, poursuit-elle. J'étais en stage, en première année de médecine. Quand je suis arrivée au centre d'oncologie pour suivre le médecin qui m'était attitré, celui-ci m'a tellement impressionnée par son érudition, son expertise, son empathie et sa générosité que je suis repartie, à la fin de ma journée, avec le sentiment d'avoir trouvé ma voie.»

mon conseil

«Pour devenir radio-oncologue, il faut avoir des aptitudes pour les sciences, mais ce n'est pas tout, souligne Carole. Il faut aussi faire preuve d'empathie, de respect et d'une grande ouverture d'esprit. Les patients que je vois m'arrivent tous avec un diagnostic de cancer. Souvent, je dois répondre à des questions graves concernant leur pronostic de vie. Comme chaque être humain a une façon unique de faire face à sa peur de la souffrance et de la mort, je dois faire preuve de beaucoup d'écoute et de discernement.» 09/03

mon parcours

Après son doctorat en médecine à l'Université de Sherbrooke, Carole a fait des études spécialisées en radio-oncologie à l'Université de Montréal, suivies d'une **résidence** dans les hôpitaux affiliés à cet établissement. Elle travaille au Département de radio-oncologie du Centre hospitalier de l'Université de Montréal (CHUM), aux hôpitaux Notre-Dame et Hôtel-Dieu. Au moment de l'entrevue, elle effectuait simultanément une maîtrise en pédagogie des sciences médicales à l'Université de Montréal.

Les mots en caractères **gras** sont définis dans le glossaire (p. 169 à 174).

Médecin spécialiste en rhumatologie
> en milieu hospitalier

mon travail

«Les rhumatismes touchent autant les enfants que les adultes ou les personnes âgées, explique Dominique Bourrelle, rhumatologue à l'Hôpital Notre-Dame de Montréal. Ils regroupent plusieurs maladies, comme l'**arthrite**, l'**arthrose**, l'**ostéoporose** et les **collagénoses**.»

Dominique reçoit ses patients en clinique externe. À l'affût de ce qui cause leur problème, elle les questionne, les examine de haut en bas (scrutant la peau, la bouche, le cœur, les ongles, le ventre, les ganglions, les articulations, etc.) et les envoie passer des examens complémentaires, comme des prises de sang ou des rayons X. Après avoir posé son diagnostic, elle leur prescrit des médicaments ou procède à des **infiltrations** pour les soulager.

Une semaine sur trois, Dominique est de garde à l'hôpital. Elle voit alors des malades admis à l'urgence qui nécessitent des soins en rhumatologie. Elle répond aussi aux demandes de collègues dont les patients hospitalisés ont besoin de son expertise. «Quand on pratique dans un centre hospitalier universitaire comme l'Hôpital Notre-Dame, on est considéré comme une référence.»

Des milieux de travail potentiels

> Centres d'hébergement et de soins de longue durée
> Centres hospitaliers
> Centres locaux de services communautaires (CLSC)
> Cliniques privées

ma motivation

«Ce qui m'a attirée dans cette spécialité, c'est qu'on peut découvrir beaucoup de choses uniquement en examinant le patient, à la manière d'un détective sur la piste des indices qui mènent au coupable, raconte Dominique. Il faut questionner le patient sur ses symptômes, ses douleurs, ses habitudes. Avec mes connaissances et de la pratique, je peux ainsi avoir une bonne idée de ce dont souffre une personne. Et les tests sanguins ou les rayons X viennent souvent confirmer le diagnostic que j'avais en tête.

«Si une personne a de la difficulté à bouger, à se lever ou à marcher, je peux faire en sorte que sa douleur soit moins grande et qu'elle puisse fonctionner dans son quotidien. Quand un patient revient me voir et que je constate que ça va mieux, c'est très valorisant.»

mon conseil

Au secondaire, Dominique avait déjà décidé qu'elle deviendrait médecin. «Je ne sais pas si c'était par vocation ou si j'ignorais simplement dans quoi je m'embarquais. Je ne me suis jamais posé de questions; c'est peut-être ça le meilleur truc... Et travailler fort, aborder une journée après l'autre, une année après l'autre, foncer tête baissée. Quand j'ai eu fini mes études, je me suis dit : mon Dieu, j'ai fait tout ça!» raconte-t-elle en riant. 06/03

mon parcours

Dominique a entrepris ses études collégiales en sciences de la santé au Collège de Bois-de-Boulogne. Puis, elle a fait son doctorat en médecine générale à l'Université de Montréal, avant d'opter pour une spécialisation en rhumatologie et de faire sa **résidence** à l'Hôpital Notre-Dame. L'institution a par la suite exigé que Dominique aille se surspécialiser ailleurs, comme le veut la pratique dans les centres hospitaliers universitaires. «Je suis donc partie étudier les maladies osseuses en France pendant un an avant de revenir pratiquer à Notre-Dame», conclut-elle.

Les mots en caractères **gras** sont définis dans le glossaire (p. 169 à 174).

Médecin spécialiste en santé communautaire

> **dans un organisme public**

mon travail

Le médecin spécialiste en santé communautaire traite des aspects «populationnels» de la santé, c'est-à-dire que sa préoccupation première n'est pas tant le traitement des problèmes de santé que la prévention de leur propagation dans la population. «Mon patient, c'est la population», explique Faisca Richer, médecin en santé communautaire à la Direction de la santé publique de la Montérégie.

Son travail peut ainsi l'amener à tenter de prévenir la propagation de maladies infectieuses comme le SIDA, la gastro-entérite ou le SRAS, ou encore à s'occuper de la prévention relative au cancer, aux maladies chroniques ou reliées au tabac, etc. Elle peut également être appelée à conseiller des professionnels de la santé aux prises avec un cas de méningite invasive dans une école secondaire et qui veulent savoir s'ils doivent vacciner tous les élèves. Son avis est aussi requis dans le cas d'une catastrophe environnementale – par exemple un déversement de produits toxiques – pouvant porter atteinte à la santé de la population qu'elle dessert.

Des milieux de travail potentiels

> Centres d'hébergement et de soins de longue durée
> Centres hospitaliers
> Centres locaux de services communautaires (CLSC)
> Cliniques privées

ma motivation

Faisca avait initialement opté pour une autre spécialité médicale. Mais elle a vite été déçue de constater que la médecine guérit très peu. «Une fois que le problème est là, il est très rarement guérissable», explique-t-elle. Le fait de voir continuellement revenir en consultation des personnes à qui elle n'avait jamais eu l'occasion d'expliquer comment prévenir leurs problèmes de santé lui donnait «l'impression de ramasser des pots cassés, de travailler beaucoup à des choses qui ne se règlent jamais».

Elle apprécie tout particulièrement la perspective que lui donne son travail en santé communautaire. Il lui permet en effet de s'attaquer aux problèmes non seulement sous l'angle des facteurs médicaux, mais aussi en tenant compte des facteurs sociaux et culturels qui les causent. Elle peut ainsi agir avant que les choses ne deviennent irréversibles.

mon conseil

«Dans la pratique, le médecin en santé communautaire a beaucoup de lectures à faire, de rapports à écrire. Il faut être un peu "rat de bibliothèque" pour apprécier. Et il faut aussi avoir le goût de réfléchir à des problèmes.»

Faisca conseille également de laisser tomber ses préjugés si on veut réussir dans ce domaine. «Il faut acquérir une vision large d'une population : ce n'est pas toujours de la mauvaise volonté qui est en cause; il y a des raisons pour lesquelles certaines personnes vont développer des problèmes spécifiques.» 05/03

mon parcours

Faisca a obtenu son doctorat en médecine à l'Université d'Ottawa, puis a effectué sa **résidence** en santé communautaire à l'Université McGill. «Ce n'était pas une spécialisation très populaire au moment où je l'ai choisie», souligne-t-elle.

Les mots en caractères **gras** sont définis dans le glossaire (p. 169 à 174).

Médecin spécialiste (résident) en urologie

❱ en milieu hospitalier

mon travail

Résident à l'Hôpital Sainte-Justine, Alain Duclos doit s'occuper des patients qui vont bientôt subir ou qui viennent de subir une opération en urologie. Cette branche de la médecine traite les affections de l'appareil urinaire (pierres aux reins ou à la vessie, cancers, incontinence, etc.) et celles de l'appareil génital masculin. **Pyéloplastie**, correction de l'**hypospadias** et **orchidopexie** sont des interventions régulièrement pratiquées dans le domaine.

«Avant la chirurgie, je dois vérifier que le patient est prêt pour la salle d'opération et que les tests d'usage avant l'opération ont été passés avec succès. Quand, par exemple, on découvre qu'un patient a un **électrocardiogramme** anormal, il faut décider si c'est dangereux pour lui de se retrouver en chirurgie. Après la chirurgie, je dois m'assurer que le patient récupère bien et que ses plaies ne saignent pas. Si elles saignent, il faut intervenir [on enlève les points, on examine où ça saigne et on referme la plaie]. Il peut aussi arriver que quelqu'un fasse un infarctus après une chirurgie. À ce moment-là, il faut réagir très rapidement et demander l'aide des collègues cardiologues et chirurgiens cardiaques», explique Alain.

ma motivation

«La première gratification que je tire de mon métier, c'est d'aider les gens», poursuit Alain. Une gratification qu'il aurait pu retrouver dans bien d'autres spécialités médicales. «Mon choix de me spécialiser en urologie a été influencé par les gens que j'ai côtoyés au cours de ma formation en médecine. En fait, un urologue et un chirurgien général font presque le même travail au niveau de l'abdomen...»

La communication avec les patients fait aussi partie des bons côtés du travail, selon Alain. «Pour moi, il est très important de prendre le temps d'expliquer à un patient quel est son état et quelles sont les mesures à prendre pour améliorer sa condition physique. Quand un patient comprend bien, il est plus enclin à suivre les directives, comme arrêter de fumer, faire de l'exercice, mieux s'alimenter, etc.», précise-t-il.

mon conseil

Avant de s'embarquer dans une telle aventure, il faut bien y songer, prévient Alain. «Il y a des sacrifices à faire et il faut en être conscient. Une telle spécialisation représente en tout 10 ans sur les bancs de l'école. Pendant les deux premières années de résidence, il faut calculer environ 80 heures par semaine de présence en milieu hospitalier.» Par contre, la démarche comporte des avantages. «Par exemple, au terme des études, on est assuré d'avoir un emploi. Ce n'est pas à négliger!» 09/03

mon parcours

Alain a fait un doctorat en recherche en immunologie à l'Université McGill avant d'entreprendre son doctorat en médecine à l'Université de Montréal, puis sa **résidence** en urologie, sous la direction du même établissement. Au moment de l'entrevue, il prévoyait aller étudier un an en Californie afin d'apprendre des techniques de transplantation des reins et du pancréas.

Les mots en caractères **gras** sont définis dans le glossaire (p. 169 à 174).

Omnipraticienne
⟩ en centre de réadaptation

mon travail

Marianne Harvey, omnipraticienne, pratique au Centre de réadaptation Lucie-Bruneau à Montréal. Elle se consacre aux lésions musculo-squelettiques graves, et participe à un programme de traumatismes crâniens et cérébraux où, explique-t-elle, elle a d'abord un rôle de médecin-conseil.

«Je reçois des patients qui ont été blessés et j'évalue leur situation : quels sont leurs besoins en matière de gestion de la douleur; s'ils peuvent entreprendre un programme en réadaptation, etc.

«J'assure également la liaison entre le Centre de réadaptation et le médecin traitant des patients, poursuit-elle. Je tiens aussi le rôle de consultante auprès de l'équipe soignante du Centre, car on travaille de pair avec des psychologues, des ergothérapeutes, des physiothérapeutes et des éducateurs physiques.»

ma motivation

Marianne a exercé durant huit ans le métier de sexologue dans un CLSC avant de se réorienter. «Je voulais une profession où l'on travaille avec des patients, qui comporte une part d'écoute, une part de psychothérapie. Je cherchais aussi un métier où l'on doit faire un travail de prise en charge, de prévention, de santé globale. Je me suis donc orientée vers la médecine.»

Elle avoue apprécier énormément le fait d'être membre d'une équipe au Centre de réadaptation. «C'est très important pour moi, confie-t-elle. Avant, je me penchais souvent seule sur des cas parfois très lourds à gérer. Ici, j'appartiens à un groupe interdisciplinaire. Chacun amène sa vision, ses connaissances en fonction de sa propre spécialité. Il y a un échange, c'est comme de la formation continue, ce qui est fort stimulant.»

mon conseil

«Quand on pratique la médecine, je crois qu'il faut avoir des convictions, et des doutes aussi. On doit avoir confiance en ce que l'on a appris, mais il faut garder des interrogations, car c'est ça qui permet de continuer à évoluer et qui donne envie d'apprendre.

«Il est également important de réussir à trouver un équilibre entre sa vie professionnelle et personnelle, c'est-à-dire de se sentir responsable de ses patients, sans négliger le fait que l'on est aussi responsable de sa propre vie.» 07/03

mon parcours

Diplômée d'un baccalauréat en sexologie obtenu à l'Université du Québec à Montréal en 1980, Marianne a œuvré huit ans au CLSC de Pohénégamook comme sexologue. En 1988, elle a été admise à la faculté de médecine de l'Université de Montréal, où elle a par la suite obtenu son doctorat. Elle a effectué sa **résidence** en médecine familiale avant de s'établir en Gaspésie où elle a exercé durant 10 ans au CLSC Baie-des-Chaleurs à Paspébiac, puis au CLSC Pabok, et à l'Hôpital de Chandler. Elle a ensuite bifurqué vers le Centre de réadaptation Lucie-Bruneau à Montréal, en février 2003.

Les mots en caractères **gras** sont définis dans le glossaire (p. 169 à 174).

La gestion
du système de santé

Derrière les professionnels de la santé qui s'activent pour soigner nos petits et gros bobos travaillent aussi un peu plus de 9 800 personnes[1] chargées de voir au bon fonctionnement des établissements du réseau. Ce sont les directeurs généraux, les cadres supérieurs et les cadres intermédiaires.

Par Guylaine Boucher

D'ici à 2010, plus de 4 000 gestionnaires du réseau prendront leur retraite et devront être remplacés.

En 2004, le Centre de référence des directeurs généraux et des cadres estimait à 355 le nombre de directeurs généraux actifs au Québec[2]. À la tête des établissements, ils voient à ce que tout se passe sans encombre, que ce soit du point de vue financier, humain ou clinique. Le développement de nouveaux services, l'attribution des ressources humaines et financières, la signature d'ententes de partenariat entre établissements pour assurer, par exemple, le suivi de la clientèle, doivent entre autres être autorisés par eux.

Présents surtout dans les grands établissements – comme les centres hospitaliers universitaires –, mais aussi dans certains centres jeunesse, les cadres supérieurs ont quant à eux pour fonction de planifier les ressources nécessaires, de coordonner le travail des équipes de cadres intermédiaires et de voir à l'organisation des services. Leur nombre est estimé à environ 1 500[3].

Enfin, les cadres intermédiaires sont responsables des activités, c'est-à-dire qu'ils coordonnent directement les équipes qui livrent les services à la population. On les trouve dans tous les types d'établissements. Ils sont, par exemple, coordonnateurs des soins infirmiers ou encore responsables du maintien à domicile. Dans les plus petits établissements, ils peuvent aussi être responsables des ressources financières et matérielles. Beaucoup d'entre eux occupaient auparavant des fonctions cliniques, entre autres comme travailleurs sociaux, psychologues ou infirmières. Représentant plus de 7 940 travailleurs[4], ce sont les gestionnaires les plus nombreux du réseau.

La formation requise

La plupart des gestionnaires du réseau de la santé et des services sociaux sont titulaires d'un baccalauréat ou d'une maîtrise en administration publique, en plus d'une formation clinique de base. Ils ont souvent accédé à leurs fonctions en gravissant progressivement les échelons. D'ici à 2010, plus de 4 000 d'entre eux[5] prendront leur retraite. Toutefois, on estime que le réseau devra recruter au-delà de 5 400 nouveaux gestionnaires, en raison notamment de la taille de plus en plus imposante des établissements. Devant le manque de relève disponible, le ministère de la Santé et des Services sociaux a mis sur pied un programme de relève des cadres. Pour y avoir accès, il faut cependant déjà travailler au sein du réseau. ■

1., 2., 3., 4. et 5. Entrevue avec Ahmed Benhadji, conseiller, Centre de référence des directeurs généraux et des cadres, juin 2005.

 Pour avoir un aperçu des besoins de main d'œuvre en ce qui a trait aux cadres et du programme de relève, consultez le site du Centre de référence des directeurs généraux et des cadres : **www.crdgc.gouv.qc.ca**.

Cadre intermédiaire
❯ dans un organisme public

mon travail

Manon Desrochers est coordonnatrice des services de réadaptation en déficience intellectuelle dans une institution publique : Les services de réadaptation L'Intégrale, à Montréal. À ce titre, elle est responsable de l'ensemble des chefs de service.

«Je fais le bilan de la situation de nos quelque 1 000 clients, qui sont, en général, des autistes, des adolescents en état de crise et des adultes aux prises avec des troubles graves de comportement. Je tente de maintenir l'équilibre entre le soutien à leur apporter et les moyens dont on dispose pour le faire.

«En tant que cadre intermédiaire, je joue un rôle important, car je suis à la fois proche du terrain et de la direction. Je peux donc influencer les décisions et les actions.» Manon participe d'ailleurs à toutes les rencontres entre patrons et syndicat, et fait aussi partie du comité de direction.

ma motivation

Passionnée par les relations humaines, Manon se dit très heureuse dans le milieu dans lequel elle évolue. Ce qu'elle aime par-dessus tout, c'est le défi des cas particuliers.

«On peut rencontrer des clients qui cassent tout, qui mangent tout, etc. On doit alors travailler en équipe pour parvenir à les contrôler.»

Manon doit aussi superviser le travail du personnel qui est sous ses ordres, et composer avec la personnalité de chacun pour en tirer le meilleur.

mon conseil

Manon estime que son métier lui en a appris beaucoup, notamment sur les relations humaines.

«Je crois également en avoir beaucoup appris sur moi-même, autant sur mes qualités que sur mes défauts. Le contact permanent avec les autres permet de faire le point sur ses forces et ses faiblesses.»

Selon elle, pour réussir dans le domaine de la réadaptation en déficience intellectuelle, il faut se faire confiance et être déterminé.
06/03

mon parcours

À la fin des années 1960, Manon a suivi un cours en éducation spécialisée à l'École normale Jacques-Cartier, à Montréal. Plus tard, elle a suivi les cours de formation générale au Cégep Marie-Victorin, et a ainsi obtenu un diplôme d'études collégiales (DEC) en éducation spécialisée. Elle a également poursuivi trois certificats à l'Université de Montréal, l'un en créativité, l'autre en communication et le dernier en intervention auprès de la clientèle déficiente intellectuelle. «Mon certificat en créativité m'aide à trouver des solutions novatrices pour résoudre les différents problèmes que nous connaissons avec notre clientèle.» Avant d'obtenir son poste à l'Intégrale, Manon a aussi été chef de service dans un centre de services adaptés.

Des milieux de travail potentiels

❯ Centres d'hébergement et de soins de longue durée

❯ Centres de réadaptation

❯ Centres hospitaliers

❯ Centres jeunesse

❯ Centres locaux de services communautaires (CLSC)

Les mots en caractères **gras** sont définis dans le glossaire (p. 169 à 174).

Cadre supérieure
❯ dans un organisme public

mon travail

Le Centre de réadaptation et déficience intellectuelle Gabrielle-Major à Montréal offre des services d'adaptation et de réadaptation à quelque 1 300 personnes déficientes intellectuelles. Directrice à la recherche et à la qualité des services, Mireille Tremblay travaille, avec son équipe, à offrir aux personnes déficientes des services permettant une meilleure intégration sociale, professionnelle et communautaire. «On évalue les besoins des clients et leurs performances. On regarde le niveau d'autonomie qu'ils peuvent atteindre et on met en place des services pour leur permettre d'évoluer, si cela est nécessaire en collaboration avec les CLSC, les commissions scolaires, la famille et certains organismes communautaires.»

Dans ses tâches, Mireille doit également évaluer la qualité des interventions cliniques et professionnelles offertes au Centre.

Des milieux de travail potentiels

❯ Centres d'hébergement et de soins de longue durée
❯ Centres de réadaptation
❯ Centres hospitaliers
❯ Centres jeunesse
❯ Centres locaux de services communautaires (CLSC)

ma motivation

La carrière de Mireille a été inspirée par une noble cause. «J'ai une passion, celle du respect des droits de la personne. J'œuvre pour que les relations interpersonnelles soient égalitaires, d'adulte à adulte, quel que soit le handicap ou la déficience, ce qui passe par le développement de l'autonomie. L'aspect recherche et développement est tout récent en centre de réadaptation, poursuit-elle. On explore, on innove, c'est très stimulant.»

Aider les personnes déficientes à s'intégrer dans la communauté demeure la motivation première de Mireille. «À partir du moment où elles vivent dans la communauté, qu'elles soient en institution ou non, les personnes déficientes ont droit à une vie personnelle, affective, sexuelle. Et c'est à nous de les aider dans ce sens.»

Mireille a aussi le désir d'améliorer la qualité des services offerts et des expertises que possèdent les personnes œuvrant au Centre.

mon conseil

Mireille attribue sa réussite à sa passion pour les droits de la personne et pour l'équité. «Il faut avoir confiance en soi et aller jusqu'au bout de ses objectifs. En santé mentale, il faut penser à ce qu'il est possible d'accomplir pour aider les personnes les plus vulnérables à s'intégrer dans la communauté.»
05/03

mon parcours

Mireille a décroché sa maîtrise en psychologie à l'Université du Québec à Montréal en 1977, puis a travaillé en hôpital psychiatrique avant d'intégrer la Régie régionale de la santé de la Montérégie en 1983, à la planification et la coordination de services en santé mentale. En 1992, elle devient secrétaire générale, puis directrice générale de la Fédération québécoise des centres de réadaptation en déficience intellectuelle, poste qu'elle occupe jusqu'en 2000, année où elle obtient son doctorat en sciences humaines appliquées, à l'Université de Montréal. Elle a été embauchée au Centre de réadaptation et déficience intellectuelle Gabrielle-Major à l'automne 2001.

Les mots en caractères **gras** sont définis dans le glossaire (p. 169 à 174).

Directrice générale
> dans un organisme public

mon travail

Faire travailler harmonieusement plus de 350 personnes, voilà le défi que relève Madeleine Roy, directrice du Centre Dollard-Cormier, le plus important établissement public de traitement de la toxicomanie, de l'alcoolisme et du jeu compulsif et excessif au Québec. Personne clé dans le fonctionnement du Centre, Madeleine préside les réunions du conseil d'administration, signe tous les chèques et voit aux suivis budgétaires, requis par le ministère de la Santé et des Services sociaux aux 28 jours. «Tous les contrats qui sortent de l'établissement doivent être signés par moi, ajoute-t-elle. Je dois les lire et les comprendre pour les présenter au conseil d'administration afin d'obtenir l'autorisation de les signer.»

Ses journées commencent dès 7 h 15. En arrivant au bureau, elle prend ses messages pour ensuite réexpédier à ses collègues les courriels qui les concernent. Puis, elle se penche sur l'administration courante. Quand son adjointe arrive, elles regardent ensemble la planification de la journée. Vers 9 h, l'enfilade des réunions commence. Conseil d'administration, syndicat, employés... elle passe ainsi d'un groupe à l'autre jusqu'à la fin de l'après-midi. Il lui arrive aussi de donner de la formation, d'en suivre elle-même et de représenter le Centre lors d'événements publics.

Des milieux de travail potentiels

> Centres d'hébergement et de soins de longue durée

> Centres de réadaptation

> Centres hospitaliers

> Centres jeunesse

> Centres locaux de services communautaires (CLSC)

ma motivation

«Comme éducatrice, intervenante et présidente de syndicat, on me disait souvent que j'étais un leader naturel. C'est ce qui m'a amenée en gestion. Je suis bonne en animation de groupe, en présidence de groupe, j'ai fait beaucoup de médiation et je prône toujours la recherche de solutions», explique-t-elle. Femme de tête et de cœur, Madeleine apprécie grandement la possibilité qu'elle a de pouvoir gérer à sa manière un tel établissement. «Je favorise la médiation, l'approche gagnant-gagnant avec le personnel et les syndicats, même si ce n'est pas toujours facile. Je crois au partage de l'information et à la transparence des communications. Ici, tout circule, les procès-verbaux et le reste. Je crois aussi à l'écoute, et ma porte est toujours ouverte.»

mon conseil

Même si son caractère de meneuse la prédisposait à occuper un poste de direction, Madeleine estime que sa formation en gestion a été déterminante. «Ma maîtrise à l'École nationale d'administration publique (ENAP) m'a donné des outils pour mieux diriger», explique-t-elle, en citant comme exemple les connaissances en droit administratif et en organisation du travail qu'elle a pu acquérir. 06/03

mon parcours

Madeleine a obtenu un diplôme d'études collégiales (DEC) en éducation spécialisée au Collège Marie-Victorin, puis un baccalauréat en orthopédagogie à l'Université de Montréal, une formation qui l'a amenée à travailler plusieurs années comme intervenante en éducation spécialisée. Puis, elle s'est vu confier des fonctions de direction, qu'elle a occupées tout en poursuivant une maîtrise en administration publique à l'ENAP. Elle a dirigé plusieurs établissements spécialisés (en déficience visuelle et intellectuelle, notamment), avant de prendre la barre du Centre Dollard-Cormier.

Les mots en caractères **gras** sont définis dans le glossaire (p. 169 à 174).

Glossaire

A **ADN**
Abréviation pour *acide désoxyribonucléique*, le
constituant essentiel des chromosomes, porteurs
des facteurs déterminants de l'hérédité.

Aide auditive (ou prothèse auditive)
Appareil acoustique de type électronique, électro-
acoustique ou mécanique destiné à corriger une
déficience du système auditif ou à suppléer aux
incapacités qui en découlent.

Anémie
Trouble hématologique qui provoque la diminution
de la concentration d'hémoglobine dans le sang en
deçà des valeurs normales.

Anxiété
Sentiment d'un danger imminent et indéterminé
s'accompagnant d'un état de malaise, d'agitation,
de désarroi et d'anéantissement.

Apnée du sommeil
Interruption des efforts respiratoires survenant pendant
le sommeil lorsque les centres respiratoires cessent de
commander la contraction des muscles respiratoires.

Appareil d'électrochirurgie
Appareil de chirurgie qui utilise les diverses
propriétés des courants de haute fréquence pour
coaguler ou sectionner.

ARN
Abréviation pour *acide ribonucléique*, une
molécule présente dans la cellule qui sert
d'intermédiaire à la synthèse des protéines.

Arthrite
Inflammation d'une ou de plusieurs articulations.

Arthrose
Lésion chronique, dégénérative et non inflammatoire
d'une articulation caractérisée entre autres par
l'altération du cartilage et causant des douleurs,
des déformations et des craquements.

Arthrose lombaire
Lésion chronique, dégénérative et non inflammatoire
d'une articulation dans le bas du dos.

Arythmie
Irrégularité du rythme cardiaque.

Aseptique
Exempt de tout microbe.

Asthme
Affection pulmonaire chronique qui se caractérise
par une difficulté à respirer. Les voies aériennes des
personnes asthmatiques sont hypersensibles ou
hyperréactives. Elles réagissent en se rétrécissant
ou en s'obstruant lorsqu'elles sont irritées, ce qui
entrave la circulation de l'air.

Audiogramme
Graphique représentant la valeur de l'audition de
chaque oreille.

Audiologiste
Personne qui évalue les problèmes de l'ouïe et qui
les traite avec des aides auditives ou un programme
de réadaptation.

Autisme
Détachement de la réalité et repli sur soi avec
prédominance de la vie intérieure.

B **Bioéthique**
Champ d'étude et de recherche portant sur les
enjeux éthiques posés par les progrès scientifiques
et technologiques de la médecine et de l'ensemble
des sciences de la vie.

Biologie moléculaire
Discipline qui étudie les mécanismes biologiques
en fonction des structures et des interactions des
constituants moléculaires de la cellule.

Biomécanique
Discipline qui étudie les structures et les fonctions
physiologiques des organismes en relation avec les
lois de la mécanique.

Biostatisticien
Spécialiste des statistiques qui s'occupe
principalement de données biologiques.

Bronchite chronique
Syndrome caractérisé par une toux, permanente
ou intermittente, liée à une augmentation de la
sécrétion bronchique (et non obligatoirement de
l'expectoration), survenant durant un minimum de trois
mois, non forcément consécutifs dans l'année et
pendant un minimum de deux années consécutives.

Brucellose
Maladie infectieuse, contagieuse, chronique, due à
la multiplication d'une bactérie du genre *Brucella* et
affectant l'homme et divers animaux (bovins, ovins,
caprins, porcins, équidés, carnivores, oiseaux).

Bursite
Inflammation aiguë ou chronique d'une
bourse séreuse. Les bourses séreuses ont
pour rôle de faciliter les mouvements des
organes auxquels elles sont annexées
(principalement les articulations).

C **Cataracte**
Opacité du cristallin entraînant une insuffisance
de la vue pouvant aller jusqu'à la cécité.

Centrifugeuse
Appareil pour la séparation de matériaux,
dont l'élément constitutif essentiel est un
réservoir tournant, dans lequel se trouve le
mélange à séparer.

Chirurgie valvulaire
Chirurgie visant à réparer ou à remplacer par une
prothèse une valvule cardiaque abimée. Les valvules
sont les groupes de valves qui permettent le passage
unidirectionnel du sang dans les cavités du cœur.

Glossaire (suite)

Cognitif
Qualifie les processus cognitifs par lesquels un organisme acquiert des informations sur l'environnement et les élabore pour régler son comportement : perception, formation de concepts, raisonnement, langage, décision, pensée.

Collagénoses
Maladies qui ont pour caractéristique commune la dégénérescence du collagène, la substance qui donne au corps sa forme et son élasticité.

Colonoscopie (ou coloscopie)
Technique qui permet d'explorer le côlon et la muqueuse qui le tapisse, dans le but de poser des diagnostics ou de traiter des pathologies.

Composition génétique
Tous les gènes des êtres vivants sont constitués de quatre éléments de base : A, T, C et G. La diversité des organismes vivants de la planète provient des innombrables combinaisons différentes de ces quatre éléments, soit la composition génétique.

Cornée
Membrane fibreuse et transparente, véritable «hublot» qui constitue la face avant de l'œil.

Coronographie
Examen radiologique dont le principe est d'injecter directement dans les artères du cœur un produit réactif faisant apparaître un contraste visible sur une radiographie.

Cristallin
Organe en forme de petite lentille biconvexe, transparent et mou, situé à l'intérieur du globe oculaire, en arrière de l'iris et en avant du corps vitré.

Culture bactérienne
Technique permettant d'obtenir la multiplication des bactéries *in vitro*.

D Dégénérescence maculaire
Altération de la macula (zone centrale de la rétine permettant la vision fine et précise) qui entraîne une perte progressive et importante de la vision.

Dialyse
Technique d'épuration extrarénale faisant appel à des appareils de dialyse fonctionnant sur circulation extracorporelle et appelés hémodialyseurs.

Dialyse péritonéale
Mode d'épuration du sang utilisant la membrane péritonéale (qui tapisse l'intérieur de l'abdomen et les viscères) comme «filtre» où les déchets azotés retenus dans le sang, et consistant à introduire, entre les deux feuillets de la membrane, un liquide de dialyse qu'on évacue et qu'on renouvelle régulièrement pendant un temps déterminé.

Dosage des enzymes du muscle du cœur
Examen qui consiste à mesurer le taux d'enzymes dans le cœur. Par exemple la troponine est une enzyme qui s'élève rapidement au cours de l'infarctus du myocarde.

E Électrocardiogramme
Représentation graphique des signaux électriques émis par le cœur en fonction du temps.

Électrolyte corporel
Corps qui, à l'état soluble, peut se dissocier en anions et cations sous l'action d'un courant électrique.

Électrothérapie
Emploi des courants électriques continus ou alternatifs comme moyen thérapeutique.

Emphysème
Distension entraînée par la présence d'air dans les interstices du tissu conjonctif ou dans le tissu alvéolaire des poumons.

Endocrinologie
Science qui a pour objet l'étude de l'anatomie, de la physiologie et de la pathologie des glandes endocrines et de leurs hormones.

Endoscopie
Technique qui permet d'explorer l'intérieur des cavités naturelles du corps – appareils digestif, respiratoire et génital – au moyen d'un endoscope (instrument muni d'un tube optique et d'un système d'éclairage), dans le but de poser des diagnostics ou de traiter des pathologies.

Équipe volante
Équipe dont les salariés polyvalents sont affectés individuellement ou collectivement à différents postes pour combler les besoins particuliers de l'entreprise au fur et à mesure qu'ils se présentent.

Ergothérapeute
Professionnel de la santé qui aide les personnes souffrant d'incapacité physique ou mentale à réaliser leurs activités quotidiennes. Au besoin, l'ergothérapeute propose des aides techniques et un aménagement de l'environnement du patient.

Estradiol
Principale hormone œstrogène sécrétée chez l'humain.

État nutritionnel
État de l'organisme résultant de l'ingestion, de l'absorption et de l'utilisation des aliments, ainsi que des facteurs de nature pathologique.

Examen direct de l'expectoration
Examen qui consiste à analyser un échantillon de crachat pour en déterminer le contenu.

Glossaire (suite)

Exploration fonctionnelle du système respiratoire
Examen qui consiste à faire souffler le patient de différentes façons dans l'embout d'un capteur relié à un écran informatique. Les résultats obtenus sont comparés avec des moyennes correspondant au profil du patient, (sexe, âge, poids, etc.).

F Fibrillation (cardiaque)
Contraction rapide et désordonnée des fibres du muscle cardiaque. Ce phénomène peut toucher les cavités supérieures du cœur (fibrillation auriculaire) ou les cavités inférieures (fibrillation ventriculaire). Lorsque le cœur est en fibrillation, il palpite et est incapable de pomper le sang.

Fièvre aphteuse
Maladie animale causée par le virus du genre *Aphthovirus*, fortement contagieux. Exceptionnellement transmissible à l'homme, elle affecte les porcs domestiques et certains ruminants sauvages. Elle se caractérise par de la fièvre et des lésions au niveau des muqueuses buccales et nasales, de même que sur les pieds.

Fluoroscopie
Méthode d'imagerie fonctionnelle qui consiste à observer l'image lumineuse des organes internes produite sur un écran fluorescent par l'interposition du corps entre cet écran et un faisceau de rayons X.

G Gavage
Introduction d'aliments dans l'estomac au moyen d'un tube qui passe habituellement par les narines, le pharynx et l'œsophage.

Génétique
Branche de la biologie qui étudie les caractères héréditaires et les variations accidentelles.

Glandes endocrines
Glandes à sécrétion interne, dont les produits (hormones) sont déversés directement dans le sang et la lymphe.

Glande thyroïde
Glande endocrine située dans la partie antérieure et inférieure du cou, responsable de la synthèse, du stockage et de la sécrétion d'hormones ayant une action activatrice sur le métabolisme en général.

Globule sanguin
Cellule arrondie semi-fluide que l'on trouve dans le sang.

Groupe sanguin
Classification des individus selon les caractéristiques de leur sang permettant de déterminer la compatibilité entre le donneur et le receveur lors d'une transfusion sanguine. Le système ABO, qui comprend les groupes sanguins A, B, O et AB, englobe la plupart des individus.

H HACCP (pour *Hazard Analysis Critical Control Point*)
Système qui vise à assurer la salubrité des aliments grâce à l'application de rigoureux mécanismes de contrôle d'un bout à l'autre de la chaîne de production. Les usines d'abattage canadiennes sont tenues d'appliquer le système HACCP pour exporter aux États-Unis.

Hémodialyse
Voir dialyse.

Hernie discale
Saillie anormale du disque intervertébral dans le canal rachidien, due à l'expulsion, en arrière, à la suite d'un traumatisme, du *Nucleus pulposus*.

Homéostasie
Tendance de l'organisme à maintenir ses différentes constantes à des valeurs ne s'écartant pas de la normale (l'homéostasie assure, par exemple, le maintien de la température, du débit sanguin, de la tension artérielle, du pH, des volumes liquidiens de l'organisme, de la composition du milieu intérieur, etc.).

Hydrothérapie
Traitement basé sur une utilisation externe de l'eau, sous toutes ses formes et à des températures variables : bains, douches, enveloppements, compresses humides, sacs à glace ou à eau chaude, etc.

Hyperactivité
Instabilité du comportement de certains enfants, toujours actifs, qui ont des difficultés à se concentrer sur une seule activité.

Hypophyse
Glande endocrine qui sécrète des hormones agissant sur le fonctionnement d'autres glandes endocrines.

Hypospadias
Malformation congénitale de l'urètre de l'homme caractérisée par la situation anormale de son orifice sur la face ventrale du pénis.

I Immunofluorescence
Technique qui consiste à rendre fluorescent un antigène déterminé à l'intérieur d'une cellule (un antigène est une substance capable de déclencher une réponse immunitaire). Cette méthode permet de détecter et de localiser les antigènes viraux dans la cellule infectée.

Immunoglobuline
Terme générique désignant l'ensemble des globulines sériques constituant les anticorps.

Infiltration
Injection, généralement dans une articulation, d'un médicament qui permet de diminuer la douleur.

Glossaire (suite)

Inhalothérapeute
Professionnel paramédical spécialisé dans les soins du système cardiorespiratoire, par exemple, l'humidification des voies respiratoires, la réanimation cardiorespiratoire ou encore la ventilation artificielle prolongée. On le trouve souvent en salle d'opération, où il assiste l'anesthésiologiste dans la surveillance des fonctions vitales du patient.

Interaction médicamenteuse
Phénomène qui survient lorsque deux ou plusieurs médicaments ayant été administrés simultanément ou successivement, les effets de l'un sont modifiés par la présence du ou des autres.

Iris
Structure pigmentée donnant sa couleur à l'œil et percée d'un trou, la pupille.

L Laparoscopie
Endoscopie de la cavité abdominale, qui se pratique à l'aide d'un endoscope rigide, soit un laparoscope, introduit au travers d'une courte incision. La laparoscopie diagnostique permet de visualiser les organes. La laparoscopie opératoire permet de pratiquer, dans un but thérapeutique, des interventions chirurgicales à l'aide d'instruments miniaturisés.

Leucémie
Terme générique recouvrant un groupe d'affections caractérisées par la présence en excès dans la moelle osseuse et parfois dans le sang de leucocytes ou de leurs précurseurs.

Luxation
Déplacement anormal de l'un des os d'une articulation.

**M Machine cœur-poumon
(ou cœur-poumon artificiel)**
Machine qui permet d'arrêter le cœur et les poumons du patient durant une chirurgie cardiaque. Le sang qui arrive au cœur est collecté par une canule (petit tuyau) puis dirigé vers un oxygénateur, qui remplit le rôle des poumons en oxygénant le sang et en le débarrassant du gaz carbonique. Le sang est ensuite réinjecté dans l'organisme par l'action d'une pompe.

Maladies respiratoires environnementales
Aussi pneumoconioses. Ensemble des désordres broncho-pulmonaires liés à l'accumulation de particules minérales dans les poumons et à la réaction des tissus à la présence de ces particules. Sont souvent reliées au milieu de travail.

Maniaco-dépression
Affection mentale caractérisée par des accès d'excitation psychique qui alternent avec des périodes de dépression.

Médecine d'expertise
Expertise médicale qui permet de fournir au juge saisi d'une affaire un avis scientifique qualifié sous la forme d'un rapport.

Médecine interne
Branche de la médecine qui se consacre au diagnostic et au traitement des maladies générales affectant un ou plusieurs organes, ou des problèmes de santé difficiles à évaluer par une approche conventionnelle.

Médecin traitant
Médecin généraliste qui a la responsabilité du suivi de ses patients et qui les dirige, au besoin, vers un spécialiste ou un hôpital.

Mélanome
Tumeur maligne caractérisée par sa couleur brune et noire.

Méridien
Canal ou vaisseau dans lequel circule l'énergie vitale, véritable ligne de flux énergétique continu, comportant une source, une ligne d'écoulement, des champs d'élargissement et de rétrécissement, de passage et de chute, et sur le trajet duquel se trouvent situés les points cutanés, lieux privilégiés permettant d'en régulariser le débit.

Mésadapté socio-affectif
Personne qui manifeste des problèmes de comportement affectif et social incompatibles avec la qualité et la quantité des situations et des actes éducatifs de l'enseignement régulier.

Microscope ophtalmologique
Microscope spécialisé servant à examiner les yeux.

Microscopie électronique
Technique d'observation qui fait appel à une variété de microscopes à très fort pouvoir grossissant, utilisant un faisceau d'électrons et des lentilles magnétiques au lieu d'un faisceau lumineux et de lentilles optiques.

N Nanotechnologie
Conception, fabrication et utilisation de structures extrêmement petites, qui se situent à l'échelle des atomes et des molécules. On les mesure en nanomètres (un milliardième de un mètre).

Néonatologie
Branche de la médecine qui a pour objet la surveillance et les soins spécialisés du nouveau-né à risques ou de celui dont l'état s'est dégradé après la naissance.

O Obturation
Opération consistant à insérer un matériau dans la cavité préparée d'une dent.

Œdème
Infiltration séreuse excessive, indolore et sans rougeur des tissus conjonctifs sous-cutanés et sous-muqueux.

Ophtalmoscope
Instrument destiné à la fois à éclairer et à examiner le fond de l'œil.

Orchidopexie
Intervention chirurgicale qui a pour but d'abaisser un testicule, qui n'est pas descendu naturellement dans les bourses.

Glossaire (suite)

Orthèse
Aide technique destinée à suppléer ou à corriger une fonction déficiente, à compenser les limitations ou même à accroître le rendement physiologique d'un organe ou d'un membre qui a perdu sa fonction, qui ne s'est jamais pleinement développé ou est atteint d'anomalies congénitales.

Ostéoporose
Diminution de la masse osseuse.

Oto-rhino-laryngologiste (ORL)
Médecin spécialisé dans le traitement des affections des oreilles, du nez et de la gorge.

P Paranoïa
Perturbation mentale caractérisée par de la méfiance et une interprétation exagérée des événements.

Patch test
Test qui consiste à poser dans le dos du patient des pastilles collantes enduites de réactif et à vérifier, au bout de 48 heures, si certaines d'entre elles ont provoqué une inflammation sur la peau.

Péricardite
Inflammation aiguë ou chronique du péricarde (membrane qui enveloppe le cœur) sous l'influence d'une infection.

Pharmacologie
Science qui étudie les médicaments, notamment leur source, leur préparation, leur action, leurs propriétés thérapeutiques et leur emploi.

Pharmacopée
Ensemble de matières premières (végétales, minérales et animales) ayant des propriétés médicales et thérapeutiques.

Physiatre
Médecin dont la spécialité concerne le diagnostic, le traitement et la prévention des affections de l'appareil locomoteur (ensemble des fonctions osseuses, musculaires et articulatoires qui permettent le déplacement).

Physiothérapeute
Personne qui pose un acte thérapeutique ayant pour objet d'obtenir le rendement fonctionnel maximal des diverses capacités d'un individu par l'utilisation de thérapies manuelles, d'exercices physiques ou par d'autres agents physiques comme la chaleur, le froid, l'eau et l'ultrason.

Polygraphie ou polysomnographie
Ensemble des techniques permettant l'observation et l'enregistrement de diverses activités physiologiques survenant pendant le sommeil. Permet notamment de détecter l'apnée du sommeil.

Pontage coronarien
Lorsqu'un segment d'artère coronaire est rétréci ou bouché, la circulation du sang vers le cœur se trouve compromise. Pour y remédier, le chirurgien crée un canal contournant la région obstruée au moyen d'une greffe de vaisseau sanguin.

Prothèse
Aide technique destinée à remplacer en tout ou en partie un organe ou un membre et à lui restituer sa fonction ou son aspect original.

Prothèse dentaire
Appareil fixe ou mobile porteur de plusieurs dents (prothèse partielle) ou remplaçant la totalité des dents (prothèse totale).

Psychomotricité
Intégration des fonctions mentales et motrices résultant de l'éducation et de la maturation du système nerveux.

Pyéloplastie
Reconstruction chirurgicale du rein visant à en corriger une occlusion.

R Radiation ionisante (ou rayonnement ionisant)
Radiation utilisée dans le traitement du cancer. On la dit «ionisante» parce qu'elle forme des ions en passant à travers les tissus, ce qui a pour effet de détruire ou d'affaiblir les cellules cancéreuses.

Radio-isotope
Isotope radioactif d'un élément chimique.

Radiothérapie
Emploi thérapeutique des rayons X.

Réactif
Substance qui permet d'en identifier une autre lors d'une réaction chimique.

Recherche fondamentale
Travaux entrepris essentiellement dans la perspective de reculer les limites des connaissances scientifiques sans avoir en vue aucune application pratique spécifique. Ils peuvent aboutir à la découverte de lois et d'éléments nouveaux.

Résidence
Voir résident.

Résident
Étudiant diplômé en médecine qui poursuit en milieu hospitalier un programme de deux ans en médecine familiale ou un programme de spécialisation de quatre ou cinq ans dans une discipline approuvée.

Rétine
Membrane du fond de l'œil sensible au stimulus lumineux.

Glossaire (suite)

Rétinite pigmentaire
Affection d'origine héréditaire consistant en une dégénérescence progressive de la rétine qui aboutit à une cécité totale.

Rétinopathie
Toute affection de la rétine et, en particulier, une affection non inflammatoire (bien qu'il y ait des exceptions à cette règle).

Rupture d'anévrisme
Éclatement des parois d'un anévrisme, qui provoque une hémorragie dans les tissus environnants.

S Salmonellose
Infection due à des germes appartenant au genre *Salmonella*.

Scanographie
Radiographie obtenue par un scanner.

Schizophrénie
Affection mentale caractérisée par un repli sur soi et une perte de contact avec la réalité.

Scintigraphie
Procédé permettant de repérer dans l'organisme un isotope radioactif qui y a été introduit.

Soins de longue durée
Soins personnels et infirmiers, de légers à moyens, qui sont prodigués à des personnes âgées ou atteintes d'une maladie chronique ou d'une incapacité, dans une maison de soins infirmiers ou à domicile, pendant une longue période de temps.

Souffle au cœur
Souffle perçu à l'auscultation du cœur et qui a son origine dans cet organe.

Subluxation
Luxation incomplète d'une articulation. Luxation ou entorse partielle.

Système MF
Système de transmission du son par ondes radio composé d'un émetteur et d'un récepteur. L'enseignant porte l'émetteur, dont le microphone est épinglé sur son vêtement, vis-à-vis du menton. L'élève sourd, quant à lui, porte le récepteur, qui se branche dans ses appareils auditifs. Ce système permet à l'élève de mieux entendre dans les situations où l'enseignant se tient à plus de deux mètres de lui, se déplace constamment dans la classe ou parle parmi un bruit de fond.

T Tendinite
Inflammation d'un tendon, soit la structure fibreuse par laquelle un muscle se fixe à un os.

Test cutané (*prick test*)
Test qui consiste à injecter dans le bras du patient de très petites doses de différents réactifs et à vérifier au bout d'une vingtaine de minutes si certaines injections ont provoqué une inflammation sur la peau.

Test Pap (ou colpocytologie)
Examen microscopique des cellules prélevées sur le col de l'utérus permettant le dépistage précoce du cancer.

Thérapie cellulaire
Ensemble des procédures ayant pour objectif d'utiliser des cellules pour guérir des maladies.

Tomodensitométrie (aussi appelée «tomographie axiale assistée par ordinateur» ou, plus familièrement, «scan»)
Technique d'imagerie qui permet de visualiser par coupes n'importe quelle partie de l'anatomie en plus de révéler les différences de densité des divers tissus.

Traumatologie
Branche de la médecine qui se consacre à l'étude des traumatismes physiques et au traitement des patients ayant subi de graves blessures, généralement au cours d'un accident.

Troubles de l'attention
Toute maladie mentale s'accompagnant de troubles de l'attention passagers (délires, hallucinations) ou permanents (débilité mentale, schizophrénie, par exemple).

Troubles du comportement
Difficultés d'adaptation, voire inadaptations qui peuvent être transitoires ou permanentes.

Tubage gastrique
Procédure qui consiste à glisser une sonde gastrique par le nez ou par la bouche jusqu'à l'estomac, afin d'alimenter le patient artificiellement lorsque ce dernier a trop de difficulté à respirer, dans les cas de tuberculose infantile notamment.

Tuberculose
Maladie contagieuse et inoculable, commune à l'homme et aux animaux, due à une bactérie (le *Mycobacterium tuberculosis* ou bacille de Koch).

U Ultrasons
Sons de très grande fréquence ondulatoire (non perceptibles par l'oreille humaine) utilisés comme traitement.

V Vitré
Masse visqueuse transparente occupant l'espace entre la face postérieure du cristallin et la rétine.

Note de l'éditeur :
Ces définitions sont principalement tirées du *Grand dictionnaire terminologique* de l'Office québécois de la langue française (www.granddictionnaire.com). Au besoin, certaines définitions ont été complétées par des sources spécialisées.

VOUS AVEZ UN EMPLOI.

ON A UN MAGAZINE POUR VOUS.

5 ans

Le Magazine Jobboom a

grâce à VOUS!

CE QUI A CHANGÉ

2000-2005

jobboom **5**

jobb⊚⊚m
LE MAGAZINE

Répertoire des principales formations
› liées à la santé et aux services sociaux

Attention : Ce répertoire était à jour en juin 2005.
Des programmes ont pu être retirés ou ajoutés depuis.

La formation professionnelle

Voici les principaux programmes d'études professionnelles pouvant mener à une carrière dans le domaine de la santé et des services sociaux. Ils visent l'obtention d'un diplôme d'études professionnelles (DEP) ou d'une attestation de spécialisation professionnelle (ASP).

- Assistance aux bénéficiaires en établissement de santé (DEP)
- Assistance dentaire (DEP)
- Assistance familiale et sociale aux personnes à domicile (DEP)
- Assistance technique en pharmacie (DEP)
- Santé, assistance et soins infirmiers (DEP)
- Secrétariat médical (ASP)

La formation collégiale

Voici les principaux programmes d'études collégiales pouvant mener à une carrière dans le domaine de la santé et des services sociaux. La majorité visent l'obtention d'un diplôme d'études collégiales (DEC) en formation technique. Nous avons aussi ajouté des programmes permettant d'obtenir une attestation d'études collégiales (AEC) lorsque ce diplôme constitue la principale voie d'accès à la pratique de professions traitées dans ce livre.

- Acupuncture (DEC)
- Archives médicales (DEC)
- Audioprothèse (DEC)
- Cytotechnologie (AEC)
- Soins infirmiers (DEC)
- Techniques ambulancières (AEC)
- Techniques d'éducation spécialisée (DEC)
- Techniques d'électrophysiologie médicale (DEC)
- Techniques d'hygiène dentaire (DEC)
- Techniques d'inhalothérapie (DEC)
- Techniques d'intervention en loisir (DEC)
- Techniques d'orthèses et de prothèses orthopédiques (DEC)
- Techniques d'orthèses visuelles (DEC)
- Techniques de denturologie (DEC)
- Techniques de diététique (DEC)
- Techniques de laboratoire (DEC)
- Techniques de réadaptation physique (DEC)
- Techniques de santé animale (DEC)
- Techniques de thanatologie (DEC)

Répertoire des principales formations
> liées à la santé et aux services sociaux (suite)

- Techniques de travail social (DEC)
- Techniques dentaires (DEC)
- Technologie d'analyses biomédicales (DEC)
- Technologie de l'électronique (DEC) – voir aussi
  le certificat universitaire Technologies biomédicales :
  instrumentation électronique
- Technologie de médecine nucléaire (DEC)
- Technologie de radiodiagnostic (DEC)
- Technologie de radio-oncologie (DEC)
- Technologie de systèmes ordinés (DEC) – voir aussi
  le certificat universitaire Technologies biomédicales :
  instrumentation électronique

La formation universitaire

Voici les principaux programmes d'études universitaires pouvant mener à une carrière dans le domaine de la santé et des services sociaux. La majorité mènent à l'obtention d'un diplôme de baccalauréat. Nous avons aussi inclus des programmes d'études supérieures lorsque ceux-ci constituent la principale voie d'accès à la pratique de professions traitées dans ce livre. Les titres des programmes sont généraux et peuvent différer d'une université à une autre.

- Audiologie (Bac)
- Biochimie clinique (Diplôme d'études postdoctorales)
- Bio-informatique (Bac)
- Biologie (Bac)
- Biologie médicale (Bac)
- Biophysique (Bac)
- Chiropratique (Doctorat)
- Diététique/Nutrition (Bac)
- Ergothérapie (Bac)
- Génie biomédical (Maîtrise ou doctorat)
- Kinésiologie (Bac)
- Médecine dentaire (Doctorat)
- Médecine familiale (Doctorat en médecine)
- Médecine spécialisée (Diplôme d'études supérieures spécialisées en médecine)
- Médecine vétérinaire (Doctorat)
- Microbiologie (Bac)
- Optométrie (Doctorat)
- Orthophonie (Bac)
- Perfusion extra-corporelle (Certificat)
- Pharmacie (Bac)
- Pharmacologie (Bac)
- Physiothérapie (Bac)
- Physique médicale (Maîtrise et doctorat)
- Podiatrie (Doctorat)

Répertoire des principales formations
> **liées à la santé et aux services sociaux (suite)**

- Pratique sage-femme (Bac)
- Psychoéducation (Bac)
- Psychologie (Bac, maîtrise et doctorat)
- Sciences biomédicales (Bac)
- Sciences de l'activité physique (Bac)
- Sciences infirmières (et nursing) (Bac)
- Sexologie (Bac)
- Technologies biomédicales : instrumentation électronique (Certificat)
- Travail social (ou service social) (Bac et maîtrise)

Les principales formations universitaires liées à l'administration

- Baccalauréat en administration des affaires (finance, marketing, gestion des ressources humaines, etc.)
- Baccalauréat en comptabilité ou sciences comptables
- Baccalauréat en économie
- Maîtrise en administration des affaires (MBA)
- Maîtrise ou doctorat en administration publique

Plusieurs universités offrent également divers programmes d'études liés à l'administration publique et à la gestion des services de santé (microprogrammes, programmes courts, certificats, diplômes d'études supérieures spécialisées [DESS], diplômes de deuxième et de troisième cycle [maîtrises et doctorats]. Certains baccalauréats peuvent aussi offrir une spécialisation en administration publique.

Renseignez-vous auprès des établissements d'enseignement qui vous intéressent. ■

❯ Comment savoir où est offert un programme d'études?

La formation professionnelle et technique

Vous pouvez consulter le **Réseau télématique de la formation professionnelle et technique du ministère de l'Éducation du Loisir et du Sport**, à l'adresse suivante : http://inforoutefpt.org.

Dans ce site, vous pouvez orienter vos recherches à partir d'un secteur de formation ou encore directement à partir du nom du programme désiré. Vous aurez ainsi accès à de l'information sur le programme sélectionné : les établissements d'enseignement offrant la formation, les conditions d'admission, la durée, les objectifs et le contenu du programme.

La formation universitaire

Pour connaître les universités qui offrent un programme spécifique, vous pouvez consulter le **Répertoire des universités canadiennes** à l'adresse suivante : http://oraweb.aucc.ca/showdcu_f.html. Effectuez une recherche par province, par discipline, par diplôme ou par programme.

Pour obtenir une information juste et à jour, consultez les sites Internet des universités qui vous intéressent. Vous y trouverez des renseignements sur les programmes d'études, les modalités d'inscription, les cours offerts et la vie étudiante.

PRENEZ VOTRE SANTÉ
EN MAINS!

Statistiques sur le placement des diplômés

Nous vous présentons ici les statistiques tirées des enquêtes *Relance* du ministère de l'Éducation, du Loisir et du Sport du Québec. Ces chiffres illustrent la situation des diplômés au mois de janvier 2005 pour les titulaires d'un baccalauréat, d'une maîtrise ou d'un doctorat de 1er cycle (environ 20 mois après l'obtention du diplôme) et au mois de mars 2005 pour les diplômés de la formation professionnelle et technique (environ 9 mois après l'obtention du diplôme). À noter qu'il n'y a pas de données disponibles pour les titulaires d'une attestation d'études collégiales (AEC) ou d'un certificat universitaire.

Programmes d'études et disciplines	Nombre de diplômés	Taux d'emploi	Poursuite des études	Emploi à temps plein	Emploi en rapport avec la formation	Taux de chômage
Formation professionnelle						
Assistance aux bénéficiaires en établissement de santé (DEP)	1 725	83,2 %	7,0 %	64,0 %	85,1 %	6,9 %
Assistance dentaire (DEP)	218	82,8 %	7,6 %	89,2 %	89,7 %	6,3 %
Assistance familiale et sociale aux personnes à domicile (DEP)	462	82,6 %	5,2 %	68,5 %	86,5 %	7,8 %
Assistance technique en pharmacie (DEP)	205	91,3 %	3,3 %	91,2 %	94,4 %	0,7 %
Santé, assistance et soins infirmiers (DEP)	1 123	92,1 %	2,7 %	64,8 %	93,5 %	2,6 %
Secrétariat médical (ASP)	201	82,7 %	4,0 %	77,4 %	80,2 %	9,5 %
Formation collégiale						
Acupuncture (DEC)	22	88,2 %	0,0 %	26,7 %	100,0 %	0,0 %
Archives médicales (DEC)	64	87,0 %	0,0 %	87,5 %	100,0 %	7,0 %
Audioprothèse (DEC)	12	100,0 %	0,0 %	88,9 %	100,0 %	0,0 %
Soins infirmiers (DEC)	2 198	64,6 %	32,6 %	83,4 %	97,6 %	1,4 %
Techniques d'éducation spécialisée (DEC)	973	79,7 %	15,5 %	58,5 %	89,4 %	2,0 %
Techniques d'électrophysiologie médicale (DEC)	31	90,9 %	9,1 %	95,0 %	100,0 %	0,0 %
Techniques d'hygiène dentaire (DEC)	151	93,5 %	2,8 %	86,0 %	96,5 %	1,0 %
Techniques d'inhalothérapie (DEC)	135	96,8 %	2,1 %	92,4 %	98,8 %	0,0 %
Techniques d'intervention en loisir (DEC)	105	74,0 %	19,5 %	71,9 %	80,5 %	5,0 %
Techniques d'orthèses et de prothèses orthopédiques (DEC)	22	94,4 %	5,6 %	88,2 %	93,3 %	0,0 %
Techniques d'orthèses visuelles (DEC)	66	95,7 %	2,1 %	97,8 %	100,0 %	0,0 %
Techniques de denturologie (DEC)	17	92,9 %	0,0 %	92,3 %	83,3 %	7,1 %
Techniques de diététique (DEC)	126	74,4 %	16,7 %	67,2 %	75,6 %	8,2 %
Techniques de laboratoire (DEC), spécialisation en biotechnologies	94	57,4 %	39,7 %	84,6 %	93,9 %	2,5 %

Statistiques sur le placement des diplômés (suite)

Programmes d'études et disciplines	Nombre de diplômés	Taux d'emploi	Poursuite des études	Emploi à temps plein	Emploi en rapport avec la formation	Taux de chômage
Techniques de laboratoire (DEC), spécialisation en chimie analytique	70	72,5 %	25,5 %	91,9 %	91,2 %	2,6 %
Techniques de réadaptation physique (DEC)	160	81,4 %	15,3 %	84,4 %	93,8 %	4,0 %
Techniques de santé animale (DEC)	248	85,1 %	10,9 %	92,6 %	94,2 %	3,3 %
Techniques de thanatologie (DEC)	12	100,0 %	0,0 %	88,9 %	100,0 %	0,0 %
Techniques de travail social (DEC)	345	71,1 %	19,7 %	78,0 %	81,9 %	7,3 %
Techniques dentaires (DEC)	n.d.	n.d.	n.d.	n.d.	n.d.	n.d.
Technologie d'analyses biomédicales (DEC)	222	93,0 %	6,3 %	72,1 %	98,1 %	0,7 %
Technologie de médecine nucléaire (DEC)	18	100,0 %	0,0 %	87,5 %	100,0 %	0,0 %
Technologie de radiodiagnostic (DEC)	115	100,0 %	0,0 %	94,0 %	100,0 %	0,0 %
Technologie de radio-oncologie (DEC)	38	96,3 %	3,7 %	96,2 %	100,0 %	0,0 %
Formation universitaire						
Biochimie (Bac)	303	24,6 %	71,0 %	90,2 %	60,9 %	8,9 %
Biochimie (Maîtrise)	29	56,5 %	34,8 %	100,0 %	92,3 %	7,1 %
Biophysique (Bac)	6	25,0 %	50,0 %	100,0 %	100,0 %	0,0 %
Biophysique (Maîtrise)	7	40,0 %	60,0 %	100,0 %	100,0 %	0,0 %
Chiropratique (Doctorat de 1er cycle)	41	89,7 %	3,4 %	96,2 %	100,0 %	0,0 %
Diététique et nutrition (Bac)	96	77,9 %	19,1 %	73,6 %	94,9 %	0,0 %
Diététique et nutrition (Maîtrise)	n.d.	n.d.	n.d.	n.d.	n.d.	n.d.
Ergothérapie (Bac)	183	89,5 %	7,3 %	94,6 %	100,0 %	0,0 %
Études pluridisciplinaires en sciences de la santé (Bac)	120	38,9 %	55,6 %	89,3 %	60,0 %	6,7 %
Génie biologique et biomédical (Maîtrise)	28	70,6 %	29,4 %	91,7 %	72,7 %	0,0 %
Médecine dentaire (Doctorat de 1er cycle)	67	85,0 %	12,5 %	85,3 %	100,0 %	0,0 %
Médecine dentaire (Maîtrise)	13	100,0 %	0,0 %	62,5 %	100,0 %	0,0 %
Médecine et chirurgie expérimentale (Maîtrise)	28	62,5 %	31,3 %	100,0 %	90,0 %	9,1 %
Médecine vétérinaire (Doctorat de 1er cycle)	n.d.	n.d.	n.d.	n.d.	n.d.	n.d.
Médecine vétérinaire (Maîtrise)	13	54,5 %	36,4 %	100,0 %	100,0 %	14,3 %
Microbiologie (Bac)	174	20,4 %	75,2 %	91,3 %	52,4 %	14,8 %
Microbiologie (Maîtrise)	62	62,8 %	30,2 %	96,3 %	88,5 %	3,6 %
Optométrie (Doctorat de 1er cycle)	n.d.	n.d.	n.d.	n.d.	n.d.	n.d.
Orthophonie et audiologie (Bac)	60	87,0 %	8,7 %	85,0 %	97,1 %	0,0 %
Orthophonie et audiologie (Maîtrise)	08	94,5 %	0,0 %	91,2 %	100,0 %	0,0 %

Statistiques sur le placement des diplômés (suite)

Programmes d'études et disciplines	Nombre de diplômés	Taux d'emploi	Poursuite des études	Emploi à temps plein	Emploi en rapport avec la formation	Taux de chômage
Pharmacie et sciences pharmaceutiques (Bac)	228	88,8 %	10,0 %	96,5 %	100,0 %	1,4 %
Pharmacie et sciences pharmaceutiques (Maîtrise)	96	73,9 %	21,7 %	100,0 %	98,0 %	1,9 %
Physiothérapie (Bac)	185	83,1 %	11,0 %	96,9 %	98,9 %	3,0 %
Psychoéducation (Bac)	288	83,2 %	11,9 %	78,0 %	92,4 %	0,6 %
Psychoéducation (Maîtrise)	72	80,4 %	13,7 %	82,9 %	88,2 %	0,0 %
Psychologie (Bac)	1 020	38,9 %	55,8 %	77,3 %	46,4 %	6,0 %
Psychologie (Maîtrise)	351	62,2 %	33,7 %	70,6 %	90,7 %	2,5 %
Santé communautaire et épidémiologie (Bac)	67	95,2 %	0,0 %	85,0 %	85,3 %	0,0 %
Santé communautaire et épidémiologie (Maîtrise)	85	79,6 %	14,3 %	92,3 %	88,9 %	4,9 %
Sciences biologiques (Bac)	593	31,9 %	59,0 %	83,5 %	70,8 %	16,4 %
Sciences biologiques (Maîtrise)	121	45,1 %	34,1 %	94,6 %	82,9 %	21,3 %
Sciences de l'activité physique (Bac)	295	62,8 %	31,9 %	78,8 %	69,9 %	4,8 %
Sciences de l'activité physique (Maîtrise)	34	61,9 %	38,1 %	92,3 %	83,3 %	0,0 %
Sciences fondamentales et sciences appliquées de la santé (Bac)	211	17,6 %	78,2 %	90,5 %	26,3 %	8,7 %
Sciences fondamentales et sciences appliquées de la santé (Maîtrise)	231	51,6 %	44,4 %	94,9 %	78,7 %	1,3 %
Sciences infirmières et nursing (Bac)	628	88,5 %	6,3 %	88,3 %	93,8 %	0,5 %
Sciences infirmières et nursing (Maîtrise)	37	100,0 %	0,0 %	100,0 %	91,3 %	0,0 %
Service social (Bac)	603	86,3 %	7,5 %	88,6 %	91,2 %	3,2 %
Service social (Maîtrise)	154	87,9 %	5,5 %	76,3 %	98,4 %	2,4 %
Sexologie (Bac)	85	61,4 %	33,3 %	80,0 %	57,1 %	5,4 %
Sexologie (Maîtrise)	17	81,8 %	18,2 %	44,4 %	75,0 %	0,0 %

Programmes d'études universitaires menant à des postes de direction

Administration des affaires (Bac)	2 007	80,4 %	14,3 %	96,1 %	83,7 %	4,0 %
Administration des affaires (Maîtrise)	1 457	89,3 %	4,2 %	97,3 %	85,2 %	4,3 %
Administration publique (Maîtrise)	212	88,8 %	2,1 %	96,9 %	79,7 %	7,3 %
Comptabilité et sciences comptables (Bac)	910	89,2 %	5,7 %	99,5 %	93,0 %	3,5 %
Comptabilité et sciences comptables (Maîtrise)	n.d.	n.d.	n.d.	n.d.	n.d.	n.d.
Économique	n.d.	n.d.	n.d.	n.d.	n.d.	n.d.
Gestion des services de santé (Bac)	n.d.	n.d.	n.d.	n.d.	n.d.	n.d.

Sources : MELS, *La Relance au secondaire en formation professionnelle*, 2005. MELS, *La Relance au collégial en formation technique*, 2005. MELS, *La Relance à l'université*, 2005.

→ À chaque **région** ses besoins

Pour chacune des régions du Québec, voici des professionnels de la santé pour lesquels les perspectives d'emploi sont «favorables» et «très favorables», selon Emploi-Québec.

Abitibi-Témiscamingue
- Ambulanciers
- Assistants dentaires
- Audiologistes et orthophonistes
- Conseillers familiaux
- Dentistes
- Éducateurs spécialisés
- Ergothérapeutes
- Hygiénistes et thérapeutes dentaires
- Infirmiers
- Infirmiers auxiliaires
- Inhalothérapeutes et perfusionnistes
- Médecins généralistes et spécialistes
- Pharmaciens
- Physiothérapeutes
- Préposés aux bénéficiaires
- Psychologues
- Techniciens de laboratoire médical
- Technologues en radiologie
- Technologues médicaux et assistants en anatomopathologie
- Travailleurs sociaux

Bas-Saint-Laurent
- Ambulanciers
- Assistants dentaires
- Éducateurs spécialisés
- Infirmiers
- Infirmiers auxiliaires
- Inhalothérapeutes et perfusionnistes
- Préposés aux bénéficiaires
- Psychologues
- Techniciens de laboratoire médical
- Technologues en radiologie
- Travailleurs sociaux

Capitale-Nationale
- Ambulanciers
- Audiologistes et orthophonistes
- Dentistes
- Éducateurs spécialisés

- Ergothérapeutes
- Hygiénistes et thérapeutes dentaires
- Infirmiers
- Infirmiers auxiliaires
- Inhalothérapeutes et perfusionnistes
- Médecins généralistes et spécialistes
- Opticiens d'ordonnances
- Optométristes
- Pharmaciens
- Physiothérapeutes
- Préposés aux bénéficiaires
- Techniciens de laboratoire médical
- Technologues en radiologie
- Technologues médicaux et assistants en anatomopathologie
- Travailleurs sociaux

Centre-du-Québec
- Assistants dentaires
- Éducateurs spécialisés
- Ergothérapeutes
- Hygiénistes et thérapeutes dentaires
- Infirmiers
- Infirmiers auxiliaires
- Médecins généralistes et spécialistes
- Pharmaciens
- Physiothérapeutes
- Préposés aux bénéficiaires
- Psychologues
- Techniciens de laboratoire médical
- Technologues en radiologie
- Technologues médicaux et assistants en anatomopathologie
- Travailleurs sociaux
- Vétérinaires

Chaudière-Appalaches
- Ambulanciers
- Dentistes

- Diététistes et nutritionnistes
- Éducateurs spécialisés
- Ergothérapeutes
- Infirmiers
- Infirmiers auxiliaires
- Inhalothérapeutes et perfusionnistes
- Médecins généralistes et spécialistes
- Pharmaciens
- Physiothérapeutes
- Préposés aux bénéficiaires
- Psychologues
- Techniciens de laboratoire médical
- Technologues en radiologie
- Technologues en santé animale
- Technologues médicaux et assistants en anatomopathologie
- Travailleurs sociaux
- Vétérinaires

Côte-Nord
- Infirmiers
- Infirmiers auxiliaires
- Médecins généralistes
- Technologues en radiologie
- Travailleurs sociaux

Estrie
- Ambulanciers
- Assistants dentaires
- Conseillers familiaux
- Dentistes
- Éducateurs spécialisés
- Ergothérapeutes
- Infirmiers
- Infirmiers auxiliaires
- Inhalothérapeutes et perfusionnistes
- Médecins généralistes et spécialistes
- Optométristes
- Pharmaciens
- Physiothérapeutes
- Préposés aux bénéficiaires

- Psychologues
- Techniciens de laboratoire médical
- Technologues en radiologie
- Technologues en santé animale
- Travailleurs des services communautaires et sociaux
- Travailleurs sociaux

Gaspésie–Îles-de-la-Madeleine
- Ambulanciers
- Conseillers familiaux
- Éducateurs spécialisés
- Infirmiers
- Infirmiers auxiliaires
- Médecins généralistes
- Préposés aux bénéficiaires
- Psychologues
- Techniciens de laboratoire médical
- Technologues en radiologie
- Travailleurs sociaux

Lanaudière
- Ambulanciers
- Assistants dentaires
- Conseillers familiaux
- Dentistes
- Diététistes et nutritionnistes
- Éducateurs spécialisés
- Ergothérapeutes
- Hygiénistes et thérapeutes dentaires
- Infirmiers
- Infirmiers auxiliaires
- Inhalothérapeutes et perfusionnistes
- Médecins généralistes et spécialistes
- Opticiens d'ordonnances
- Pharmaciens
- Physiothérapeutes
- Préposés aux bénéficiaires

- Psychologues
- Techniciens de laboratoire médical
- Technologues en radiologie
- Technologues en santé animale
- Technologues médicaux et assistants en anatomopathologie
- Travailleurs des services communautaires et sociaux
- Travailleurs sociaux

Laurentides

- Ambulanciers
- Assistants dentaires
- Audiologistes et orthophonistes
- Chiropraticiens
- Conseillers familiaux
- Dentistes
- Diététistes et nutritionnistes
- Éducateurs spécialisés
- Ergothérapeutes
- Hygiénistes et thérapeutes dentaires
- Infirmiers
- Infirmiers auxiliaires
- Inhalothérapeutes et perfusionnistes
- Médecins généralistes et spécialistes
- Optométristes
- Pharmaciens
- Physiothérapeutes
- Préposés aux bénéficiaires
- Psychologues
- Techniciens de laboratoire médical
- Technologues en radiologie
- Technologues en santé animale
- Technologues médicaux et assistants en anatomopathologie
- Travailleurs des services communautaires et sociaux
- Travailleurs sociaux
- Vétérinaires

Laval

- Ambulanciers
- Assistants dentaires
- Conseillers familiaux
- Dentistes

- Diététistes et nutritionnistes
- Éducateurs spécialisés
- Ergothérapeutes
- Hygiénistes et thérapeutes dentaires
- Infirmiers
- Infirmiers auxiliaires
- Inhalothérapeutes et perfusionnistes
- Médecins généralistes et spécialistes
- Opticiens d'ordonnances
- Optométristes
- Pharmaciens
- Physiothérapeutes
- Préposés aux bénéficiaires
- Psychologues
- Techniciens de laboratoire médical
- Technologues en radiologie
- Technologues médicaux et assistants en anatomopathologie
- Travailleurs des services communautaires et sociaux
- Travailleurs sociaux

Mauricie

- Ergothérapeutes
- Infirmiers
- Inhalothérapeutes et perfusionnistes
- Médecins généralistes et spécialistes
- Pharmaciens
- Physiothérapeutes
- Préposés aux bénéficiaires
- Technologues en radiologie
- Vétérinaires

Montérégie

- Ambulanciers
- Assistants dentaires
- Audiologistes et orthophonistes
- Dentistes
- Denturologistes
- Éducateurs spécialisés
- Ergothérapeutes
- Hygiénistes et thérapeutes dentaires
- Infirmiers
- Infirmiers auxiliaires
- Inhalothérapeutes et perfusionnistes

- Médecins généralistes et spécialistes
- Opticiens d'ordonnances
- Optométristes
- Pharmaciens
- Physiothérapeutes
- Préposés aux bénéficiaires
- Psychologues
- Techniciens de laboratoire médical
- Technologues en radiologie
- Technologues en santé animale
- Technologues médicaux et assistants en anatomopathologie
- Travailleurs des services communautaires et sociaux
- Travailleurs sociaux

Montréal

- Ambulanciers
- Assistants dentaires
- Audiologistes et orthophonistes
- Conseillers familiaux
- Dentistes
- Diététistes et nutritionnistes
- Éducateurs spécialisés
- Ergothérapeutes
- Hygiénistes et thérapeutes dentaires
- Infirmiers
- Infirmiers auxiliaires
- Inhalothérapeutes et perfusionnistes
- Médecins généralistes et spécialistes
- Opticiens d'ordonnances
- Optométristes
- Pharmaciens
- Physiothérapeutes
- Préposés aux bénéficiaires
- Psychologues
- Techniciens de laboratoire médical
- Technologues en radiologie
- Technologues en santé animale
- Technologues médicaux et assistants en anatomopathologie

- Travailleurs des services communautaires et sociaux
- Travailleurs sociaux

Nord-du-Québec

- Infirmiers
- Infirmiers auxiliaires
- Médecins généralistes
- Technologues en radiologie
- Travailleurs sociaux

Outaouais

- Conseillers familiaux
- Dentistes
- Diététistes et nutritionnistes
- Éducateurs spécialisés
- Ergothérapeutes
- Infirmiers
- Infirmiers auxiliaires
- Médecins généralistes et spécialistes
- Optométristes
- Pharmaciens
- Physiothérapeutes
- Préposés aux bénéficiaires
- Psychologues
- Techniciens de laboratoire médical
- Technologues en radiologie
- Technologues médicaux et assistants en anatomopathologie
- Travailleurs sociaux

Saguenay–Lac-Saint-Jean

- Ambulanciers
- Éducateurs spécialisés
- Infirmiers
- Infirmiers auxiliaires
- Inhalothérapeutes et perfusionnistes
- Médecins généralistes et spécialistes
- Pharmaciens
- Préposés aux bénéficiaires
- Techniciens de laboratoire médical
- Technologues en radiologie
- Technologues médicaux et assistants en anatomopathologie

Source : Emploi-Québec.
Perspectives professionnelles 2004-2008, 2005.

Répertoire des principales associations et des ordres professionnels

Le meilleur du web : ça clique! Pour mieux connaître l'univers de la santé et des services sociaux, allez naviguer! Vous trouverez à l'adresse suivante des dizaines de liens traitant de ce secteur d'emploi : **www.jobboom.com/sante**.

A **Acupuncture**
Ordre des acupuncteurs du Québec
Tél. : (514) 523-2882
www.ordredesacupuncteurs.qc.ca

Archives médicales
Association québécoise des
archivistes médicales
Tél. : (819) 823-6670 • www.aqam.ca

Assistance dentaire
Association des assistant(e)s dentaires
du Québec • Tél. : (514) 722-9900
www.cdaa.ca/f/provincial/index.asp#qc

Assistance familiale et sociale
Association canadienne de soins palliatifs
Tél. : (613) 241-3663 ou 1 800 668-2785
www.acsp.net

Association des auxiliaires familiales et
sociales du Québec
Tél. : (450) 477-6302
www.familis.org/riopfq/membres/aafs.html

Assistance technique en pharmacie
Association québécoise des assistant(e)s
techniques en pharmacie
Tél. : (450) 471-2746 • www.aqatp.ca

Audiologie
Association canadienne des
orthophonistes et audiologistes
Tél. : (613) 567-9968 • www.caslpa.ca

Ordre des orthophonistes et
audiologistes du Québec
Tél. : (514) 282-9123 • www.ooaq.qc.ca

Audioprothèse
Association professionnelle des
audioprothésistes du Québec
Tél. : (514) 498-0077 ou 1 877 698-0077

Ordre des audioprothésistes du Québec
Tél. : (514) 640-5117
www.ordreaudio.qc.ca

B **Biochimie clinique**
Association des médecins biochimistes
du Québec • Tél. : (514) 350-5105
www.ambq.med.usherb.ca

Ordre des chimistes du Québec
Volet biochimie clinique
Tél. : (514) 844-3644 • www.ocq.qc.ca

Biologie médicale
Société québécoise de biologie clinique
www.sqbc.qc.ca

C **Chiropratique**
Ordre des chiropraticiens du Québec
Tél. : (514) 355-8540
www.chiropratique.com/v2/afficher.aspx?
unite=001007

Cytologie
Association des cytologistes du Québec
www.cyto.qc.ca

Association professionnelle des
technologistes médicaux du Québec
Tél. : (514) 524-3734 ou 1 800 361-4306
www.aptmq.qc.ca

Ordre professionnel des technologistes
médicaux du Québec
Tél. : (514) 527-9811 • www.optmq.org

D **Denturologie**
Ordre des denturologistes du Québec
Tél. : (450) 646-7922 ou 1 800 567-2251
www.odq.com

Diététique / Nutrition
Association des diététistes au Québec
Tél. : (514) 954-0047
www.adaqnet.org/accueils/Accueil.html

Ordre professionnel des diététistes
du Québec
Tél. : (514) 393-3733 ou 1 888 393-8528
www.opdq.org

Société des technologues en nutrition
Tél. : (418) 990-0309 • www.stnq.ca

E **Ergothérapie**
Association québécoise des
ergothérapeutes en pratique privée
Tél. : (514) 940-6541

Ordre des ergothérapeutes du Québec
Tél. : (514) 844-5778 • www.oeq.org

G **Génie biomédical**
Association des physiciens et ingénieurs
biomédicaux du Québec
Tél. : (514) 952-0184 • www.apibq.org

Association des technicien(ne)s en génie
biomédical • www.atgbm.org

Ordre des ingénieurs du Québec
Tél. : (514) 845-6141 ou 1 800 461-6141
www.oiq.qc.ca

**Gestion du réseau de la santé et
des services sociaux**
Association des cadres de la santé et
des services sociaux du Québec
Tél. : (514) 933-4118

Répertoire des principales associations et des ordres professionnels (suite)

Association des cadres supérieurs de la santé et des services sociaux
Tél. : (450) 465-0360 • www.acssss.qc.ca

Association des directeurs généraux des services de santé et des services sociaux du Québec
Tél. : (514) 281-1896 • www.adgsssq.qc.ca

Association des gestionnaires des établissements de santé et de services sociaux
Tél. : (450) 651-6000 • www.agesss.qc.ca

H **Hygiène dentaire**
Association canadienne des hygiénistes dentaires • www.cdha.ca

Ordre des hygiénistes dentaires du Québec
Tél. : (514) 284-7639 ou 1 800 361-2996
www.ohdq.com

I **Inhalothérapie**
Ordre professionnel des inhalothérapeutes du Québec
Tél. : (514) 931-2900 ou 1 800 561-0029
www.opiq.qc.ca

K **Kinésiologie**
Fédération des kinésiologues du Québec
Tél. : (514) 343-2471
www.kinesiologue.com

M **Médecine**
Association des allergologues et immunologues du Québec
Tél. : (514) 350-5101
www.allerg.qc.ca/indexf.htm

Association des anesthésiologistes du Québec
Tél. : (514) 843-7671 ou 1 877 843-7691
www.fmsq.org/aaq

Association des cardiologues du Québec
Tél. : (514) 350-5106

Association des chirurgiens cardio-vasculaires et thoraciques du Québec
Tél. : (514) 340-8222, poste 5598

Association québécoise de chirurgie
Tél. : (514) 350-5107 • www.acgq.qc.ca

Association des conseils des médecins, dentistes et pharmaciens du Québec
Tél. : (514) 858-5885 • www.acmdp.qc.ca

Association des dermatologistes du Québec
Tél. : (514) 350-5111 • www.adq.org

Association des gastro-entérologues du Québec
Tél. : (514) 350-5112 • www.ageq.qc.ca

Association des jeunes médecins du Québec
Tél. : (514) 879-9203 • www.ajmq.qc.ca

Association des médecins biochimistes du Québec • Tél. : (514) 350-5105
www.ambq.med.usherb.ca

Association des médecins d'urgence du Québec
Tél. : (418) 658-7679 • www.amuq.qc.ca

Association des médecins endocrinologues du Québec
Tél. : (514) 350-5135 • www.ameq.qc.ca

Association des médecins généticiens du Québec • Tél. : (514) 350-5141

Association des médecins gériatres du Québec
Tél. : (514) 350-5145 • www.fmsq.org/ amgq

Association des médecins hématologues et oncologues du Québec
Tél. : (514) 350-5121 • www.geoq.com

Association des médecins microbiologistes infectiologues du Québec
Tél. : (514) 350-5104

Association des médecins ophtalmologistes du Québec
Tél. : (514) 350-5124 • www.amoq.org

Association des médecins psychiatres du Québec
Tél. : (514) 350-5128 • www.ampq.org

Association des médecins rhumatologues du Québec • Tél. : (514) 350-5136

Association des médecins spécialistes en médecine nucléaire du Québec
Tél. : (514) 350-5133
www.medecinenucleaire.com

Association des médecins spécialistes en santé communautaire du Québec
Tél. : (514) 350-5138 • www.amsscq.org

Association des néphrologues du Québec
Tél. : (514) 350-5134 • www.sqn.qc.ca

Association des neurochirurgiens du Québec • Tél. : (514) 350-5120
www.fmsq.org/neurochirurgie

Association des neurologues du Québec
Tél. : (514) 350-5122 • www.anq.qc.ca

Association des obstétriciens et gynéco-logues du Québec • Tél. : (514) 849-4969
www.gynecoquebec.com

Association des pathologistes du Québec
Tél. : (514) 350-5102 • www.apq.qc.ca

Association des pédiatres du Québec
Tél. : (514) 350-5127 • www.pediatres.ca

Répertoire des principales associations et des ordres professionnels (suite)

Association des physiatres du Québec
Tél. : (514) 350-5119

Association des pneumologues de la province de Québec • Tél. : (514) 350-5117
www.pneumologue.ca

Association des radiologistes du Québec
Tél. : (514) 350-5129 • www.arq.qc.ca

Association des radio-oncologues du Québec • Tél. : (514) 350-5130

Association des spécialistes en chirurgie plastique et esthétique du Québec
Tél. : (514) 350-5109 • www.ascpeq.org

Association des spécialistes en médecine d'urgence du Québec • Tél. : (514) 350-5115

Association des spécialistes en médecine interne du Québec
Tél. : (514) 350-5118 • www.asmiq.qc.ca

Association des urologues du Québec
Tél. : (514) 350-5131 • www.auq.org

Association d'orthopédie du Québec
Tél. : (514) 844-0803 • www.orthoquebec.ca

Association d'oto-rhino-laryngologie et de chirurgie cervico-faciale du Québec
Tél. : (514) 350-5125 • www.fmsq.org/orl

Collège des médecins du Québec
Tél. : (514) 933-4441 ou 1 888 MÉDECIN
www.cmq.org

Fédération des médecins omnipraticiens du Québec
Tél. : (514) 878-1911 ou 1 800 361-8499
www.fmoq.org

Fédération des médecins résidents du Québec
Tél. : (514) 282-0256 • www.fmrq.qc.ca

Fédération des médecins spécialistes du Québec
Tél. : (514) 350-5000 ou 1 800 561-0703
www.fmsq.org

Médecine dentaire

Association des chirurgiens dentistes du Québec
Tél. : (514) 282-1425 ou 1 800 361-3794
www.acdq.qc.ca

Association des conseils des médecins, dentistes et pharmaciens du Québec
Tél. : (514) 858-5885 • www.acmdp.qc.ca

Association des spécialistes en chirurgie buccale et maxillo-faciale du Québec
Tél. : (450) 445-5695, poste 3

Ordre des dentistes du Québec
Tél. : (514) 875-8511 ou 1 800 361-4887
www.odq.qc.ca

Médecine vétérinaire

Ordre des médecins vétérinaires du Québec
Tél. : (450) 774-1427 ou 1 800 267-1427
www.omvq.qc.ca

Microbiologie

Association des microbiologistes du Québec
Tél. : (514) 728-1087 • www.cam.org/~amq/

O Optique

Ordre des opticiens d'ordonnances du Québec
Tél. : (514) 288-7542 ou 1 800 563-6345
www.oodq.qc.ca

Optométrie

Association des optométristes du Québec
Tél. : (514) 288-6272 • www.aoqnet.qc.ca

Ordre des optométristes du Québec
Tél. : (514) 499-0524 • www.ooq.org

Organisation communautaire

Regroupement québécois des intervenants et intervenantes en action communautaire en CLSC et en Centre de santé
www.rqiiac.qc.ca

Orthophonie

Association canadienne des orthophonistes et audiologistes
Tél. : (613) 567-9968 • www.caslpa.ca

Ordre des orthophonistes et audiologistes du Québec
Tél. : (514) 282-9123 • www.ooaq.qc.ca

P Perfusion

Association des perfusionnistes du Québec
www.cscp.ca/apqi.html

Société canadienne de perfusion clinique
Tél. : 1 888 496-2727
www.cscp.ca/french/home.html

Pharmacie

Association des conseils des médecins, dentistes et pharmaciens du Québec
Tél. : (514) 858-5885 • www.acmdp.qc.ca

Association des pharmaciens des établissements de santé du Québec
Tél. : (514) 286-0776
www.apesquebec.org/index.asp

Association québécoise des pharmaciens propriétaires
Tél. : (514) 254-0676 ou 1 800 361-7765
www.aqpp.qc.ca/site/index.php

Ordre des pharmaciens du Québec
Tél. : (514) 284-9588 ou 1 800 363-0324
www.opq.org

Physiothérapie

Fédération des physiothérapeutes en pratique privée du Québec
Tél. : (514) 287-1011 ou 1 877 666-1011

Ordre professionnel de la physiothérapie du Québec
Tél. : (514) 351-2770 ou 1 800 361-2001
www.oppq.qc.ca

Répertoire des principales associations et des ordres professionnels (suite)

Physique médicale
Association des physiciens et ingénieurs biomédicaux du Québec
Tél. : (514) 952-0184 • www.apibq.org

Podiatrie
Ordre des podiatres du Québec
Tél. : (514) 288-0019
www.ordredespodiatres.qc.ca

Pratique sage-femme
Ordre des sages-femmes du Québec
Tél. : (514) 286-1313 • www.osfq.org

Psychoéducation
Ordre des conseillers et conseillères d'orientation et des psychoéducateurs et psychoéducatrices du Québec
Tél. : (514) 737-4717 ou 1 800 363-2643
www.occoppq.qc.ca

Psychologie
Ordre des psychologues du Québec
Tél. : (514) 738-1881 ou 1 800 363-2644
www.ordrepsy.qc.ca

S Sexologie
Association des sexologues du Québec
Tél. : (514) 270-9289
www.associationdessexologues.com

Soins infirmiers
Association des infirmières et infirmiers d'urgence du Québec
Tél. : (514) 845-0202 • www.aiiuq.qc.ca

Fédération des infirmières et des infirmiers du Québec
Tél. : (514) 987-1141 ou 1 800 363-6541
www.fiiq.qc.ca

Ordre des infirmières et infirmiers auxiliaires du Québec
Tél. : (514) 282-9511 ou 1 800 283-9511
www.oiiaq.org

Ordre des infirmières et infirmiers du Québec
Tél. : (514) 935-2501 ou 1 800 363-6048
www.oiiq.org

T Techniques ambulancières
Rassemblement des employés techniciens ambulanciers-paramédics du Québec
Tél. : (514) 728-6565 • www.retaq.org

Techniques de laboratoire médical
Association professionnelle des technologistes médicaux du Québec
Tél. : (514) 524-3734 ou 1 800 361-4306
www.aptmq.qc.ca

Ordre professionnel des technologistes médicaux du Québec
Tél. : (514) 527-9811 • www.optmq.org

Techniques dentaires
Ordre des techniciennes et des techniciens dentaires du Québec
Tél. : (514) 282-3837 • www.ottdq.com

Technologie de médecine nucléaire/ radiodiagnostic/radio-oncologie
Ordre des technologues en radiologie du Québec
Tél. : (514) 351-0052 ou 1 800 361-8759
www.otrq.qc.ca

Thanatologie
Corporation des thanatologues du Québec
Tél. : (418) 622-1717 ou 1 800 463-4935
www.corpothanato.com

Travail social
Ordre professionnel des travailleurs sociaux du Québec
Tél. : (514) 731-3925 ou 1 888 731-9420
www.optsq.org

Quelques organismes clés accessibles dans Internet

Association des centres jeunesse du Québec
www.acjq.qc.ca

Association des CLSC et des CHSLD du Québec • www.clsc-chsld.qc.ca

Association des hôpitaux du Québec
www.ahq.org

Association des établissements de réadaptation en déficience physique du Québec • www.aerdpq.org

Association des résidences et CHSLD privés du Québec • www.arcpq.org/index.htm

Association pour la santé publique du Québec
www.aspq.org

Croix-Rouge canadienne • www.croixrouge.ca

Fédération de la santé et des services sociaux de la CSN • www.fsss.qc.ca

Héma-Québec • www.hema-quebec.qc.ca

Institut national de santé publique du Québec
www.inspq.qc.ca

Laboratoire de santé publique du Québec
www.inspq.qc.ca/lspq

Ministère de la Santé et des Services sociaux du Québec • www.msss.gouv.qc.ca

Organisation mondiale de la santé
www.who.int/fr

Régie de l'assurance maladie du Québec
www.ramq.gouv.qc.ca

Regroupement des CHSLD de la région de Montréal • www.rchsldm.qc.ca

Réseau de soins palliatifs du Québec
www.aqsp.org

Santé Canada • www.hc-sc.gc.ca

Urgences-santé • www.urgences-sante.qc.ca

Index

Des professions et des témoignages
❯ Par ordre alphabétique

Index

Des professions et des témoignages (suite)
> ❯ Par ordre alphabétique

Index

Des professions et des témoignages (suite)
❯ Par ordre alphabétique

Remerciements à nos annonceurs

L'équipe derrière le guide

100 carrières de la santé et des services sociaux

Rédaction

Directrice de la publication
Christine Lanthier

Rédactrices en chef
Julie Gobeil • Emmanuelle Gril •
Christine Lanthier • Julie Leduc

Collaborateurs
Hélène Belzile • Guylaine Boucher •
Suzanne Bouilly • Brigit-Alexandre Bussières •
Louise Casavant • Séverine Galus •
Claudia Larochelle • Jean-Sébastien Marsan •
Kareen Quesada • Sylvie L. Rivard • Martine
Roux • Anne-Marie Trudel • Valérie Vézina

Recherchistes
Mariève Desjardins, Karine Moniqui

Secrétaire à la rédaction
Stéphane Plante

Réviseures
Christine Dumazet • Johanne Girard •
Sylviane Hesry

Production

Coordonnatrice de la production
Nathalie Renauld

Conception de la grille graphique
Amélie Beaulieu

Conception de la page couverture
Mélanie Dubuc

Infographie
Gestion d'impression Gagné inc.

Distribution
Mélanie Larivée

Ventes publicitaires

Directrice des ventes, produits imprimés
Carole Dallaire

Représentants
Jean-Philippe Doucet • Sophie Lalumière •
Christophe Verhelst

Date de publication
Janvier 2006

Dépôt légal
Bibliothèque nationale du Québec
ISBN : 2-89582-074-0

Bibliothèque nationale du Canada
ISSN : 1708-5705

100 carrières de la santé et des services sociaux
est publié par les Éditions Jobboom, une division
de Jobboom, membre du réseau Canoë.

Le genre masculin est utilisé au sens neutre et
désigne aussi bien les femmes que les hommes.
Les articles de cette publication ne peuvent être
reproduits sans l'autorisation des éditeurs.

Les opinions exprimées dans cette publication ne
sont pas nécessairement partagées par les
éditeurs et les commanditaires.

Jobboom

Président
Bruno Leclaire

Vice-président Production Web et imprimée
Marcel Sanscartier

Vice-présidente Produits classés et services clientèle
Élisabeth Fortin

Vice-présidente Ventes
Julie Phaneuf

Directrice - Contenus Jobboom
Patricia Richard

300, rue Viger Est
7e étage
Montréal (QC) H2X 3W4
Téléphone : (514) 871-0222
Télécopieur : (514) 890-1456
www.jobboom.com

De la même collection
- 150 carrières de la culture
- 500 diplômes express
- 100 carrières de l'agriculture, des pêches et de l'alimentation
- 100 carrières de l'administration
- 50 carrières de la construction
- 50 carrières de l'environnement

jobboom
LES ÉDITIONS
QUÉBECOR MEDIA